智慧之海，

達賴喇嘛與當代科學家的對話

丁一夫、李江琳——著

如果我們想想宗教對人類的意義，
再想想科學對人類的意義，
我們可以毫不誇張地說，
歷史的未來走向
將取決於我們這一代打算怎樣處理它們的關係。

——阿弗烈・諾思・懷德海
（Alfred North Whitehead,1861-1947），1925

THE DALAI LAMA

༄༅། །ངོས་རང་ཆུང་དུའི་དུས་ནས་འཕྲུལ་རིགས་ལ་དགའ་མོས་དང་དོ་སྣང་ཡོད་ལ། ལྷག་པར་རྒྱ་གར་ལ་སླེབས་རྗེས་ནུབ་ཕྱོགས་ཚན་རིག་གམ་དེང་རབས་ཚན་རིག་གི་ཤེས་བྱ་ཤེས་རྟོགས་བྱེད་པའི་གོ་སྐབས་སྔར་ལྷག་བྱུང་ཞིང་། འདས་པའི་བགྲང་བྱ་སུམ་ཅུ་ལྷག་གི་རིང་། དེང་རབས་ཚན་རིག་ཁྲོད་ཀྱི་ཀླད་རྩའི་ཚན་རིག་དང་། སྐྱེ་དངོས་རིག་པ། འཇིག་རྟེན་ཁམས་ཀྱི་རྣམ་གཞག་རིག་པ། སེམས་ཁམས་རིག་པ། ཕོན་ཚོམ་དངོས་ཁམས་རིག་པ་སོགས་ཀྱི་མཁས་པ་མང་པོ་དང་མཉམ་དུ་ཐུག་འབྲེལ་མོལ་མཆིད་དང་། བགྲོ་གླེང་དོགས་གཅོད་བྱས་ཏེ་ཤེས་རྒྱ་བསྐྱེད་ཅིང་ཕན་ཐོགས་བྱུང་།

ངོས་རང་ནུབ་ཕྱོགས་རྒྱལ་ཁབ་ཁག་ཏུ་བསྐྱོད་སྐབས་ཐོག་མར་ཚན་རིག་པ་སྒེར་དང་ཐུག་འཕྲད་བྱས་ཤིང་། རིམ་གྱིས་ཚན་རིག་པ་ཁག་ཅིག་དང་མཉམ་དུ་འཚོགས་ཏེ་གླེང་མོལ་གྲོས་བསྡུར་བྱས། ཉེ་བའི་ལོ་ཤས་སྔོན་ནས་ནུབ་ཕྱོགས་ཀྱི་ཚན་རིག་པ་རྣམས་རྒྱ་གར་དུ་མགྲོན་འབོད་བྱས་ཏེ། ཟླ་རམ་ས་ལ་དང་གདན་ས་གསུམ་སོགས་སུ་རེས་མོས་ཀྱིས་བགྲོ་གླེང་ཚོགས་འདུ་འཚོགས་ཤིང་། བོད་ཀྱི་ནང་པའི་མཁས་པ་རྣམས་དང་ནུབ་ཕྱོགས་ཚན་རིག་པ་དག་ལྷན་འཛོམས་ཐོག ནང་པའི་ཚན་རིག་དང་རིག་གསར་ཚན་རིག་གཉིས་དཔྱད་བསྡུར་བགྲོ་གླེང་ཐེངས་མང་པོ་བྱས། ནང་པའི་ཚན་རིག་དང་དེང་རབས་ཚན་རིག་དབར་གྱི་བགྲོ་གླེང་འདི་དག་ནི། འཛམ་གླིང་ཤར་ནུབ་གཉིས་ཀྱི་རླབས་ཆེན་གྱི་རིག་གནས་བརྗེ་རེས་ཤིག་ཡིན་ལ། ང་ཚོས་ནུབ་ཕྱོགས་ཚན་རིག་ལས་ཤེས་བྱ་མི་ཉུང་བ་ཞིག་སློབ་སྦྱོང་བྱེད་ཐུབ་ཅིང་། དེང་རབས་ཚན་རིག་པ་རྣམས་ཀྱིས་ཀྱང་ནང་པ་སངས་རྒྱས་པའི་ཆོས་རབ་ཏུ་རྣམ་འབྱེད་ཀྱི་བློ་གྲོས་ལས་ཤེས་བྱ་དུ་མ་སློབ་སྦྱོང་བྱེད་ཐུབ། དེ་ལྟ་བུའི་རྣམ་དཔྱོད་བརྗེ་རེས་ཀྱི་བགྲོ་གླེང་གིས་ཕྱོགས་གཉིས་ཀར་ཕན་ཐོགས་ཆེན་པོ་བྱུང་བ་མ་ཟད། འགྲོ་བ་མིའི་རྣམ་དཔྱོད་གོང་འཕེལ་གྱིས་འཇིག་རྟེན་ཞི་བདེ་ལ་ཡང་ཕན་ཐོགས་ཡོད་པ་སྨོས་མ་དགོས།

དེབ་འདིའི་བྱེད་པོ་རྒྱ་རིགས་ཤེས་ཡོན་ཅན་རྣམ་གཉིས་ནི། ལོ་ཤས་གོང་ནས་ནང་པའི་ཚན་རིག་དང་རིག་གསར་ཚན་རིག་གི་བགྲོ་གླེང་ཚོགས་འདུ་ཐེངས་ཁ་ཤས་ལ་ཟུར་ཉན་དང་མཉམ་ཞུགས་བྱས་ཤིང་། སྐབས་ཐོག་སོ་སོར་རྒྱ་ཡིག་ཐོག་བགྲོ་གླེང་གི་གནས་ཚུལ་རྒྱུད་ལམ་དུ་སྤེལ་བར་རྒྱ་རིགས་ཤེས་ཡོན་ཅན་མང་པོས་དོ་སྣང་དང་དགའ་མོས་བྱས། ད་ལམ་ཁོང་གཉིས་ནས་འབད་པ་དང་དུ་བླངས་ཏེ། ངོས་རང་ཐོག་མར་ནུབ་ཕྱོགས་ཚན་རིག་པར་ཐུག་འབྲེལ་ཇི་ལྟར་བྱུང་བ་དང་། བར་དུ་༼སེམས་དང་སྲོག་གི་བགྲོ་གླེང་༽རིམ་པ་ཁག་ཇི་ལྟར་ཚུགས་པ། ད་ལྟ་འཛམ་གླིང་གི་གྲགས་ཅན་ཚན་རིག་པ་རྣམས་དང་ཅི་ཞིག་བགྲོ་གླེང་བྱས་པའི་སྐོར་སོགས། མི་ལོ་སུམ་ཅུ་ལྷག་གི་དངོས་བྱུང་ལོ་རྒྱུས་དང་དངོས་མཐོང་གནས་ཚུལ་རྣམས་རྒྱ་ཡིག་ཏུ་ཞིབ་ཕྲ་བཀོད་དེ། རྒྱ་རིགས་ཀློག་པ་པོ་དག་གི་ཆེད་དུ་པར་བསྐྲུན་འགྲེམས་སྤེལ་བགྱིས་པར་ཡི་རང་བསྔགས་བརྗོད་ཡོད། འདི་བརྒྱུད་རྒྱ་རིགས་ཤེས་ལྡན་དང་དོ་སྣང་ཅན་དག་གིས་ནང་པའི་ཚན་རིག་དང་དེང་རབས་ཚན་རིག་གཉིས་འགལ་བ་ལྟག་སྤྲོད་ལྟ་བུ་མིན་པར། ཕན་ཚུན་གཅིག་ཕན་གཅིག་གྲོགས་ཀྱི་སྒོ་ནས་ཡར་རྒྱས་གཏོང་བའི་རང་བཞིན་ལ་རྒྱུས་ལོན་དང་། ཤེས་རྟོགས། བསམ་གཞིགས་གཏིང་ཟབ་ཡོང་བའི་རེ་སྨོན་བཅས། བོད་ཀྱི་ཤཱཀྱའི་དགེ་སློང་ལྷ་གྲུབ་སྨྲ་བ་ཏཱ་ལའི་བླ་མ་བསྟན་འཛིན་རྒྱ་མཚོས། བོད་རྒྱལ་ལོ་༢༡༤༥ རབ་གནས་ས་ཁྱི། ཕྱི་ལོ་ ༢༠༡༨ ལོའི་ཟླ་ ༤ ཚེས་ ༦ ལ།

達賴喇嘛尊者序

我從小就喜歡並關注機器類的東西，尤其來到印度之後，接觸、了解西方科學或當代科學知識的機遇比以往更多。過去三十年來，透過與現代科學中的神經學、生物學、宇宙學、心理學，以及量子力學等眾多專家的交流、對話、研討與釋疑，令我獲益匪淺。

我外出訪問西方國家時，最初是與科學家個別進行會晤，後來逐漸和一些科學家共聚並進行討論磋商。最近幾年，開始邀請西方科學家到印度的達蘭薩拉以及三大寺所在地舉行研討交流會。西藏佛教學者與西方科學家匯聚一堂，對於佛教科學與西方科學進行一系列的探討和研究；佛教科學與現代科學之間的切磋，無疑是東西方兩大文明之間的交流，不只我們可以從西方科學研習到不少事理，現代科學家也能從佛法的擇法智慧中學習到許多知識。這樣的心智交流研討會不僅對雙方非常有益，而且對於人類聰慧之提升，對於世界祥和也有幫助。

本書的兩位華人作者在幾年前就多次旁聽、參與佛教科學與現代科學的研討會，並且透過媒體把研討會的情況介紹給讀者，引起不少華人學者的關注和愛好。這次透過他們的努力，把我和西方科學家當初交流的起源、其後如何發展「心智與生命研討會」的過程，以及與當今世界著名科學家所交談之內容等三十多年的歷史事實和所見所聞詳盡地以中文記錄，並為了中文讀者而尋求出版發行，對此我深表讚賞。透過本書，我由衷希望華人知識分子以及關注者，了解與認知佛教科學與現代科學二者並非相互排斥、背道而馳，更期望能從彼此相輔相成而互相增長上，獲得理解、領會，以及深思。

西藏釋迦比丘說宗義論述者　達賴喇嘛丹增嘉措

于藏王二一四五土狗年，西元二〇一八年四月九日

目次

5 東西方心智科學比較 ………… 117

12 鍛鍊心智，改變大腦 273

13 佛教與神經科學合作的可能性 285

緣起

丁一夫

二〇一二年末，我們在印度達蘭薩拉（Dharmsāla）覲見達賴喇嘛尊者，向尊者提出一系列倫理和世界觀問題。在採訪結束的時候，尊者邀請我們去南印度哲蚌寺，觀摩他和西方科學家將要在那裡舉行的對話。這就是第二十六屆心智與生命研討會。

我們隨即從印度首都新德里出發，前往哲蚌寺所在的孟古德（Mundgod）西藏難民定居點，在那裡觀摩了五天達賴喇嘛尊者和科學家的對話。這次觀摩顛覆了我以前的很多固有觀念，改變了我對待未知事物和不同觀點的態度。於是，差不多一年後我們又申請旁聽了二〇一三年底在達蘭薩拉舉行的第二十七屆心智與生命研討會。

達賴喇嘛尊者和當代西方科學家的對話，已經持續了三十年。作為藏傳佛教根本上師、藏民族的精神領袖，達賴喇嘛尊者倡導不同宗教信仰之間的對話交流，倡導並身體力行於東方佛學傳統和西方當代科學之間的對話，倡導普世價值和普世責任，倡導建立在科學和理性基礎上的超越宗教的世俗倫理。而我們大多數人，特別是我們華人，對達賴喇嘛尊者與科學家的三十年對話所知甚少，甚至可以說一無所知。

此後，我在美國和中國大陸旅行時，只要有機會就會說起達賴喇嘛尊者和科學家的對話。聽到的朋友都非常感興趣。大家都想知道，藏傳佛教的高僧怎麼會和當代西方科學家們持續對話三十年？他們談了些什麼？他們怎麼談那些深奧的科學和佛學知識，怎麼對待西方科學和東方佛教之間的分歧和巨大鴻溝？這樣的對話對當代佛教和科學意味著什麼？

達賴喇嘛這一尊號，來自於蒙語，意思是「智慧的海洋」。自十六世紀科學革命以來的西方科學，將科學判斷建立在高山陸地一樣堅實的經驗實證基礎上。達賴喇嘛和當代科學家的對話，就像海洋和大陸的對話，深刻而浩瀚。

我覺得應該把達賴喇嘛和科學家對話的概況寫出來，讓中文讀者了解。本書用的資料是達賴喇嘛尊者的有關著作、科學家們在對話後出版的實錄，最近一些年對話的錄影和錄音，以及我們自二〇一二年起親歷旁聽的幾次對話。這些資料內容極其豐富，知識廣泛，哲理深奧，這本介紹性的書無法深入展示對話內容，更無法表現討論會的氣氛，我只能用以往跟朋友們聊天的方式，以對話體、散點式地介紹這三十次談話的基本內容。我將簡單介紹和達賴喇嘛對話的科學家，列舉對話後出版的專著，盡可能提供讀者深入閱讀的訊息。有些對話資料不夠，只能簡單帶過（達賴喇嘛和科學家之間有些對話是私下的商討，參與者很少，沒有打算公開發表。尤其是第十五篇的數次對話，筆者沒有找到有關對話內容的資料，但還是一一列出，期盼有興趣的讀者有機會可以深入研究）。在本書撰寫過程中，江琳的史學和宗教學專業訓練助益甚大。錯漏之處，均由我們負責，敬請讀者不吝指正。

我們感激達賴喇嘛尊者讓我們多次旁聽觀摩，為我們多次開示對話的意義。感謝才嘉先生和西藏圖書檔案館館長拉多格西的協助安排，感謝蔣揚仁欽先生，翁仕傑先生和如聖法師的指教，感謝聯經出版公司讓這本書和讀者見面。

1 因緣際會

A：聽說你又要去觀摩達賴喇嘛和西方科學家的對話了？

B：是的。我旁聽了第二十六屆、第二十七屆和第三十屆心智與生命研討會。這是由美國的「心智與生命研究所」（Mind and Life Institute）主持的一個對話平臺，負責安排達賴喇嘛和當代西方科學家的對話。

A：達賴喇嘛和科學家的對話是這個研究所發起的嗎？

B：這個研究所是達賴喇嘛和科學家對話後，由幾位熱心的科學家和達賴喇嘛在二十多年前共同建立的。在研究所成立時，達賴喇嘛與一些頂尖的西方科學家接觸和交往已經有十年。

佛學與科學對話的發端

A：那麼請你從頭說起吧，達賴喇嘛和西方科學家的對話，是從什麼時候開始的？

B：是從達賴喇嘛開始訪問西方國家的時候。一九五九年達賴喇嘛流亡印度以後，最初幾年他主要致力於領導流亡難民在異國生存，沒有機會出訪西方國家。一九六七年，達賴喇嘛第一次走出印度，以佛教高僧的身分訪問日本和泰國。一九七三年他第一次訪問西歐和北歐國家。所以，達賴喇嘛是在歐洲開始接觸科學家的。

A：達賴喇嘛是一位宗教領袖，又是一位政治人物，而西方科學家通常給人的印象是很忙碌的，普通人想見到科學家也不大容易。達賴喇嘛卻與卡爾・馮・魏柴克（Karl von Weizsacker, 1912-2007）、戴維・鮑姆（David Bohm, 1917-1992）這些世界聞名的大科學家結識和交往。是什麼促使達賴喇嘛和科學家往來呢？

B：這兩種很不相同的人往來，有兩個重要條件：一是達賴喇嘛有了解當代西方科學的強烈願望；二是有些科學家也渴望了解古老東方文化中的思辨傳統。

A：那麼達賴喇嘛對當代科學的強烈興趣又是怎麼來的呢？

B：達賴喇嘛一九五四年訪問北京，是他第一次走出西藏，外在世界的物質豐富與技術的發展給他留下強烈印象。就像中國在西方影響下走向現代化一樣，他想要學習西方科技文明。更深一層的動因，是達賴喇嘛從佛教哲理出發，對世間萬物有追根究柢的習慣。他沒有受過現代教育，但是他受過非常嚴格的佛教訓練。達賴喇嘛接受了藏傳佛教的完整傳承，非常推崇古印度佛教那蘭陀學院的理性傳統。他不只是把佛教看成一種尋常意義上的「宗教信仰」，也認為佛教是一套知識，一套解釋世界本質、包括人性本質在內的理性知識系統，同時也是一套思辨和發現知識的方法論體系。

A：東方古老文化傳統和西方現代科技發生碰撞時，可以想像西方科技對東方人的刺激是多麼強烈。可以說，東方民族的現代化進程就是受這種刺激而啟動的。中國是這樣，西藏也是。

藏民族有些優秀人物一經與外界接觸，就看到了學習西方科技而走向現代化的歷史必然性。他們中有些人致力於引進西方的先進技術，比如建造鋼橋，修築堤壩道路，訓練新式軍隊，還有些人致力於政治活動，組織政黨社團。還有一些我們現在稱之為知識分子的人，他們較早接觸了外界的新思想，要把新思想介紹給封閉的西藏，其中最為引人注意的是根敦群培（1903-1950），他是出生在安多（一部分在現在的青海省）的僧人。根敦群培天賦過人，佛學素養精深，在西藏有極高的聲譽，同時又是思想活躍、不願拘泥於舊規成說的人。他在印度和東南亞遊學多年，精通多種語言。他主張西藏社會要變革，要學習西方科學，同時又堅信古印度和藏地的佛學有其優越性，能夠彌補西方科技的不足，所以主張佛學和西方科學應該交流。他可以說是提出佛教和當代科學對話的第一人。可惜在他的時代，他的啟蒙主張曲高和寡，而且沒有條件付諸實踐。即使在後來的半個多世紀裡，一直到現在，能夠認識到佛學和科學對話的意義與可行性的人，也並不多。

B：從這個意義上來說，達賴喇嘛繼承了根敦群培的思想，並且在流亡的困難條件下付諸實踐。

科學是謙卑的

A：東方佛學要和西方科學對話，僅有佛學僧侶的願望還不夠，更何況有這種願望的人寥寥無幾，更重要的是，西方科學家也必須有同樣的交流願望。

B：不錯。在西方科學界有一些最優秀的科學家，他們同時又是勤於思考的哲學家。他們在從事科研的同時，從不停止思索著超越性的哲學問題。他們的頭腦比大多數的同行更開放，在專業成就上更謙卑。他們越是被看成有卓越科學成就的人，就越坦率承認自己對於研究的對象，「未知」比「已知」多得多。這和他們的哲學思辨習慣讓他們看到科學專業研究以外的世界有關聯。科學是謙卑的，不是傲慢的。

A：在人類歷史上，科學和哲學大多數時候是兩位一體的，優秀科學家同時是哲學家的情形並不罕見。

B：是的。在近代科學革命之前，科學和哲學是不分家的。被稱為「物理學革命新紀元」標誌的牛頓的巨著就名為《自然哲學的數學原理》（*Mathematical Principles of Nature Philosophy*）。但在此之後，科學革命後的科研走向精深，百科全書式的科學家和科學研究漸漸讓位給分科的專業研究，科學研究更依賴於實驗，實驗的規模越來越大，實驗觀察越來越精細，科學家中出現了理論科學家和實驗科學家的區分。於是科學和哲學是一家的情況開始改變，科學和哲學開始各司其職。科學研究和科學界漸漸構建了一套規範，按照這套規範的要求，純粹的哲學思辨就和科學分家了。

另外，科學革命之後，科學從書本知識到技術應用轉移的過程加速，科學研究成為少數專業人士的職業，而其成果的應用卻以從未有過的速度造福人類。在世人眼中，科學和哲學不僅分家了，而且科學的地位在上升，哲學則漸漸被看成是書齋裡的「思想體操」，可有可無了。

但是，有一些科學家並不這麼簡單地看科學。他們以科學研究為自己的職業，同時仍然保持著哲學思辨的習慣。往往是這樣的科學家，有願望也有能力和科學界之外的思想傳統交流。

A：達賴喇嘛來到西方，就遇到了這些科學家。

B：是的。他們能展開對話非常不容易。語言障礙還在其次，更大的困難是文化上的不同，思維方式和表達系統的巨大差別，還有周圍同行的不解和反對。科學界一定有人難以理解，為什麼科學家要放下研究去和一位佛教僧人談話；佛教界也有人不理解，一位高僧大德和西方科學家談佛學有什麼好處。達賴喇嘛曾經說過，他剛開始這樣做時，有位學佛的西方女士就好心勸告達賴喇嘛「你要小心，科學是宗教的殺手。」她的意思是，當代社會有很多人就是學了科學而放棄了宗教信仰。

A：確實如此。我們在生活中遇到過很多這樣的例子。

B：但是達賴喇嘛並沒有因此卻步。

A：我想這和他的佛學修養有關。佛教不應被理解成如基督教那樣的宗教信仰。所謂「佛教」，指的是「佛陀的教導」。在佛陀駐世時，佛陀的教導包含「法」（dharma）和「律」（vinaya）兩大方面，後世結集為《經藏》、《律藏》和《論藏》，統稱「三藏」。

佛陀曾教導弟子不要固守錯誤的陳規陋見，即使是對他本人的教導，也要經過思考和驗證才接受。所以達賴喇嘛很坦然：如果你確實證明我錯了，我就改正嘛。佛祖並沒有禁止你改變任何看法。佛教沒有什麼絕對不可改變的最高戒條，這是佛教和其他宗教不同的地方。而達賴喇嘛學得最深的古印度佛教那蘭陀學院傳統，更是推崇理性。

B：一方面，達賴喇嘛有強烈的好奇心；另一方面，被迫流亡讓他走出了封閉的西藏。他雖然只學過佛學，但是他想知道外邊的人學的是什麼。他和追求現代化的其他藏民族先進人物不同的是，對他來說，更吸引人的是心智層面的科學知識，物質層面的科學技術還在其次。幸運的是，他一九七三年第一次訪問歐洲，就結識了德國科學家卡爾・馮・魏柴克。

卡爾・馮・魏柴克開講第一課

A：他們怎麼認識的呢？

B：非常可惜，我們現在沒有讀到那時達賴喇嘛和卡爾・馮・魏柴克談話的詳細情況。這是達賴喇嘛流亡十四年之後第一次來到西方，他有了解西方科學的強烈願望，他一定表達了這一願望。而魏柴克也一定有認識達賴喇嘛、和他深入交談的願望。

A：為什麼這樣說呢？

B：魏柴克被視為當代成就卓著的重要理論物理學家之一，在核聚變的能量產物方面有一系列重要的理論發現，他對太陽系早期行星形成的理論影響巨大。他年輕時在海森堡（Werner Heisenberg, 1901-1976）領導的科研小組從事核科學研究，是這個著名小組中最後在世的科學家。

這只是他作為科學家的一面。另一方面，他無疑繼承了德意志民族的思辨傳統。他的父親是外交家，他的兄弟是當時的西德總統理查・馮・魏柴克，他的兒子是物理學家和環境研究者。魏柴克是科學家、哲學家，特別是在後期，他更專注於哲學和倫理學思考，並為此獲得多個國際級獎項。

可以理解，正是他對哲學和倫理學的思考，讓他與達賴喇嘛對話。因為藏人在上世紀五〇年代後的遭遇和達賴喇嘛的流亡，對於有良知的西方思想家來說，是一個不可迴避的道德問題。他同情藏人和達賴喇嘛。而達賴喇嘛想了解的當代科學，尤其是探索物質世界的當代物理學，恰好是他的專長。

A：我在達賴喇嘛的著作中讀到，達賴喇嘛把他稱為「我的第一位科學老師」。

B：是的。可惜我們現在找不到他們的談話記錄，那一定非常有意思。這是達賴喇嘛初次嘗試和西方科學家對談，不難想像，這兩位知識結構和文化背景完全不同的人，需要多大的熱情和耐心，才能夠就一些最根本的哲學問題進行深刻交流。達賴喇嘛回憶說，魏柴克和他的談話，是老師對學生的一對一教學，就像一位高僧在對他進行佛法傳承，這正是他所熟悉的教學方式。

A：他們有過多少次談話？

B：據達賴喇嘛說，在一九七三年後的訪問中，他們進行過多次談話。有很多次，達賴喇嘛和魏柴克連續交談兩天。這是非常難得的，因為達賴喇嘛出訪期間，行程安排非常緊湊。

A：達賴喇嘛說，魏柴克對他而言，是一位極有耐心的老師。達賴喇嘛從談話中得到了什麼收穫？

B：達賴喇嘛回憶說魏柴克向他強調了科學實證主義的重要性。我想，魏柴克向達賴喇嘛介紹了當代科學的規範，也就是告訴他什麼是科學，達到什麼標準才算是科學。現在的科學界是從事科學研究這種職業的特殊人士的共同體，他們內部有一些共識，即用來判斷什麼是好的研究成果的一套標準，這就是科學規範。對於文化和教育背景完全不同的達賴喇嘛來說，要和科學家對話，首先必須了解和理解科學的規範是什麼。達賴喇嘛從魏柴克的談話中成功認知了這一點，這給了達賴喇嘛以後和科學家對話的信心。

透過介紹自己從事的物理學研究，魏柴克告訴達賴喇嘛當代科學研究的方法：一種是經驗論，即實驗觀察和實證的，另一種是經由推理。在物理學中，這就是實驗物理學和魏柴克所從事的理論物理學的分工。達賴喇嘛告訴魏柴克，其實佛學中也有類似的概念。

A：是的。佛教也強調知識必須符合經驗和觀察才是真理，一個命題成立與否，要由經驗來決定。但是，佛學認為經驗觀察到的現象並不是單個孤立的，佛學特別強調各種現象之間的關係，而對事物之間關係的認識，需要推理。比方說，如果你遠遠看到了升起的煙，雖然看不到火，但你可以推斷那裡可能有火在燃燒。

B：上世紀初期，物理學發生了一場革命性的變化，科學對物質的探索和認識，深入到了原子內部，發現了原子內部空間的物理現象不同於以往人們認識的空間物理現象。這就是相對論和量子力學的產生。這一革命性的變化，完全改變了人們以往的時空觀。從此我們知道，日常觀察到的物質和空間物理現象只是一種有限的表相，它們只存在於所謂牛頓力學的空間中。而真實世界的物理規律，即量子力學和相對論的時空本質，是我們有限的感官所看不到的，是超越日常生活常識的更深一層的事物本質。這種時空本質一開始是愛因斯坦等理論物理學家透過假設和推理所發現，然後再藉特別設計的實驗觀察來驗證。

A：佛學裡也有類似的說法。佛學認為，直接觀察得到的經驗結論是最初的結果，但那只是表相，更深的結論需要超越經驗而向深層延伸，透過推理來達到更深層次的本質，佛學稱之為「實相」。

B：達賴喇嘛雖然只受過佛學訓練，但佛學的思辨習慣和對任何結論進行正反詰問的邏輯訓練，使得達賴喇嘛在接受一般人囿於常識而難以理解的當代物理學知識時，能輕而易舉聯想到佛學中的類似思考，幫助他理解和接受常人視為困難的當代物理學。

魏柴克是達賴喇嘛的第一位科學老師，給達賴喇嘛上了現代科學的第一課；而為達賴喇嘛開創科學與佛學對話的人，是當代的另一位傑出科學家戴維・鮑姆。

和戴維・鮑姆的對話

A：戴維・鮑姆是怎樣的一個人？

B：鮑姆被視為二十世紀最有影響力的理論物理學家之一。他出生在美國賓夕法尼亞州一個小城市的猶太人家庭，父親是匈牙利裔猶太人，母親是立陶宛裔猶太人。他的父親是家具店老闆兼當地猶太教拉比的助理。他在宗教氣氛濃郁的家庭長大，從小就有思辨傾向，喜歡追根究柢。大概正是這種氣質使得他十幾歲時就成了不可知論者，認為世間總有一些事物是人類窮盡心力智慧也永遠不可能全盤理解的。

鮑姆在柏克萊的加州理工學院學習理論物理，加入了羅伯特・歐本海默（Julius Robert Oppenheimer, 1904-1967）的研究小組，也受這群年輕科學家的政治左傾思潮影響，因此受到麥卡錫主義的逼迫，離開美國前往巴西，後來定居歐洲。正是這種人生經歷，使得鮑姆對政治流亡有切膚之痛，同情失去家園的達賴喇嘛和流亡藏人。

在科學研究方面，鮑姆作出了一系列極為重要的貢獻。他的第一本書《量子理論》（*Quantum*

Theory）在一九五一年出版，立即得到愛因斯坦的高度好評。在鮑姆受到麥卡錫主義影響，被迫離開普林斯頓大學時，愛因斯坦指名要鮑姆當他的助手。愛因斯坦曾說鮑姆是他的研究接班人。鮑姆被認為是二十世紀最應該獲得諾貝爾物理學獎的人，雖然由於種種原因他的名字最終沒有出現在諾貝爾獲獎者的名單中。

A：身為科學家，鮑姆還有什麼特殊之處呢？

B：鮑姆和魏柴克一樣，都是研究物質的微觀結構的理論物理學家。理論物理學家和實驗物理學家的分工是，理論物理學家透過假設來構造理論模式，進行推理，得出理論上的結論；而實驗物理學家則設計和完成實驗觀察，為理論物理學家提供實驗訊息，驗證或推翻理論物理學家在紙面上得到的結論。如果說，當代物理學需要越來越複雜、龐大和昂貴的實驗，那麼理論物理學家的工具仍然是單純的紙筆和自己的頭腦。思維和推理是理論物理學家的主要工作內容。

但是，就像音樂家演奏同一首樂曲會表現出各自的風格，作出各自不同的詮釋一樣，理論物理學家的思維也有各自的風格。魏柴克具有日耳曼民族的嚴謹，而鮑姆就明顯具有猶太民族的神秘主義氣質。

A：這非常有意思。我們通常認為科學家生活在他們所研究的物質世界中，只信任他們所觀察到的物理現象，傾向於認為任何物理現象都有規律可循，可以用邏輯和理性來解釋。所以，一般人眼中的科學家應該是反神秘主義的。

B：事實上並非如此。越是優秀的科學家越願意承認，對自己研究的對象未知多於已知。優秀的科學家有整體思維的眼界，深知大千世界的種種現象是聯繫在一起的，現象背後的聯繫遠比我們已知的規律更複雜，甚至是我們永遠也無法完全知道的。

A：戴維・鮑姆是怎麼做的呢？

B：鮑姆在進行理論物理研究的同時，對人類心智的哲學和神經心理學作出了和別人大為不同的思考。他認為，傳統對「實在」作出解釋的笛卡兒模式（即精神和物質的二元模式）有局限性，他根據量子物理學的成果提出了補充的理論。他還相信大腦功能在分子層次上服從量子效應的數學模式*。鮑姆在量子力學和相對論之外的一些思考非常深奧。

A：讓我們回到達賴喇嘛和戴維・鮑姆的對話上來。達賴喇嘛是什麼時候遇見他的？

B：一九七九年。這一年他初次訪問美國，此外還去了兩次歐洲。在英國，達賴喇嘛第一次遇到鮑姆，他們一見如故，談得十分投緣。

A：一位是當代最優秀的物理科學家，一位是藏傳佛教的高僧，這兩個背景很不相同的人，是什麼使他們如此投緣呢？

B：其實，他們的知識背景中有一些價值是相同的，或者說是接近的，也就是都希望能透過知識、推理，和與他人交流來加深對「實在」的本質的理解。他們都承認「實在」並不是表面上看到的那麼簡單，其「本質」是在表面之下更深層的地方，而我們對此仍然所知甚少。他們都意識到，大千世界裡有很多東西我們至今還無法解釋，科學也無能為力，但是這些未知的東西是存在的，不能因為人理解不了或解釋不了就否定其存在。有些東西正是因為我們不了解，沒有能力解釋，所以才被視為「神秘」。

A：是的，達賴喇嘛後來回憶說，鮑姆對所有人類經驗領域都抱持極為開放的態度，這一點讓他特別感動。

B：鮑姆是理論物理學家，他不僅對物質結構研究領域的各種學說持開放態度，隨時準備接受任何言之有理的說法，而且對主觀性的研究，比如對意識的探究，也持開放態度。他不僅願意接受物理科學規範之內的實驗觀察的結論，也願意接受其他形式的「觀察」，甚至是「直覺」所得到的結果。

達賴喇嘛和戴維・鮑姆的對話，在達賴喇嘛出訪歐洲的時候進行，陸陸續續持續了二十年。一位物理學家和一位佛教高僧之間的交談，一定有很多「心有靈犀一點通」的時刻。

A：我們現在能找到他們早期的談話錄音嗎？

編註

＊ 意即大腦功能在分子層次的表現和量子效應的數學模式是一致的。大腦功能是神經科學，量子效應是物理學，但是大腦功能分析到分子層次，兩者的數學模式是一樣的。

B：可惜我們沒找到他們已經公開出版的交談錄音或錄影。達賴喇嘛和科學家的對話，早期是他們之間私下進行的交往，並不打算以後向大眾公開。

不過，達賴喇嘛和鮑姆有一次的對話，被哲學家雷妮・韋伯（Renee Weber）女士記錄在《與科學家和聖者對話：尋求統一》（*Dialogues with Scientists and Sages: The Search for Unity*）中，從中可以讀到達賴喇嘛和當代物理學家談了些什麼。

A：這次對話是在什麼時候、什麼地方進行的？

B：一九八五年，那年達賴喇嘛剛過了五十歲生日。對話在瑞士阿爾卑斯山的一座佛寺裡進行。

A：一九五九年「拉薩事件」導致達賴喇嘛流亡後，瑞士接受了約二百名西藏流亡兒童，因為印度的濕熱氣候導致西藏難民，尤其是兒童大批生病死亡，而瑞士阿爾卑斯山區海拔較高，接近西藏的高原氣候，適合難民兒童的生存。一些瑞士家庭慷慨收養了這些兒童，還先後接納了三百多名流亡藏人，讓他們在瑞士安家，於是有了歐洲最大的西藏流亡社區。阿爾卑斯山的寺院就是這樣建立起來的。

B：達賴喇嘛去那裡，主要是為當地佛教徒——有藏人、歐洲人，舉行時輪金剛灌頂法會。在此之前幾個月，達賴喇嘛剛和鮑姆在美國麻薩諸塞州的安赫斯特學院會面，達賴喇嘛請鮑姆為他講解當代物理學對物質的新發現。之後哲學家雷妮安排了一場達賴喇嘛和戴維・鮑姆的共同採訪，讓他們各自從當代西方物理學的角度和東方佛學的角度談論物質的本質。所以這次對話其實是雷妮的一次訪談，以她向兩位受訪者提問的形式進行。

A：雷妮就是達賴喇嘛和科學家對話時的協調人。

B：是的。後來達賴喇嘛和科學家的對話都採用這種模式，參與的科學家輪流擔任對話者，以一對一的方式進行，另有一位科學家擔任協調人。協調人的作用是讓其他科學家適度參與提問、質疑和討論，保持預定的對話主題，控制對話時間，讓冗長的對話有節奏地進行，保持思想和談話的興奮度。除了達賴喇嘛和科學家，還有兩位翻譯在場。對話一般是用英語進行，但是有時候達賴喇嘛用藏語表達更準確，特別是談到佛學理論時，甚至會用到古印度梵文的詞彙和概念，這時候就需要精通藏、英語，了解當代科學，也學過佛學的翻譯了。這次對話的兩位翻譯，一位是傑弗瑞・霍普金斯（Jeffrey Hopkins）博士，另一位是皈依佛教的年輕瑞士人，藏名桑杰善珠。

A：他們談了什麼呢？

緻密物質和精微物質（Dense Matter and Subtle Matter）

B：雷妮先提問：「有關物質的整個概念在二十世紀發生了根本性的變化，例如，戴維・鮑姆就提出了緻密物質和精微物質的說法。我們能不能從當代物理學和藏傳佛教的角度，來談論物質的概念？」

A：鮑姆怎麼回答這個問題？

B：鮑姆回答說，當代物理學發現，我們日常視覺和觸覺認為緻密的物質，其實絕大部分是空的，只是一些非常微小的粒子像行星一樣在空間轉圈運動，別的高能粒子可以穿過這種看似結實的緻密物體。這些粒子本身可以被看成比我們感覺到的物體更緻密，但是我們研究了相對論和量子理論就發現，物質還必須被理解為一種「場」，粒子則被理解為「場」的集中。「場」到處都存在，它服從量子理論的法則。我認為這些法則還沒有被物理學家深刻理解，但是我們現在已經可以得出一些結論。其中之一是，「場」是由很多種「波」構成的。每一種波有某個最小的運動量，即量子的不連續形式。每一種波有一個最小的能量，這是非常小的量，但是在空間中波的數量非常多，這些最小能量加起來就能達到一個龐大的量。波長越小，波的能量越大。如果波長隨我們所欲無窮短小，那麼這些波的總能量就會變得無窮大。事實上，如果我們想像能把它限制在有限的空間，如果在這空間中我們的理論不起作用，那麼在一立方釐米的空間中聚集的能量，可以比我們已知宇宙的所有物質分解而釋放的能量還大得多。這就說明，我們所知的物質，只是空的空間中的一個小波紋（ripple）。從某種意義上說，物質是緻密的；在另一種意義上，物質不是緻密的，它是一種運動，一種非常複雜的運動。

鮑姆接著說，當代宇宙學認為，宇宙起源於大爆炸，那時所有一切都在一個點上，從大爆炸開始向外擴展。從某種意義上說，這就是整個宇宙，但是從更深的意義上看，這仍然只是一個波紋。當我們深入物質，它就顯示出更精微的性質，物質不是以機械方式在運動的粒子。在我看來，物理學的結論似乎在告訴我們，大自然如此微妙，它幾乎可以說是有生命，或者有智能的。

A：這是二十世紀物理學最令人震驚的發現，也是當代物理學中常人最難以理解的部分。物理學家要向一般人解釋這種發現也很困難，因為這些物理現象是以數學形式被物理學家所「發現」的，而一般人沒有受過這樣的數學訓練。戴維・鮑姆被當代科學界公認為是物理學家中最會講解和解釋相對論、量子力學的人。那麼，達賴喇嘛能理解他的解釋嗎？

B：在這次對話前幾個月，達賴喇嘛已經請鮑姆專門為他講解了相對論、量子力學對物質與時空的發現。達賴喇嘛顯然已經做了一點功課。

A：達賴喇嘛怎麼評論戴維・鮑姆的解釋呢？

B：達賴喇嘛介紹了佛學的思考和觀點。他說，在佛學中，粒子的粗糙和精細程度分成多個層次。所有粒子中最精細的是空的粒子。「空粒子」是藏傳佛教能夠定義的所有粒子的基礎。空粒子永遠存在。他說，佛學應該能夠從科學家的研究中學到一些新東西。

這時鮑姆問道，你對「時間」怎麼看？

達賴喇嘛說，如果我們談論一般的時間，認為它是一種獨立的東西，那是很難解釋的，因為時間是相對於其他因素，依賴於其他因素的一種東西。

雷妮問道，那麼大爆炸呢，我們的宇宙就是從這無窮小的時空開始的，西藏的宇宙學裡有類似的東西嗎？

達賴喇嘛回答說，根據佛學，曾經有那麼一瞬間，整個宇宙在此瞬間形成，然後持續存在一個階段，然後解體，最後一切又在相當一段時間裡歸於空。佛教談論世界系統的形成、持續、毀滅、歸於空，這四個階段周而復始地循環。

A：這就是「成、住、壞、空」，佛教經典稱為「四劫」，是佛教關於世界生滅變化的基本觀念。佛教認為時間是循環的，不是直線性，因此佛教不談時間的原始起點。同時認為任何現象都有一個原因，而且總是在變化。事物，都有始也有終、出現和結束必有原因。佛學談論各種各樣的原因，而「業」（Karma）的概念就和這些原因聯繫在一起，即大千世界充滿無所不在的因果聯繫。

很明顯的，鮑姆所說的現代物理學中的「空」，和達賴喇嘛所說的佛學中的「空」是兩個不同思想體系中各自獨立產生的概念，但是各自又都認為這是理解物質之本質的最基本概念。這兩個概念具有驚人的相似性。非常奇妙。

相對論和量子物理學家感覺很難和一般大眾談論最新的時空觀，而和古老的東方佛學卻有可交流的心得。這不是嚴格科學規範下的科學講座，但是鮑姆一定覺得達賴喇嘛介紹的佛學時空觀饒有意味。

B：是的。從對話紀錄中可以注意到，鮑姆似乎認為大自然是如此複雜精細，如此微妙，我們還有很多東西不知道，無法解釋，遠非一般人所想像的那麼清楚。他們還談論了「意識」，意識是什麼，怎麼產生的，又去了哪兒？佛教相信重生和轉世，所以對意識有一整套完全不同於其他文化背景，也不同於當代科學的說法。

A：戴維・鮑姆對此是什麼態度呢？

B：鮑姆持一種「待考」的態度，他關心的是佛教對意識透過重生而延續的觀念和佛教的因果觀，及佛教的空粒子的關係。這涉及佛學對世界本質的理解。

從佛學中「業」的概念，即因果聯繫，達賴喇嘛又指出，「業」是複雜的多種原因的互相作用，有很強的「業」，也有較弱的「業」。有時候一種因素作為原因非常強，其結果似乎是事先就已經定下來了，但是也會有新的、其他的「業」作用於它，當其他的「業」作用足夠強大時，原先看似「前定」的結果就會改變。所以，佛學中的「業報」觀並不是嚴格的決定論，也不是宿命論。「業報」依賴於行動者的動機。最終，「業」掌握在人們各自的手裡。

A：這樣的討論，跨越領域，必須非常集中注意力，而且一定很費神吧？

B：也不一定。他們的對話並不要求取得一致後才走下一步，而且，達賴喇嘛有一種保持輕鬆幽默的能力，他能在進行最緊張的思考的同時，發出極有感染力的哈哈大笑。這是一種視知識為快樂的態度，把求知過程當成得到快樂的過程。他們並不要求透過對話立即得到新的發現，而是透過了解別人的認識，幫助自己加深對「實在的本質」的理解。

A：從「空」的概念到最精細最小的粒子，達賴喇嘛所說的「空粒子」，鮑姆和達賴喇嘛在各自的知識體系中發現了平行的思路，我們比較容易理解。但是「業」這個概念是佛教特有的，鮑姆是否會覺得無法理解呢？

B：不，恰恰相反，鮑姆立即就看出，「業」是佛學對因果網絡的描述，換言之，「業」可以理解為一種「關係網絡」。佛教認為世間萬物都是聯繫在一起的，個體的動機和行為影響著其他所有的個體，其他所有個體也影響著某個特定個體，這些影響會在未來的某個時間出現結果。這些關係的總和就是世界本身。鮑姆指出，當代物理學也有類似的所有粒子互相關連的關係網絡，他說，現代物理學對「實在的本質」的理解是：「你必須把整個宇宙理解為所有粒子相互關連的網絡」。

A：相較於古代佛學的思辨，當代物理學還有很多比較專門的具體內容，鮑姆是怎麼介紹的呢？

B：鮑姆在介紹當代物理學成果的同時，總是指出物理學現在還不知道答案的重大問題是什麼，在說明科學進步的同時，也坦率說明他認為眼下科學只能走到哪一步，他在介紹當代科學成果時，更願意說出科學的局限和困惑。其實以科學研究為己職的人，對科學的已知領域和未知領域有兩種不同的態度：一種是嚴守科學研究已經獲得公認的成果，只談「科學的結論」，迴避科學不能解釋的現象，不去講述科學不能提供答案的問題，或者認為這些都是留待未來的問題；另一種態度是，始終注視著科學還不能解釋的現象，提出科學還不能回答的問題，在回答「我們至今還不知道答案」的同時，卻一直在思考、想像種種可能性。鮑姆這樣的理論物理學家認為，這種思考和想像非常重要。

A：這次對話中有這樣的例子嗎？

B：有。鮑姆介紹了當代物理學建立統一場論（Unified Field Theory）的努力。這曾經是愛因斯坦晚年的主要工作，即把物理學已知的四種場：一般電磁場、核反應中的強作用場和弱作用場、重力場，統一起來，即是同一種場的四種不同形式。他們猜想，這四種場原來是一樣的，只是在某個時間點出現了某種不平衡，於是變成了四種場。還有一種觀點是，宇宙產生於某個時間點，現在還在膨脹，將來會收縮，最後歸於消失，不復存在。然後一切從頭開始。可是，這就提出了一個問題，在時間開始之前發生了什麼？有些物理學家說，是上帝開啟了這一切。鮑姆說，物理學現在只能在此止步，這個問題是科學家現在無法回答的。

A：達賴喇嘛提出了類似的問題了嗎？

B：達賴喇嘛也提出了一些至今仍沒有答案的問題。他提問說，有三類物質，石頭、花和某種有意識的生物。在精微的層面上，它們都是同樣的物質粒子，可是，到什麼時間點，一種物質有了生命，如花；又是在什麼情況下，這種物質又有了意識。如果說從石頭到花，再到有意識的生物，存在著轉變點，那麼轉變的原因又是什麼？

A：唯物論對此的解釋是，這些都是物質運動的「形式」，世界是物質的，物質是運動的，物質運動的形式是從低級到高級，最低層次是機械運動，然後逐級上升為物理運動、化學運動，然後生命產生了，成為生物運動，最後是人類產生了，即最高級的社會運動。

B：但是這並沒有回答逐級上升的原因是什麼？這種說法似乎解釋了一切，其實並沒有回答我們的問題。

達賴喇嘛說：「我相信，沒有關於意識的足夠知識，就很難得出有關物質的充分知識。你知道現代物理學怎樣解釋物質，或許有助於你更周全地解釋意識是什麼。但是我們佛教徒相信，現實世界有兩種力，物質和意識。當然意識在很大程度上依賴於物質，而物質的變化也依賴於意識。」

A：對意識的研究和探討，是不是超出了物理學家的範圍了？

B：對一般科學家來說，是的，物理學不研究意識。但是對鮑姆來說，這正是他要和達賴喇嘛對話的原因。他們最後都同意，物質和意識都是理解「實在的本質」的要素，現在是物理學和神經科學在「分別」研究它們，而其實它們本來是在一個整體之中。

達賴喇嘛後來回憶說，他和鮑姆的多次對話，讓他確信佛學中一些有價值的思想方法，這些方法用於探索和理解「實在的本質」，是和當代科學的方法相契合的，佛學的知識和方法並沒有過時。

思考實驗和科學方法

A：這指的是什麼方法？

B：戴維・鮑姆是一位理論物理學家。理論物理學家的工作過程是抽象的邏輯過程，即作出假設，在假設基礎上推導。當然，現代理論物理學家的邏輯推導過程使用了非常複雜的數學工具，但是作為出發點的假設，卻往往是簡單的。這種在頭腦中想像出來的理想化的實驗，是理論物理學家和實驗物理學家工作不同的地方。愛因斯坦的相對論，就是愛因斯坦根據他所設想的一些理想化的實驗而推導出結論。

達賴喇嘛立即發現，這種「思考實驗」或「想像實驗」和佛學裡的「觀想」很接近。佛學在理解「實在的本質」時，學佛者要訓練自己在腦子裡「觀察」世界。

A：請舉一個思考實驗的例子。

B：科學史上很有名的一個事件，是伽利略發現一重一輕的兩個球從高處同時放下，將同時落地。傳說伽利略是在比薩斜塔上做了這個實驗而得出結論。科學史專家研究後認為，伽利略其實並沒有爬上比薩斜塔去做實驗，他是透過思考實驗的推導而得出了結論。

A：他是怎麼推導的呢？

B：重球比輕球落地更快，是當時人們根據日常經驗得出的結論。這一結論很容易被常識接受，只要想像一個很重的球和一個很輕的球就可以了。那時人們不認為兩個份量相差很大的物體會同時落地，也就想不到它們不同時落地的原因是空氣的阻力。人們想當然爾認為重球落地更快。

否定這一結論的思考實驗是，假設把重球和輕球用一根繩索連在一起，那麼結果是什麼呢？假如輕球比重球落得慢，它將拖住重球，使得重球也落得比原來慢一點，結果是連在一起的兩個球落得比單個重球慢。

A：是啊，應該是這樣。

B：可是，你再想像繩索很短，兩個球貼到了一起，繩索長一點短一點應該不影響結果，可是這時兩個球可以看成一個整體，是一個比原來的重球還要重一點的物體。那麼，這連在一起的兩個球應該落得比單個重球更快。

A：這也符合邏輯。

B：這兩個推導的出發點都是原來的重球比輕球落得更快，推導過程都沒有問題，結論卻是相反的。只要兩個推導過程都沒有問題，那麼唯一的可能就是，作為出發點的前提，重球比輕球落地更快是錯的。

A：那麼，有人真的做過這個實驗嗎？

B：事實上，做這個實驗需要排除空氣阻力，也就是說，理想的狀態是要創造一個真空環境來做實驗，而這一點以前是不容易做到的。以往的記載中，似乎沒有人能先實現真空條件，然後來做這個實驗。但是思考實驗的結論卻被普遍接受了。據說，美國國家航空暨太空總署（NASA）在登月以後，在月亮上沒有空氣的環境下做了這個實驗，一根羽毛和一個鐵球同時落在月球表面上。我認為，到月球上去做這個實驗已經帶有儀式性了，因為科學家預先已經確切無疑知道了結果。

A：科學家們，特別是理論物理學家們使用「思考實驗」的方法獲得科學的發現，這說明我們以往在學校裡學到的說法，即科學發現是從實踐到理論，再回到實踐的說法，其實並不是絕對的。實踐、實驗，和思考、推理，並沒有輕重先後之分。思考和推理，同實驗、經驗一樣重要，有時候經驗無法破解的實在之謎，恰恰得靠抽象的思考和推理來突破。

B：是的，愛因斯坦就是個典型。他靠的就是一張紙一支筆，他靠想像來實驗，從想像到假設，推導出結論，建立起他的相對論。最後是實驗物理學家們根據他的結論來設計實驗和觀察，驗證了他的結論。

戴維・鮑姆和愛因斯坦一樣，也是理論物理學家，又對東方哲學很感興趣，他以印度靈性學思想家克里希那穆提（Jiddu Krishnamuti, 1895-1986）為師，學習印度古典哲學。鮑姆和達賴喇嘛有過多次對話，探討客觀科學方法和冥想之間有什麼關係。

A：現代科學的實證經驗方法，和東方式的冥想之間能找到交流的共同點嗎？

B：現代科學強調實證，強調經驗，即科學的結論應該是可以觀察到，可以用經驗來驗證的。

A：佛學其實也強調經驗驗證，但是佛學所謂「經驗」的定義，比現代科學的實驗和觀察更為廣泛。對於佛學來說，「思考實驗」這種「觀想」的方式，不僅可以用來發現和理解實在，在禪定狀態下的「觀想」，甚至能夠得到一般狀態下得不到的結果，比如我們通常所說的「靈感」，「靈機一動」，猛然間「豁然開朗」的思維狀態。佛學認為，這種思維狀態是可以透過訓練來提升的。不過，鮑姆能理解這種說法嗎？

B：不僅理解，而且相當認同。鮑姆與眾不同的是，他頭腦開放，願意看到物理專業之外的世界，願意接受超出物理專業範圍的認識。因此，他花了很多時間為達賴喇嘛講解現代物理學、物理學家的工作方法，同時傾聽達賴喇嘛介紹佛學，尋找東方哲學中發人深省的智慧。

卡爾・波普

A：上世紀七〇年代達賴喇嘛走出亞洲後，還接觸了哪些大師？

B：達賴喇嘛提到，一九七三年他第一次訪問歐洲，就遇到了卡爾・波普（Karl Popper, 1902-1994）。

A：科學假設的可證偽性理論的創始人。

B：波普是二十世紀偉大的科學哲學家。他最著名的理論，是對經典的觀測－歸納法的批判，提出以「可從實驗中證偽」來決定一項假設是否「科學的」，對「科學的」和「非科學的」區別標準，建立了全新的理論。

A：為什麼達賴喇嘛一九七三年第一次訪問歐洲，就能遇見這位當時已經七十多歲的科學哲學泰斗呢？

B：或許和波普的政治理念有關。卡爾・波普是奧地利猶太人，為了逃避納粹的迫害離開維也納，前往英國。換言之，他也是政治流亡者。所以，他對於極權社會的迫害有切膚之痛，畢生主張民主和自由主義，他的政治學著作《開放社會及其敵人》（*The Open Society and Its Enemies*）和《歷史主義的貧困》（*The Poverty of Historicism*）影響非常大。可以推測，他對達賴喇嘛和流亡藏人抱有共同命運的同情。

A：他和達賴喇嘛談了什麼？

B：他和達賴喇嘛討論了一些與科學方法有關的問題。波普的學說和闡述相當深奧。達賴喇嘛立即看到，根據波普的標準，佛學在方法上和當代科學有很大的差距。科學的演繹方法，運用了非常複雜而龐大的數學工具；而佛學的邏輯演繹，就像其他印度古典哲學一樣，靠的是扎實的傳統邏輯推理，這種推理方式永遠得不到數學工具所能得出的超越性的結果。達賴喇嘛看出，使用複雜數學工具和技巧的數學推理，能達到更高層次的抽象。從一項假設建立起數學模型，然後抽象的數學模型經過複雜的運算推理得出數學結果，透過這些結果來解釋現實世界，能作出更複雜、更高層次的發現。這是當代物理科學研究的基本方式，而這種依賴於複雜數學工具的探索和研究方法，是傳統佛學所缺乏的。

A：也就是說，波普讓達賴喇嘛看到作為一種探索和研究世界的方法，佛學有明顯的局限性。現代物理學規範要求理論透過數學模型的推導來得出定量的結論，再由實驗來驗證或否定。佛學卻永遠也不可能達到現代物理學的抽象和推理層次，永遠也得不出現代物理學的定量結論。

大概從這時開始，達賴喇嘛就產生了要在藏傳佛教僧侶中倡導科學的想法，在寺院裡要求喇嘛們學習現代科學課程。

B：是的。達賴喇嘛是佛教高僧，他從年輕時起就不願抱殘守缺，他知道佛學和現代物理學相比有很多難以企及的地方，佛學要弘揚光大，就只能從自身開始，放棄被科學證明不能成立的東西，向科學學習。達賴喇嘛不怕承認佛學的不足。

A：卡爾•波普最有名的理論是他的可證偽性理論。他提出，所有的科學學說本質上都只是一種猜測和假設，它們不可能被最終證實，卻會被隨時證偽。所以，經驗實證並不能用來證明一種學說是科學的，就像再多的白天鵝也不能證明天鵝都是白的，只要出現一隻黑天鵝，就能確定「天鵝是白的」這一論斷是錯誤的。他提出，理論的科學性應該是「可證偽」的。達賴喇嘛對此有什麼評論？

B：達賴喇嘛注意到了波普的「可證偽性」理論的價值。他注意到，如果嚴格遵守這一標準，那麼很多關於人類經驗的問題，如倫理、美學、靈性等，都會被排除在科學研究的領域之外了。但是，佛學在對「實在」進行探究時，恰恰不局限於物質性的問題，常常把包括個人經驗的主觀世界也作為研究的對象，佛學在研究客觀「實在」時，常常涉及形而上的哲學和倫理道德。也就是說，在科學標準方面，現代科學和佛學有很大的差異。達賴喇嘛看到了這一點。接受這種不同，並不妨礙達賴喇嘛和科學家繼續對話。

達賴喇嘛完全理解「可證偽性」的認識論與方法論價值。他指出，受過藏傳佛教訓練的人都能理解一項判斷的條件，「沒有發現」和「發現它不存在」大不相同，同樣，「不知道」和「知道它不是」完全不一樣。藏傳佛教格魯派創始人，十四世紀的宗喀巴大師指出，否定一個命題的邏輯推論，和不能證實一個命題的邏輯推論，性質並不相同。經過分析後無法確認，和經過分析後加以否定，也不一樣。

A：這些邏輯對於科學家來說是十分重要的基礎思想方法，而藏傳佛教的寺院裡也進行類似的邏輯訓練，喇嘛們理解這些原則應該不困難。

B：是的，而且喇嘛們會從中得到思想的快樂。他們的「辯經」就是這樣的思辨和駁正「遊戲」，也就是透過互動的思考來一步步排除謬見，達到能夠確立的結論。

A：一九七三年，達賴喇嘛第一次訪問歐洲，以後的十多年裡經常訪問歐美，但每次訪問時間有限，行程安排很緊，竟然能夠和魏柴克、鮑姆等科學大師進行那麼多次深入對話，一般人難以想像。對於外人來說，宗教領袖和科學家怎麼能談得起來呢？這是外人常常會產生的懷疑。

佛教和猶太教、基督教和伊斯蘭教系統的宗教不同，佛教不認為世界由終極造物主所創造，因此沒有對造物主的絕對崇拜和服從。佛教所信仰的佛陀並不等同於基督教所信仰的上帝，佛教是建立在對「佛法」即佛陀所創立的哲學的認可上。佛法用一系列抽象的概念，如「業」、「緣起」等等，來理解「實在的本質」。這學說也是不斷發展、不斷修正的。所以，就像達賴喇嘛說的，佛教徒就像科學家對待科學一樣來對待佛陀的學說。從這個意義上來說，佛學就像一種科學。

B：美國科學史家和科學哲學家托馬斯・孔恩（Thomas Kuhn, 1922-1996）在《科學革命的結構》（*The Structure of Scientific Revolutions*）中提出了科學的「典範」（範式）。他指出，每個時代的科學有一整套概念、知識和思維方法，為整個科學界所認可、擁有和遵守，這就是科學的「典範」。人類歷史上科學的進步，不是新知識的線性積累過程，而是週期性的革命性的變化，是一個一個科學典範的「轉換」，比如從古典牛頓物理學到當代量子物理學和相對論物理學，就是這樣的典範轉換。他還認為，在歷史上的任何時刻，什麼是科學真理，並不是依靠其客觀標準而確立的，而是由眾多科學家的主觀同意而認定的。也就是說，科學，以及我們對科學的理解，從來不是單靠其「客觀性」，而其實在很大程度上是靠科學家們的主觀認同。這種認同在不同的「典範」裡是不同的，也就是說，在某個典範中被認為是「科學」的，在另一個不同的典範裡卻可能被認為是「不科學」的。

他對科學史的描述和解釋，被當代很多科學家和理工科學生所贊同。從典範的轉換自然得出一個推論，在不同的科學典範之間是很難交流的。

A：如果說，在藏傳佛教寺院的僧侶看來，佛教不是被動性的信仰，佛學也是一種探索和理解「實在的本質」的科學，這種科學顯然和現代物理學是兩種不同的「典範」。這兩種不同典範之間的交流，即使不是不可能，也非常困難。達賴喇嘛和科學家的對話，就是在這兩種不同典範之間進行。所以，當人們聽說達賴喇嘛和科學家進行了持續三十年的對話後，特別是學現代科學的人們，首先

1983 年 9 月在奧地利舉行的對話會，左起為菲利契夫 ・ 卡普拉（Fritjof Capra）、魯伯特 ・ 謝爾瑞克（Rupert Sheldrake）、馬修 ・ 李卡德、戴維 ・ 鮑姆，對話協調人、達賴喇嘛、喬治 ・ 德雷福斯、大衛 ・ 斯坦德拉（David Steindle-Rast）、弗朗西斯科 ・ 瓦瑞拉

會懷疑對話怎麼可能進行？

達賴喇嘛和科學家的對話，是怎樣克服「典範」壁壘的？

B：達賴喇嘛和科學家的對話確實很不容易。達賴喇嘛初訪歐洲時接觸了魏柴克和鮑姆等科學大師，是一個重要開端。這些科學大師都是了不起的思想家，具備常人罕見的超越思想壁壘的能力。特別是戴維・鮑姆，他不僅是理論物理學家，有時候他也承認自己是神秘主義者，對精神世界懷有高度的好奇心。他還認為，人類社會的問題要靠「對話」來解決，他對「對話」有極高的期待，為此還特地寫了一本書，就叫《對話》（*On Dialogue*）。

這幾位思想大家都比達賴喇嘛年長，我相信，他們對達賴喇嘛有深刻的影響。他們和達賴喇嘛的交流，主要是他們向達賴喇嘛介紹現代科學及其方法，帶有「科普」的性質，所以達賴喇嘛後來一直說，他是他們的學生，而他們是他極有耐心的老師。而達賴喇嘛和科學家的對話得以持久而穩定進行，是在達賴喇嘛發現了機會，讓佛教的修行對科學研究有所貢獻時開始的，並且由此展開了達賴喇嘛和科學家對話的新階段。

2 輕柔之橋

達賴喇嘛遇到佛朗西斯科・瓦瑞拉博士

A：現在我們知道，達賴喇嘛和科學家的對話有一個規範化的平臺，就是在美國麻州的「心智與生命研究所」。這個平臺是怎樣構建起來的？

B：這個平臺產生於上世紀八〇年代。這個平臺的構建，除了達賴喇嘛對科學的興趣，以及要把西方科學引入傳統西藏文化，讓西藏社會走向現代化的初衷外，最重要的貢獻來自一位西方科學家，即佛朗西斯科・瓦瑞拉（Francisco J. Varela, 1946-2001）博士。

A：他是個怎樣的人？

B：瓦瑞拉是生物學家，智利人。他在智利學習醫學，然後到哈佛大學留學，獲得生物學博士學

達賴喇嘛和佛朗西斯科 ・ 瓦瑞拉

位。一九七三年智利軍事政變後，他在美國度過了多年流亡生活。

A：又是一位有流亡經歷的科學家。

B：是的。或許流亡生活開拓了他的國際視野。他後來在法國巴黎大學教授認知科學、認識論和神經科學。他在當代生物學界以提出自生系統論（autopoiesis）*而聞名，在法國國家科學研究中心領導一個研究小組，被同行公認為當代傑出的神經科學家。

A：他怎麼會開始和達賴喇嘛對話呢？

B：瓦瑞拉博士從七〇年代開始就成為佛教徒。他最初跟從西藏高僧丘陽創巴仁波切（1940-1987）學打坐冥想，後來又跟祖古烏金仁波切（1921-1996）學習佛教修行。

A：丘陽創巴仁波切以「狂慧」著名，他在英、美的傳教方式頗有爭議，但他在「佛法西漸」過程中的影響是無可否認的。祖古烏金仁波切是兼修噶舉和寧瑪派的密宗大師。當瓦瑞拉在美國時，這些佛教大師恰好也在美國。這不免讓我想起八世紀蓮花生大師的預言：「藏人將像螞蟻一樣流散世界各地，佛法將傳入紅人的國度。」上世紀五〇年代末、六〇年代初，幾萬藏人跟隨達賴喇嘛流亡，而藏傳佛教也開始在西方傳播。這恐怕不是歷史的巧合。

B：是的。瓦瑞拉博士是生物學家和神經科學家、哲學家，還是西方最早的藏傳佛教學生之一。

A：他是怎樣開始和達賴喇嘛對話？

B：達賴喇嘛訪問歐洲時，瓦瑞拉博士很想拜見達賴喇嘛，向他請教佛法，特別是打坐修行的方法。達賴喇嘛得知瓦瑞拉是一位著名神經科學家，更是願意向瓦瑞拉請教現代神經科學方面的發現。在七〇年代末和八〇年代初的幾年裡，達賴喇嘛經常訪問歐美，瓦瑞拉見過達賴喇嘛好多次。但是，達賴喇嘛出訪歐美時行程太滿，而且隨時隨地在媒體記者的包圍之下，能夠深入交談的時間很少。

一九八六年，達賴喇嘛趁訪問巴黎時，又一次約談瓦瑞拉，在一個小時裡問了很多有關神經科

＊自生系統論，這個概念表達了結構與功能的互補性，於七〇年代提出。更準確地說，這個術語指的是非均衡的動態結構。相關思想方法影響了當代許多學科領域。

學的問題。預定的一小時過去，達賴喇嘛的助手提醒說他們必須趕往法國議會，出席議員們特地為達賴喇嘛舉行的招待會。達賴喇嘛和瓦瑞拉談興正濃，意猶未盡，達賴喇嘛對瓦瑞拉說：「我們還得再談，但是我訪問西方國家的時候，無法安排更多時間。如果你能到達蘭薩拉來，我就安排一個星期的時間。你想帶誰來都可以。」達賴喇嘛向瓦瑞拉發出了訪問達蘭薩拉的邀請。

心智與生命對話平臺的起源

A：不過，印度達蘭薩拉在喜馬拉雅山裡，對西方人來說，去一趟並不容易。

B：是的。此行離不開一個名叫亞當・英格爾（Adam Engel）的美國律師。英格爾早在七〇年代就前往喜馬拉雅山，在藏傳佛教的寺院裡拜高僧為師，一住就是幾個月。回到美國後，他和當代西方非常有名的西藏僧人喇嘛益西等人一起舉辦佛教修持中心。

A：喇嘛益希是藏傳佛教格魯派僧人，一九三五年生於拉薩附近的堆龍德慶，六歲就進入色拉寺習經。他於一九五九年流亡，在印度布克薩的流亡社區第一座經學院學習過。他是最早向西方人傳授佛教的僧侶之一，對「佛法西漸」有很大的貢獻。

B：透過喇嘛益西，英格爾得知達賴喇嘛對科學有強烈興趣，希望能了解當代西方科學，也希望能夠和西方科學家分享東方的冥想修行學問。英格爾立即想到，他應該去促成這件事。一九八四年，英格爾見到達賴喇嘛的弟弟阿里仁波切，提出一個想法：邀請一組科學家和達賴喇嘛進行跨文化的對話。阿里仁波切答應轉達給達賴喇嘛。幾天後，達賴喇嘛回話說，非常高興有機會和西方科學家對話。

一九八五年春天，經熟人介紹，瓦瑞拉和英格爾決定一起組織西方科學家和達賴喇嘛對話。就在此後不久，達賴喇嘛向瓦瑞拉發出了邀請。於是，他倆商定英格爾擔任統籌協調人，負責籌款和具體事務；瓦瑞拉擔任科學協調人，負責聯繫科學家，擬定邀請名單。

作為科學家一方的組織者，瓦瑞拉和英格爾遵循了三個原則：第一，邀請的科學家不是根據名氣，而是根據能力，因此邀請的是在科研工作中還相當活躍，思想也比較開放的科學家。如果這位科學家了解佛教，甚至有過打坐等佛教修行的經驗，就像瓦瑞拉一樣，固然對交流更有利，但了解佛教不是一個重要的因素；第二，對話的內容安排，要讓達賴喇嘛有機會全面了解當代科學，邀請的科學家要呈現各學科的科研主流，盡量廣泛涵蓋各派觀點，不帶偏頗；第三，對話的方式是達賴喇嘛和當代科學家之間的私人交流，不邀請媒體，不公開報導，一般也不邀請旁觀者。具體的安排是：上午由科學家主講，在講述過程中達賴喇嘛可以隨時插話提問；下午則是討論，由達賴喇嘛和出席對話的科學家就主講內容互相提問和回答。

一九八七年十月，「心智與生命研討會」就此誕生。研討會的經費來自於瑞士蘇黎世的企業家布蘭可・衛斯（Branco Weiss）先生的資助和英格爾的捐款。

事實證明，經過仔細而慎重考量的安排非常重要。科學和佛學的對話，是兩種不同「典範」之間的交流，有其難度。但是由於達賴喇嘛和科學家們的謙卑態度，也由於所安排的對話模式與原則，參加者都深感愉快和受益。達賴喇嘛與科學家的對話就這樣一次次進行下去了。

A：在什麼地方舉行研討會？

B：第一屆心智與生命研討會是在達賴喇嘛住所的客廳進行的。參加這次對話的有瓦瑞拉博士、腦神經學家羅伯特・利文斯頓（Robert Livingston）博士、數學家紐康・格林利夫（Newcomb Greenleaf）博士、物理學家傑瑞米・海伍德（Jeremy Hayward）博士、化學家皮埃爾・路易奇・路易斯（Pier Luigi Luisi）博士、認知心理學家埃莉諾・羅西（Eleanor Rosch）博士等六位科學家。

A：這是一些怎樣的科學家？

B：傑瑞米・海伍德是英國劍橋大學物理學博士，也學過生物學。他早在一九六七年就接觸了佛教，一九七〇年以丘陽創巴仁波切為師，開始佛教修習。他是對東方佛學有所了解的西方科學家。

埃莉諾・羅希是柏克萊加州大學的著名認知心理學家，在認知心理學領域的影響很大。

紐康・格林利夫是計算機科學家。

羅伯特・利文斯頓生於一九一八年，和達賴喇嘛對話時，他已經快七十歲了。他在史丹佛大學獲得醫學學位，二戰期間在美國海軍服役，得過銅質獎章。日本受到原子彈轟炸期間，他在美國海軍的醫院行醫，這個經歷使得他後來終生反對核武，他是國際醫師反對核戰爭組織的積極活動家，這個組織獲得了一九八八年的諾貝爾和平獎。利文斯頓是著名醫師，最有名的是研究和發展

在達賴喇嘛客廳的對話（1980 年代）

了人腦的電腦圖像，對大腦的研究使得他對認知、意識、情感和人的靈性問題都很有興趣。他曾在加州大學、史丹佛、哈佛和耶魯大學任教，教過病理學、解剖學、精神病學等學科，是學界公認的權威科學家。這次對話後，他就擔任達賴喇嘛的科學顧問，和達賴喇嘛保持了互相敬重的友誼，直到他二〇〇二年逝世。

路易斯是義大利化學家，在瑞士工作。身為自然科學家，他認為生命的目的應該從生命本身的結構和功能中發現，從生物有機體的活動來推知生命的目的。

一般而言，當宗教領袖和科學家同時出現時，總是在某種儀式性的場合，向大眾表達科學家和宗教領袖有一些共同關心的社會議題。達賴喇嘛和瓦瑞拉等科學家的談話，不希望有這種表演性質，他們希望能深入交流科學和佛學。所以，在場的除了兩位不可缺少的翻譯以外，雖然也有錄音錄影，但是沒有邀請媒體。五天的研討會，每天分為上午、下午兩場，盡可能非正式，隨意提問交流，但內容很緊湊。

這樣的對話方式顯然卓有成效，後來成為達賴喇嘛和科學家對話的標準模式。

科學方法和驗證（一九八七年第一屆心智與生命研討會）

A：他們談了什麼，能舉例介紹一下嗎？

B：你設想一下，當一組科學家和一位佛教高僧第一次進行正式的科學對話，科學家最想和佛教高僧說明什麼？

A：為了順利展開對話，他們先得說明什麼是科學，即現在的科學家是按照什麼規範來對自己的研究作評判。

B：對。瓦瑞拉安排的第一講，是請物理學家傑瑞米・海伍德主講科學方法及科學驗證。

A：這是一個大題目。海伍德是怎樣講述的呢？

B：他從西方「自然哲學」對「客觀知識」的追求講起。幾百年來，西方科學家認為，科學要追求「客觀的知識」，即不依研究者的主觀意願而獨立存在的知識。這種知識的存在，意味著有一個

「客觀實在」，它的存在不依賴於研究者是否對它進行研究，它是「客觀存在」的。因為這一「客觀實在」獨立於人類思想之外，所以有關它的知識應該是統一的，有關它的各部分知識，應該是相容、互不矛盾的。也就是說，存在著一個統一的科學。

A：唯物論的原則就是這樣，物質世界是客觀存在的，知識是對物質世界運動規律的陳述。人的知識可能不足，但是物質世界和它的規律總是存在著。

B：海伍德說，最近幾十年的科學發展，使得科學家漸漸放棄了「統一的科學」的信念。現在有很多不同的探索和研究活動都被認為是科學活動，它們往往基於很不一樣的假設。科學不再被看作單數的Science，而是複數的Sciences。在兩個不同科學的研究領域重合的部分，它們很可能對同一個觀察對象，作出完全不同、無法相容的解釋。可是，它們都是科學，science。

A：量子力學中對光的波粒二象性解釋，大概就是這情形。光被解釋為電磁波是一種科學解釋，又被解釋為一種粒子的運動，也是科學解釋。

B：為了解釋最近幾十年發生的當代科學觀的演變，海伍德按照時間順序講解了西方科學觀念的演進。他從中世紀西方的所謂「黑暗時代」講起，講到古希臘文獻被重新發現，從亞里士多德到托馬斯•阿奎那，科學和神學的和諧關係。然後，十六世紀伽利略革命性地提出，必須透過觀察來檢驗經典。他談到，一六四二年伽利略去世，同年牛頓誕生。從牛頓到達爾文，這兩百多年是科學取得一系列偉大成就的時代，從而建立了「科學確定性」（Scientific Certainty）的觀念。直到一九二

○年代，隨著相對論的建立和量子力學的發展，牛頓時代的「科學確定性」被徹底動搖。現代科學開始取代牛頓時代的經典科學。

這基本上就是一部科學哲學史。對於科學界之外的人來說，最難理解的是最後一步，即現代相對論和量子物理學所建立起來的時空觀念和科學觀。

海伍德說在一九三○年代，科學界不得不發展出新的觀念和方法，重新鞏固科學的基礎，對「什麼是科學的」達成共識。這新的科學觀叫做「邏輯實證主義」（Logical Empiricism）。

他說，現在的科學教科書講到用來發現客觀世界本質的「科學方法」，不管是研究物理學、化學、生物學甚至心理學，用這套方法就被認為是科學的。這套方法分為四步驟，第一步是觀察，收集數據和訊息；第二步是構築能夠解釋數據的理論，這理論能把前面的觀察數據置入某種單純的公式或模式中；第三步是科學家用這些公式或模式來計算、變換、推導，得出新的抽象數據或結論，用這些數據或結論來預測應該能夠觀察到的現象；第四步是透過實驗或觀察，來尋找預測的觀察結果。如果找到了，就證明第二步構築的理論是「正確的」，是反應了「真實的」客觀實在的本質，也就被認為是科學的。如果沒有找到，那就存疑，繼續尋找或者從第二步開始修改理論或構築別的理論，因為沒有找到，說明理論不反映「客觀實在」。這是至今為止科學界標準的規範，從牛頓時代以來，科學研究就是這樣進行的。

A：「標準的科學方法」四步驟和「邏輯實證主義」一致。

B：這一套標準科學方法，在哲學上就是邏輯實證主義。邏輯實證主義有兩個部分：邏輯和實證。邏輯部分就是四步驟的第二步和第三步。邏輯需要的材料是「公理」和「運算規則」。第二步構築理論的依據就是公理，這些公理是在邏輯之外，根據現象而提出的假設。第三步是根據這理論或假設建立起數學模型，進行數學推導和運算，得出數學結果，再對這些抽象的數學結論進行解釋，預言未來的實驗或觀察將看到什麼客觀現象。

實證部分就是四步驟的第一步實驗觀察收集數據，和第四步實驗觀察驗證結果。

在現代物理學，可以說邏輯部分是理論物理學家的工作，實證部分是實驗物理學家的工作。

A：現在的理工科大學生都在課堂上學習了「科學規範」，科學就是經得起邏輯實證主義的實驗，能夠重複觀察到的「客觀實在」。

B：是的。邏輯實證主義對於科學界建立統一的「科學」標準具有極大的影響力。如果科學界沒有一個標準，就會各自認為自己的結論是科學的，見仁見智，沒有一個「客觀的」標準了。

但是，從上世紀七〇年代開始，科學家們看到，邏輯實證主義的標準規範其實是一種理想狀態，現實中，科學家們並不是按照理想模式在工作。

A：這是什麼意思？

B：現實中的科學家其實並不總是按照邏輯實證主義在工作。如果問原子物理學家、進化論生物學家或者認知心理學家，他們是否按照邏輯實證主義的模式在工作，答案幾乎是否定的。邏輯實證主義對於「什麼是科學的」有一個理想的模式，但是科學家並不是依此模式工作。

另外，邏輯實證主義也有內在的邏輯問題。比如第四步的實驗驗證，邏輯上你是不可能確切無疑驗證任何結論的。你想驗證「天鵝都是白色的」這一結論，你一隻一隻檢驗，都是白色的，但是邏輯上你仍然沒有肯定地驗證這一結論，因為只要將來有一天出現一隻黑天鵝，結論就被推翻了。可是邏輯上你不可能斷定說，永遠也不會出現一隻黑天鵝，也不可能斷定什麼時候會出現一隻黑天鵝。也就是說，要「驗證」「天鵝都是白色的」這一看似簡單而明確的結論，邏輯上是不可能的。

A：那怎麼辦？那麼邏輯上就沒有科學了。

B：量子力學和相對論對此的回答是，科學結論其實是對現象的一種概率的描述。客觀實在不是決定論的。如果換一種陳述，「天鵝有不小於九九．九%的概率是白色的」，那就可以驗證了。

科學家的認知是透過訓練得到的

A：那麼，對生活中真實的科學家來說，「什麼是科學的」的認知是怎麼來的呢？

B：大多數人，包括現實中的科學家，科學的結論都是學來的，即從學校課堂或者從書本學來的，也就是說，我們大多數所謂「科學認知」都是接受了所信任的來源給予我們的現成知識，大家學的都是二手科學。

在討論的時候，達賴喇嘛告訴科學家，僧人的佛學訓練也有同樣的情況，他們一遍一遍地誦經，一開始是一點也不懂，唸著唸著，突然就覺得自己理解了，懂了。唸得多了，懂得多了，就覺得自己是個喇嘛了。

A：這就是透過經典來學習知識，我想所有人的學習都是一樣。沒有必要也沒有可能，樣樣都透過觀察、思考和驗證來學習。一般而言，我們相信合格的科學家告訴我們的科學知識是可靠的，就像我們相信善良的老人告訴我們的做人道理是對的。

B：為什麼佛陀教導說，即使是佛陀的話你也不應該盲從盲信，而應該自己去檢驗，透過檢驗確證是符合真實的才可以相信，否則就可以不從不信？

A：佛陀是在告訴他的學生，對實在本質的理解首先是來自於客觀世界本身，透過觀察和思考；其次才是來自於經典，來自於前人已經積累起來的知識。可是在現實生活中，無論是現在的學生、未來的科學家，還是佛教寺院的僧人，經常把學習經典作為知識的第一來源，甚至是唯一的來源。

B：經常發生的情況是，當學生學到了知識的同時，知識會成為他們觀察和思考客觀世界的框架和參照物，當客觀現象不能用他們已經習得的理論來解釋時，他們經常選擇不承認這些現象，否認其存在，或者否認這些現象之間是有聯繫的。

A：執著於先入為主的知識，任其蒙蔽認知，阻礙新觀念和新知識的吸收，佛教把這種狀況稱為「知識障」。

中國人之間爭論了近百年的「中醫是否科學」就是如此。中醫的經絡和穴位，以及針灸的效應，歷史悠久，有無數的人用親身體驗「證實」經絡與穴位的「存在」。但是，很多受現代西醫教育的人，因為無法根據西醫要求的解剖學標準來「發現」經絡與穴位，就無法接受經絡與穴位的「存在」。他們說現代科學，特別是西醫發達的解剖學，至今沒有發現經絡和穴位是什麼，所以經絡和穴位不存在。

B：達賴喇嘛在討論中強調了「沒有發現」和「發現其不存在」完全不同，但是人們經常會從前者跳到後者的結論，但其實是自己本來就「相信其不存在」。

此外，在心理學等學科的研究中，某一現象是否「存在」必須依靠對象的主觀陳述，也就是說，對這些現象的「觀察」結果，得依靠個人的主觀體驗和敘述。這樣的「觀察」常常不符合嚴格的實驗規範，所以有些科學家會選擇不承認這樣的現象「存在」。有些堅持只有西醫才是科學的人就認定，針灸的效果只是病人的心理作用。

沒有獨立的、絕對客觀的觀察

A：面對同一個客觀現象，觀察者看到了什麼，其實跟觀察者的主觀觀念有關。比方說，天空中出現一片人形的雲彩，佛教徒會說「菩薩顯靈」，天主教徒會說「聖母顯現」。無論是「菩薩」還是「聖母」，其實只是觀察者對現象的解釋，而非現象本身。

B：達賴喇嘛指出，古典佛學大師早就認為，觀察者和觀察對象之間是有關係的，觀察本身就是兩者之間的一種關係，所以不存在和觀察者沒有關係的絕對獨立的客觀現象。奇妙的是，現代物理學放棄了牛頓力學的絕對時空觀念，同樣建立起一個非常重要的觀念，即觀察者和觀察對象不是完全獨立無關的，所以，科學所研究的客觀世界並不是孤立存在的。這在根本上改變了人類對客觀實在的理解。

佛教徒佛朗西斯科・瓦瑞拉

A：瓦瑞拉是世界著名的神經科學家卻又是佛教徒，這非常有意思。

B：是的。一般來說，人的宗教信仰主要來自於家庭和個人成長的文化背景，而現代科學家都是在學校經過十幾二十年的學習訓練而成。有研究指出，以科學研究為業的人，由於研究的對象是客觀物質世界，比其他人更傾向無神論或唯物論。不過很多人的宗教信仰是在成為科學家以前就已經形成確立，所以科學家中不乏各大宗教的信仰者。現代科學是以西方科學體系為主，其他民族的人在學習西方科學的同時，也可能受西方文化影響，成為科學家的同時也信仰了基督教。所以，無論是東方人還是西方人，科學家中不乏信仰基督教的人。一般來說，宗教信仰並不會明顯影響他們的研究職業，他們都知道「上帝的歸上帝，凱撒的歸凱撒」。宗教信仰只是一種終極性的信念，而做研究是日常工作，相信上帝的人並不會懷疑科學研究的規範。他們的「上帝」和「科學」各司其職，並不衝突。

A：但是瓦瑞拉是南美人，出生在有濃厚天主教氛圍的智利，在歐美受教育和工作，他會成為佛教徒，頗不尋常。

B：是的，這種情況相對較少，但是並不奇怪。

瓦瑞拉是研究神經科學的生物學家，研究神經元之類的東西，研究對象小到細菌，大到人類。他的研究涉及大腦和身體的關係，對人和其他高等動物來說，涉及意識或心智對身體的影響。這一研究領域和物理學等以純粹物質為研究對象的學科不同，離不開研究對象的主觀性。大腦或心智對身體的影響，必然要問「你心裡在想什麼？」或「你現在感覺怎樣？」同時觀察測量身體的指標。而主觀性就難以避免研究對象的個體差異，經常會出現某種效應無法「重複驗證」，這就無法滿足現代科學界對科學結論必須能「重複驗證」的要求。所以很多科學家選擇避免研究「主觀」的對象，採取迴避態度。有些科學家甚至認為，像心理學這樣很大程度上依賴於「主觀」的學科，不是嚴格意義上的科學。也因此，現代科學中涉及「主觀」的研究，比如心智和身體互相影響的研究，就相對比較弱，甚至受到科學界同儕的排斥。

佛教不只是一種單純的信仰，其理論層面，即佛學，是一整套知識體系，是對「實在的本質」的探討和理解。而且，佛學認為人和其他有生命的物體，都是客觀實在的一部分，包括人的心智、意識，都是佛學研究和探討的對象。經過無數佛學大師長達千年的觀察思考，佛學積累了大量有關心智、心理和身體關係的知識，發展出了一套控制自己的心智和身體的方法。這套知識和方法行之有效，而且佛學認為它也是「實在」的一部分，既可以把它作為客觀對象考察研究，也可以身體力行練習打坐冥想，在自己的頭腦和身體裡體驗其實效，並且用科學語言加以描述。

所以，瓦瑞拉身為西方科學家，同時修持佛學，這一點也不奇怪。而且，和科學家同時又是基督徒的情況不一樣，瓦瑞拉的科學研究和佛學修行不是互不相干，而是互相對話的。瓦瑞拉想必是在學佛的時候，體會到了佛學是有道理的。

A：事實上，上世紀後五十年，藏傳佛教在西藏遭遇毀滅性打擊的同時，被流亡藏人帶到了世界各地。藏傳佛教在西方世界，主要是在教育程度比較高的人之間傳播。科學家一旦接觸了藏傳佛教的修持，體驗到了打坐冥想的益處，就會繼續深入研究，因為他們習慣於對現象進行深入探究。

佛朗西斯科・瓦瑞拉談認知與大腦

B：瓦瑞拉介紹了他的專業對生物認知能力和大腦的認識。他從神經系統的基本知識談起，以阿米巴蟲的行為模式為例。達賴喇嘛對這個話題很有興趣，他提出了佛教中關於「有情眾生」的概念。什麼是「有情眾生」？佛學中並沒有一個能夠讓現代科學滿意的定義。瓦瑞拉從生物神經系統和運動能力的角度，和達賴喇嘛一起討論了「有情眾生」的定義問題。

瓦瑞拉從各個方面介紹了神經科學對神經元的研究：什麼是神經元，神經元電路的構造，神經元之間的通訊怎樣進行，神經元和神經元電路怎樣在相隔遙遠的細胞之間傳遞訊息。這些是理解當代神經科學的基本知識。

達賴喇嘛和瓦瑞拉的討論很熱烈，話題不斷。瓦瑞拉是科學家也是佛教徒，他本人就是科學與佛學之間的橋梁。當達賴喇嘛提出佛學對某個議題的認識時，瓦瑞拉立即就理解了達賴喇嘛的看法和疑問，隨之提出科學對此議題的認識。他們談到了打坐冥想的作用，談到了對「夢」的認識和研究，提出了很多至今還沒有答案的疑問。

A：對科學家來說，一個好的問題比你告訴他問題的答案更有幫助。

B：是的。對優秀的科學家來說，他的面前永遠是一個大大的問號：「？」。「？」是科學家的上帝，科學家的人生哲學。優秀的科學家不會滿意人類已有的科學成就，而是看到面前無數未知的疑問。在外行人看來，科學家是一些「聰明絕頂的傢伙」，可是他們自己卻不這樣想。

A：修為精深，境界高遠的宗教人士同樣如此。

認知心理學

B：瓦瑞拉介紹了神經科學之後，埃莉諾・羅希介紹認知心理學。

羅希說，在用當代科學方法研究心智方面，認知心理學處於核心的地位，而佛學的修持涉及人的心智，所以認知心理學或許可以在科學與佛學的對話中發揮一定作用，這不僅是因為認知心理學或許可以提供一些已有的成果，也是因為認知心理學也需要和佛學對話。

她說，認知心理學作為一門科學，是開放的，需要外界的幫助。

A：科學家的謙虛和睿智令人感佩。

B：羅希從認知心理學的歷史講起，介紹了認知心理學的兩大流派：內省學派和行為學派。內省學派採用的研究材料是研究對象的自我心理，由於無法被其他研究者「觀察」，現代科學認為這種研究不「客觀」，按照邏輯實證主義的要求，這樣的研究對象甚至不被看成是事實。正是對內省學派的駁正，產生了行為學派。行為學派是根據現代科學對客觀性的要求而構建起來的研究方法。羅希也介紹了心理學界對行為學派的批評。

隨後，羅希講述了認知心理學，人腦是如何處理訊息的。討論了記憶的心理學，短期記憶和長期記憶的關係。

A：佛學對心理學有很多觀察和思考，達賴喇嘛怎麼看羅希介紹的西方認知心理學？

B：達賴喇嘛在羅希的講述過程中不斷參與討論。在這一方面，佛學的內容很豐富，有很多問題是和現代心理學平行的，可以說古代佛學是走在現代西方心理學前面，有時候更為深入和細緻。心理學根據當代科學的規範要求，迴避了一些它無法處理的東西，比如無法「客觀」、無法重複實驗、無法觀察的東西，而佛學並不認為這些東西因為無法客觀就應迴避。

達賴喇嘛和羅希還對「自我」和「自我的意識」進行了詳細的討論。

人工智能

A：剛才你說到，參與對話的科學家中還有一位電腦科學家。他在這次研討會上談了什麼？

B：那是普林斯頓大學數學博士、哥倫比亞大學電腦科學系的教授紐康・格林利夫。我們現在經常把Computer直接翻譯成「電腦」，這個詞來源於動詞compute，計算。早期人們把電腦看成是「會計算的機器」，很多大學裡電腦科學專業就設在數學系裡，很多電腦科學家是從數學專業起步的。格林利夫身為電腦科學家，思考的卻不僅僅是作為一部機器的電腦。他在這次對話中的話題也和神經科學有關。格林利夫討論的題目是人工智能，恰恰跨越了電腦和神經科學。

他從「什麼是電腦」說起，介紹什麼是電腦，什麼是電腦的程序，什麼是「智能」，怎樣定義「智能」。達賴喇嘛對這些問題非常感興趣，提出了很多具體的問題。這時格林利夫所說的電腦，主要不是「會計算的機器」，而是「會判斷的機器」，這樣的機器，既然會做判斷，比如會下棋，而且下得比一般人還好，那麼這樣的機器會不會「思想」呢？也就是說，機器是不是有「智能」？這就是人工智能的課題。

A：即使是二十幾年後的今天，電腦和網際網路已經普及全世界，人類所能製造的電腦仍然只是一種機器，不是有生命的生物，按照佛教的說法，不是「有情眾生」之一。可是電腦的「聰明」程度、「智能」，已經讓大多數人自嘆弗如了。這是怎麼做到的？

B：格林利夫介紹了人工智能研究方面的四大策略。

第一種是「窮盡法」，就是盡量開發和利用電腦的強大計算速度和精度，利用電腦的超人能力來做盡可能多、盡可能複雜的各種各樣的事情，而不去思考同樣的事情人腦是怎樣做的，也就是說，電腦有電腦的做法，人腦是人腦的做法，各做各的，不要讓電腦學人腦。電腦下棋就是這樣開發出來的，電腦下棋下得好，依賴於它算得快。

第二種策略叫「專家系統」，就是讓電腦模仿「專家」。一個專家有豐富的知識和經驗，把它們表達為成千上萬條規則，輸入電腦。電腦在遇到問題時，能迅速從龐大的規則庫中找出正確答案，就像一個真正的醫師、律師一樣內行。

第三種策略是利用「心智社會」的概念，把心智看成一個大箱子，這個大箱子裡有很多小箱子，小箱子裡有更小的箱子。最小的箱子只有一種簡單的功能，相當簡單而蠢笨，但是這些箱子都互相關聯。它們互相配合作用，也許就能表現得相當聰明，能夠模仿人的智能。

第四種策略是直接模仿人腦。對人腦的研究已經發現，人腦是由一定數量的神經元組成的，這些神經元之間由神經電路相連。模仿神經元和神經電路的電腦，也許能製造出具有智能的機器。

A：由於電腦的發展和普及，這些問題在西方社會引起了極大的興趣。電腦和人的關係，是很多文學作品試圖挖掘的題材。對電腦與人工智能的探討，也促使人們反思人腦和人際關係，於是自然涉及了倫理學的領域。

B：是的。格林利夫的介紹引起了熱烈的討論，瓦瑞拉、海伍德、羅希都加入達賴喇嘛和格林利夫的討論，對人工智能的認識，人與機器的關係，涉及到人對生命本質的理解，人對自身的認識。科學回答不了這些問題，所以科學家們很感興趣的是，達賴喇嘛和古代印度的佛教大師們怎麼看待人的意識，怎麼認識智能的本質。

有一個問題是：假如未來的機器能夠具有和人一樣的智能，甚至比一般人更聰明，那麼，這樣的電腦能有意識嗎？這又提出了另一個問題：意識的起源是什麼？

在這方面，古代佛學可能比科學思考得更多更深。現代科學認為，意識和大腦密切相連，沒有大腦就沒有意識。大腦是物質的，那麼意識是什麼呢？意識是不是物質？現代科學認為意識是大腦這個物質體的「產物」。佛學並不這樣看。達賴喇嘛介紹了佛學方面的看法。佛學把意識分成三個不同的層次：粗意識、精微意識和極精微意識。這三個意識層次對「軀體」的依賴程度不一樣，越粗的層次越依賴於軀體。

A：也就是說，佛教認為極精微的意識可以脫離軀體而存在。因此，極精微意識就不一定是大腦的產物。從這個角度來看，佛教關於人死後「轉世」的道理就說得通了。

B：是的。當然，佛教還沒有足夠的理論證據來說服當代神經科學家。達賴喇嘛和科學家都明白，在具體結論上，佛教和當代科學有很多不一致的時候，但是這並不妨礙他們各自敘述觀點的來龍去脈，互相都感到大有裨益。

A：對意識的一般性質的探討，已經超出了現代科學規範能夠應付的範圍。我們不能忘記，現代科學界對「科學性」的要求是能夠「實證」，所以，儘管意識是我們每天都面對的一樣「東西」，可是在找到「意識」的物質痕迹之前，科學是無法深入討論它的，而且不得不迴避。科學家能夠討論的東西必須有物質基礎，是看得到摸得到的，這就是大腦。

B：對，所以接下來是著名神經科學家羅伯特．利文斯頓講述人腦的發展。

羅伯特．利文斯頓談大腦的發展

A：他的主題是什麼？

B：利文斯頓是研究大腦的。這個領域的人大多深受進化論影響，相信人類是透過大腦進化而成為今天的「萬物之靈」。在所有生物中，人類的大腦最大、最複雜。就是這最複雜的大腦，使得人類具備所有生物中最強的思考能力、更豐富強烈的情感，發展出信念、互相信任與合作、利他心，以及同樣複雜的自我保護意識、猜疑、競爭心和好鬥。

利文斯頓指出，他認為西方科學界誇大了競爭與好鬥的選擇優勢，很大程度上誤解了進化論。進化和大腦發展的證據顯示大多數生物體，包括單細胞生物體，如果沒有某種和其他生物合作的行為就難以生長，甚至無法存活。以往對進化論的理解，太傾向於強調競爭，而輕視了合作的作用。

達賴喇嘛插話問道，馬克思主義的鬥爭意識是不是與此有關？

利文斯頓回答：是的。他說，西方社會以往普遍對達爾文、馬克思和佛洛伊德有所誤解，達爾文理論中的競爭與衝突的意義被誇大了。達爾文本人沒有說過「最適者生存」，那是赫伯特・史賓塞（Herbert Spencer, 1820-1903）的話，而史賓塞並不是科學家。相反的，達爾文一直強調不同物種之間互相依賴與合作的相對重要性，合作與競爭是平衡的。史賓塞的說法廣泛傳播，使得大眾以為進化選擇主要依賴於物種間的競爭、衝突和征服。這是對進化的誤解。

A：非常有意思。不過對佛學而言，這種思想可以說源遠流長。佛教理論一直就強調萬物是互相依賴、合作的。

B：是的。達賴喇嘛很贊同利文斯頓指出合作在進化中的作用。他們討論了人類大腦的早期發展對意識與情感的影響。利文斯頓從生殖細胞的受精說起，討論了懷孕期間胚胎大腦發育和嬰兒早期大腦發展的重要性。他還提出了一個很有意思的問題：意識是什麼時候進入人類胚胎的？

這些問題引起了與會者的濃厚興趣，科學家們紛紛發表意見，參與討論。在這方面，現代科學有很多開拓性的成果，也還有很多未知領域。

最後，瓦瑞拉和路易斯一起討論了生命的進化問題。

生命的進化

A：首先，瓦瑞拉和路易斯必定相信生命是有目的的，否則就談不上去發現和了解生命的目的。但是，這裡的「目的」是什麼意思，仍然需要定義。

B：是的，瓦瑞拉說過所謂生命的「目的」，只是科學家身為觀察者所提供的一種思維結構，具體內容取決於科學家本人的智能，即科學家的種族、宗教、科學觀念等等。所以，生命的目的不是「客觀」的，隨著社會與文化的背景而改變，在不同的時間點、不同的社會與傳統中，生命的目的有所不同。

A：這個說法很有意思。

B：瓦瑞拉和路易斯一起向達賴喇嘛介紹了生物科學中最重要的理論，即進化論。他們介紹了進化論的主要觀點是怎樣形成的，後代變異怎樣發生，所謂「適應」是什麼意思，進化在分子層次上是怎樣發生的。他們還介紹了生物的利他行為如何發生，並且指出進化論意義上的自然選擇壓力並不是生物為生存而適應環境的主要因素。

心智與生命對話的開端

A：這五天的討論，就是後來持續了三十年的心智與生命對話的開端？

B：是的。瓦瑞拉在結束的時候，代表科學家們向達賴喇嘛表達真誠的感謝。達賴喇嘛感謝科學家遠道而來，在印度北方喜馬拉雅山裡的小山鎮，討論一些重大的科學議題，這些議題大多還沒有答案，仍有賴未來的科學家們研究。他敦促科學家們在對話的基礎上展開研究。

達賴喇嘛和西方科學家進行五天的集中對話，這是第一次。五天緊張的會議，完全以私人談話的形式進行，但是全部過程的紀錄在一九九二年由海伍德和瓦瑞拉編輯成書出版，這就是《輕柔之橋：和達賴喇嘛談心智的科學》（*Gentle Bridge: Conversations with the Dalai Lama on the Sciences of Mind*）。

3 在十字路口上

B：一九八七年，佛朗西斯科・瓦瑞拉帶著一組科學家到達蘭薩拉和達賴喇嘛舉行的對話，成為心智與生命的第一屆對話。第二屆對話是在兩年後的一九八九年舉行。一九八九年是西藏和中國的多事之秋，在拉薩和北京都發生了震驚世界的事件。外界幾乎沒人注意到，那年達賴喇嘛和一組生命科學家舉行了第二次對話。

A：那一年拉薩發生了第二次「拉薩事件」，北京發生了「六四事件」。

B：對。所以，第二屆心智與生命研討會就有某種特別的意義。此外，那年還有另一個重大事件。那次對話是達賴喇嘛在美國新港海灘（Newport Beach）的一位美國友人克利佛・亨氏（Clifford Heinz）夫婦家裡舉行的。當時達賴喇嘛正在美國訪問。十月五日，就在對話開始的那天早晨，出席對話的神經科學家和精神病學家都以為對話多半要取消了。因為那天早晨他們從廣播聽到了一則來自奧斯陸的消息：授予達賴喇嘛一九八九年諾貝爾和平獎。

A：這是藏民族歷史上的一件大事，是達賴喇嘛帶領族人流亡三十年後的一個轉折點，這一天，世界各大媒體的很多記者都在尋找達賴喇嘛，想要第一時間報導他對獲獎的反應。

B：所以，本來要出席研討會的科學家都認為這次對話即使不取消，也會延期舉行。畢竟達賴喇嘛獲獎是大事，而他們的對話只是科學家和達賴喇嘛個人的交流。

A：達賴喇嘛一定也得到了消息，他是怎麼決定的？

B：達賴喇嘛在早晨七點前作出決定：對話照常進行。兩個小時後，當達賴喇嘛走進布置成對話會場的客廳時，可想而知，等候在此的科學家們是多麼興奮。每個人都明白，獲得諾貝爾和平獎是多麼難得的殊榮。這次對話的協調人是參加過第一屆對話的羅伯特・利文斯頓，他向達賴喇嘛表示祝賀。達賴喇嘛回答說，這個獎項不應視為對他個人的獎勵，而是認可非暴力道路的重要性。

A：達賴喇嘛決定照常進行對話，說明了他把對話視為非常重要的事。儘管他當時沒有直接說出他個人和科學家對話的意義是什麼，但是在以後三十年裡，他一直在做這件事，顯然他深刻思考過此事的意義。

B：是的，這是一個偉大而智慧的人所作的安排，外人要在很久以後才能漸漸理解其意義。

A：參與這次對話的科學家是哪些人？

B：我先介紹兩位翻譯，土登晉巴（Thubten Jinpa）和艾倫・瓦萊斯（Alan Wallace）。在達賴喇嘛和科學家的對話中，翻譯者非常重要。他們不僅需要超強的雙語能力，而且必須具備一定的科學訓練和佛學素養。

土登晉巴一九五八年出生，在西藏流亡社區長大。他在南印度的甘丹寺獲得了藏傳佛教最高學位格西拉然巴，在甘丹寺教了五年佛教認識論、形而上學、中道哲學和佛教心理學，又到英國留學，在劍橋大學取得宗教學博士學位。從一九八五年起，便擔任達賴喇嘛的主要英文翻譯。

艾倫・瓦萊斯是美國人，一九五〇年出生。他的父親是基督教神學家，他在美國、蘇格蘭和瑞士長大，大學期間去印度學習佛教。曾遊學歐洲、亞洲、北美和澳大利亞，教授佛學、哲學和靜坐冥想修行。他是史丹佛大學博士，有很多著述，精通梵文、藏文，擔任過很多佛教高僧大德及西方學者的翻譯。

A：佛教有很多詞彙直接來自於古印度梵文，由於特殊的內涵，很難直接意譯成其他語言。唐代高僧玄奘翻譯佛經時，不得不大量採用音譯。那時候的音譯現在讀起來很拗口，而且很多文字也很古奧。

B：現代中文有不少詞是來自於意譯的佛教詞彙，藏傳佛教更是如此。藏文本身的創建就受古印度梵文很深的影響，所以藏傳佛教經典中的梵文詞彙更多。要精確翻譯藏傳佛教的術語和概念，翻譯者都必須懂一些古印度梵文。梵文是一種僅存在於經典的文字，印度現代生活中已經不再使用了，懂梵文的人僅限於專家。土登晉巴和艾倫・瓦萊斯是東方佛學與西方科學對話時，不可或缺的媒介。

A：羅伯特・利文斯頓和兩位翻譯者都參加過第一屆研討會，這次對話還有哪些科學家？

B：科學對話的順序，通常是以哲學性的思考開始。這次討論也是如此，由哲學家派翠西亞・丘吉蘭（Patricia Churchland）開場。她生於加拿大農家，是加州大學聖地牙哥分校哲學教授。她研究的是神經科學和哲學的交叉領域，稱之為神經哲學（Neurophilosophy）。她在這次對話中講述西方心智研究的哲學與歷史起源。

安東尼歐・達瑪西奧（Antonio Damasio）是愛荷華大學醫學院的神經學教授。他是葡萄牙裔美國人，在里斯本大學醫學院學醫，研究神經病理學，並獲得博士學位。他的研究領域是神經生物學，特別是涉及情感、記憶、決策能力、意識等的神經系統，是這個領域舉足輕重的科學家。他還是臨床醫師，得過許多獎，發表過很多論文和著述。在這次對話中，他介紹大腦的解剖學構造與大腦的意識功能之間的關係。

賴利・斯科瓦（Larry R. Squire）是聖地牙哥的加州大學神經病學、神經科學和心理學教授。他是麻省理工學院博士，是神經生物學中記憶研究領域的領導人物。他在對話中介紹了有關記憶的科學研究。

艾倫・霍布森（Allan Hobson）是哈佛醫學院的神經病學教授，他在很多醫院和研究機構工作過，是研究大腦神經科學有關睡眠、夢等領域的權威，有多種關於精神健康方面的著述。在這次對話中，他講述神經科學中有關睡眠和夢的最新研究。

還有一位路易斯・賈德（Lewis Judd），他是國家精神健康研究所主任，是精神病研究和治療方面的重要人物。

大腦科學與世界和平（一九八九年第二屆心智與生命研討會）

A：看來這次對話的參加者都是研究大腦和意識的科學家。現代大腦神經科學的研究採用了很多高科技的技術和設備，研究進入了大腦的神經元、細胞和分子的層次。這些科學家和達賴喇嘛對話，是出於什麼期望呢？

B：利文斯頓在開幕致辭中表達的想法，可以回答你的問題。

研究神經生物學的科學家多半是進化論學者，熟知人類的進化史。利文斯頓說，在人類進化史上，大腦的進化非常驚人。人類的大腦在進化的某個階段突然超速，比近親猿類的大腦擴大了三倍，並且變得更複雜，更能適應環境。也就是說，人類之所以脫離猿類而成為人，主要是大腦不同了。同樣的，在人類個體的成長史上，即母體中的胚胎長為成人的過程，有一個階段大腦也迅速發育，這個階段非常重要。可以說成為一個心智健康的人，絕大部分依賴於大腦的發育。而且，對大腦的研究證明，人類心智非常微妙多元，功能極其複雜。正是這個了不起的大腦，使得人類具有高超的適應能力，能夠在地球的各個地方生存，發展出輝煌的文明。

於是，研究人類大腦和心智的科學家，可以把自己的科學發現引申到人類社會的發展上。在核能時代，人類未來的生存取決於世界和平，而大腦和心智的研究，可以用科學證據來揭示通向世界和平的路徑，即透過對人類自身的研究，揭示怎樣達到世界和平。

A：這個想法顯示偉大的科學家都是有責任感的人。但是，反過來也可以設想，對大腦和心智的科學發現，是不是也可能被「壞人」如希特勒，用來操控、毀滅他人，使得社會更不安全？

B：這個擔心合情合理。達賴喇嘛早就表達過這樣的想法：對人類心智的研究，怎樣對待和使用科學發現，具有敏感的倫理學問題。所以他倡導多領域的交流，提倡科學和宗教對話，並且一直強調佛教中的慈悲觀念對心智研究非常重要。

多數科學家的唯物論觀點

B：派翠西亞・丘吉蘭是第一位主講者，她講述的觀點，應該說代表了當今神經科學多數研究者的觀念。

丘吉蘭從希臘哲學講起，講述了現代科學的起源。亞里士多德和柏拉圖研究宇宙的本質，也探討人類怎樣構建宇宙的概念，古典思想家的思想至今還影響著我們。她重點講解了笛卡兒的二元論：笛卡兒把身體（Body）和心智（Mind）分開，前者屬於物質世界，後者屬於精神世界，兩者處於兩個不同的世界。這一思想在西方占主導地位長達數百年，至今還有深刻的影響。

然後，她講述了唯物論的觀點，多數當代科學家是持這種觀點。根據這一觀點，只有物理的世界是真實存在的，意識被視為大腦的物理組織所呈現的一種「性質」。具體而言，她說，多數科學家都認為：一、意識不能獨立於大腦而存在；二、記憶是大腦對自身進行組織的一種功能；三、認知能力依賴於大腦各部分是怎樣組織和互動的。

丘吉蘭的主講內容就圍繞著二元論和唯物論這兩大主題展開。

A：但是這兩種觀點其實都可以質疑對方。現代科學家之所以傾向於唯物論而摒棄二元論，因為他們的研究是圍繞著可以觸摸的對象進行的，這是他們的研究在當代能夠被稱為科學的條件之一。大腦和身體可以解剖，可以在顯微鏡下觀察，可以用實驗來擺布，而心智（Mind）卻無法滿足這樣的研究條件。「心智是大腦呈現的一種性質」的證據是，當大腦死亡時，心智就消失了。可是心智就真的消失了嗎？心智的「消失」本身是無法證明的。

唯物論觀點不能令人滿意的是，如果說心智只是大腦組織的一種性質，那麼，大腦在怎樣的運作下產生了「心智」這種性質呢？現代神經科學對大腦的研究深入到了大腦組織的分子層次，但是離回答這個問題還很遠。心智到底是不是一個可以獨立存在的「東西」？

佛學方面的回應

B：資深佛學研究者艾倫・瓦萊斯，對此作出回應。

他說，二元論和唯物論的分野，來自於西方的猶太－基督教傳統，佛教的思路與此不同，既不是二元論，也不是唯物論。例如，科學家們注意到，佛學不主張二元論，反對心智和物質獨立存在的觀念，但是佛學並不認為存在著「靈魂」這種東西，這是佛教和西方宗教大不相同的地方。佛教認為動物和人類一樣有「意識」，這種意識依賴於他們的物理組織。但是，佛教的觀點也不是丘吉蘭闡述的唯物論。

瓦萊斯介紹了佛學的「中觀論」（Madhyamaka）。這理論認為，我們所經歷的世間萬物現象的本質是，沒有一樣事物是可以自身獨立存在的。我們所看到的任何事物，都不可能獨立於其他事物而存在，所以，看起來是獨立存在的事物，並不是事物本身，而只是我們所看到的「虛相」。

A：佛教所謂的「虛相」指的是事物外在的顯現，而非事物的本質。事物的本質稱為「實相」。「虛相」、「實相」是佛教認識論的基本概念。

B：所以，佛學顯然不認同二元論把心智視為獨立存在之物的觀念，而且，中觀論也反對我們看到的物質世界是可以自身獨立存在的觀念，所以也不認同純粹唯物論的觀點。

A：沒錯，佛學是採取另外一種思維角度。西方的二元論或唯物論提出了一個有前提的選擇題：你認為心智是自身獨立存在的嗎？這個問題已經隱含了一個前提：物質肯定是自身獨立存在的。而問題是，心智是否像物質一樣能自身獨立存在？佛學的中觀論根本就不跟著這個問題走，而是有自己的觀念：沒有任何事物能自身獨立存在。

根據佛學中觀論，無論是精神現象還是物理現象，都是我們在感知它們的存在，它們的存在成為我們的一種觀念，這和我們的感知能力和觀念能力密切相連。我們感知到什麼，一定和我們觀察它的感知方式有關；我們對它的觀念，一定和我們的思考能力和語言表述方式有關。也就是說，無論精神現象還是物理現象，它們的存在和我們作為觀察者的感知方式，即我們對它的理解、想像能力不可分割，它們自身不是獨立自在的。

B：這個觀點在當代物理學中並不陌生。量子物理學的開創者之一，海森堡就說過：「我們觀察到的並不是自然本身，而是顯示在我們的提問方式面前的自然。」

A：中觀論強調「實在」和它的「表相」之間的差別，即實相和虛相的差別。我們所經歷或感知到的精神現象或物理現象，看似自身獨立存在，和我們作為觀察者沒有關係，和我們的感知和想像方式沒有關係。但事實上，它們是作為和「他者」有依賴關係的事件而存在的：它們受前因的制約而產生，它們和它們自身的性質有關係，它們作為我們經驗世界的組成部分，也和我們感知它們的方式、想像它們的能力、敘述它們的語言有互相依賴的關係。

對心智的研究，被視為科學和人文的中間地帶。而佛學沒有這樣的區分，對人類精神的研究是佛學的本分。那麼，佛學對意識的認識，提出了哪些有意思的內容？

粗意識和精微意識

B：顯然，科學和佛學對意識的性質看法不同，討論十分熱烈。達賴喇嘛向西方科學家介紹了佛學對意識的細分：佛教心理學把意識按照其精細程度劃分，一端是粗意識（Gross Consciousness），另一端是最精微的意識（Subtle Consciousness）。粗意識相當於西方科學界所說的完全依賴於大腦的意識，而意識越是精細，對大腦的依賴越弱，最精微的意識對大腦的依賴最小。

對於科學家來說，精微意識的概念是有問題的，因為他們認為意識都是大腦物理組織出現的一種性質。達賴喇嘛和科學家繞開分歧，討論了科學和佛學怎樣認識意識的起源，即意識是什麼時候在大腦裡產生的。對科學家來說，這個問題必然牽涉到進化，於是又討論了進化論中的「專門化」和「適應」的理論。

達賴喇嘛解釋了意識的精微程度，最精微的意識最不依賴大腦，對意識的這種理解，涉及佛學對宇宙的認識。佛學的宇宙學和意識的起源有關，這和西方科學完全不同。

A：宇宙學在西方科學中屬於空間物理學和天文學等學科，是對物質世界的探索，而大腦和意識的研究屬於神經生物學和心理學領域。佛學把精微意識的概念結合到對宇宙的認識，這對西方科學家來說很難理解吧？

B：是的，在這個概念上，佛學和科學的交流相當困難，原因之一是缺乏共同的術語和詞彙。但是意識的精微性概念，是佛學意識理論的核心概念。在達賴喇嘛和科學家的心智問題討論中，精微意識的概念還是經常出現。

大腦功能的圖像，和特定大腦區域的損傷

A：這次對話的科學家中有好幾位臨床醫師。醫師是很實在的職業，他們會拿出堅實的證據來證明自己的觀點。醫師們談了些什麼？

B：第二位主講者安東尼歐・達瑪西奧講述大腦功能的圖像。現代大腦神經科學的研究已經有很多發現，證明大腦功能是劃分區域的，大腦按區域各司其職，一旦特定的大腦區域受到損傷，相應的功能就出現障礙。比如某些區域受傷就出現認知障礙，另一些區域受傷就出現語言障礙，如此一一對應，臨床上可以精確預測什麼樣的損傷將怎樣影響大腦功能。

對西方科學家來說，大腦結構和功能的對應關係非常重要。這就相當於證明，意識是大腦神經元之間的複雜結構所產生的一種性質，並存在於大腦中。

安東尼歐以很多臨床病人的實例講述大腦左、右半球的分工。他拿出一些圖片來說明大腦受傷後病人的狀況，以證明大腦的功能區域。有一種情況顯示，大腦某一特定區域受傷後影響了視力，病人所看到的一切都是模糊不清的。奇怪的是，當病人看到熟悉的人臉時，卻能正常辨認出熟人，

原因為何，連醫師也無法解釋。

這種病例卻引出了達賴喇嘛的一個問題，討論又轉向了另一個未知話題。

A：答案是什麼？

B：達賴喇嘛問道，有沒有這樣的情況，病人把從來沒有見過的人臉辨認為自己的熟人？

A：什麼問題？

前世記憶

B：有，而且這樣的情況不少。

A：為什麼會出現這樣的情況呢？

B：達賴喇嘛介紹了佛教中一種廣泛的看法：有些人在一定時期內具有較強的「前世記憶」，他們看到某個人臉，辨認出是熟人，通常是親人好友，但是實際上他們「此生」從沒見過此人。他們「辨認」出此人的記憶來自於前世。

A：這一說法的前提自然是承認「轉世」的觀念。許多原初宗教裡都存在「轉世」或「靈魂再生」這一觀念，不過，在印度教和佛教中，這一觀念被系統化，並且有極重要地位。在藏傳佛教中，「轉世」觀念是核心內容。

B：西方科學家不相信「轉世」的存在，除非科學家本身也是佛教徒。當然，身為佛教徒並不妨礙他的科研工作，但是他不會把轉世觀念寫進科研報告。這是兩個不同的觀念世界，再次證明面對同一現象，不同的觀察和思考者所看到的東西是不一樣的。

達賴喇嘛說，佛教徒們遇到過很多實例，只能用轉世記憶來解釋。他提起不久前在印度的一個小女孩，她能說出此生從未到過的地方，從未遇見過的人，這些人的姓名和模樣。這些地方和人是她前世的遭遇，她甚至能認出前世用過的課本。她對前世父母的描述真實生動，以至於她的「前世父母」也認她為女兒。她竟然有了前世和今生的兩對父母。

達賴喇嘛還指出，這個小女孩能「憶」起前生的很多細節，但是她的前生是因事故而死亡，那次事故粉碎了她的大腦。如果意識只能依賴大腦而存在，那麼她的前世記憶必定隨著大腦的損毀而消失了。她怎麼會在今生保持前世的記憶，大家都無法解釋。

A：科學家對此怎麼反應？

B：科學家並不急著表態反對，而是提出了一連串的問題。這個小女孩幾歲？什麼時候開始說出前世的記憶？這些記憶持續到什麼年齡？成年之後是否消失？

更挑戰性的問題是，為什麼同樣的事情沒有普遍地發生於每一個人？為什麼沒有更多的例子？科學家問為什麼自己就沒有任何前世記憶？

達賴喇嘛說有一個解釋是，前世記憶只在童年時期顯現，可能是因為今生的經歷和意識還沒有覆蓋掉前世的意識。隨著年齡漸長，今生意識越來越依賴今生的軀體，前世意識就消退而被掩蓋了。這個階段的長短，可能每個個體都不同。

A：對佛教來說，這是一個很重要的問題。西方學術界對「轉世現象」也有研究，比方說維吉尼亞大學醫學院精神病學和精神行為學系的「認知研究部」，專門研究被認為是「非正常的心理現象」，如「前世記憶」、「瀕死經驗」、「離體現象」等等。他們在世界各種民族、信仰的人群中收集了許多個案，有一些相當有趣的觀察和設想，但科學界、學術界，乃至宗教界對這類研究都有爭議。

對話從一般意識進入了更為專門的領域：記憶。記憶作為一種特殊的意識，和大腦是什麼關係？

記憶和大腦

B：賴利．斯科瓦專門研究記憶，他講的就是當代科學在記憶的解剖學研究方面的發現。

A：記憶的解剖學，是不是說透過解剖來發現記憶，就像透過解剖發現了神經和血管一樣？

B：血管和神經可以透過解剖直接發現，血管和神經說到底還是一種物質，有其物理存在，而記憶是一種心智，一種意識，至今沒有發現意識的物理存在，所以記憶也不能像血管和神經那樣直接在解剖中找到。但是，現代神經科學既然認定意識和大腦密切相連，那麼對大腦的解剖學研究，至少能間接發現記憶和大腦關係的線索。

賴利介紹了現代科學怎麼理解記憶，記憶和大腦組織怎樣聯繫。他指出，科學證據顯示，記憶的功能分布於整個大腦組織，但是科學家也找出了大腦的某些部位有控制記憶的功能。科學研究區分了不同類型的記憶，如短期記憶和長期記憶，陳述性記憶（declarative memory）和非陳述性記憶（nondeclarative memory）等等。

A：什麼是陳述性記憶和非陳述性記憶？

B：陳述性記憶就是要把以往的某個經驗陳述出來的意識，比如你記住一個電話號碼，背誦一段課文。非陳述性記憶就是改進你的某個操作技能的記憶，比如演奏樂器的記憶。

睡眠和做夢

A：接下來的主講者討論些什麼？

B：艾倫・霍布森是神經科學方面研究睡眠和夢的專家，他講述了現代神經科學有關大腦怎樣控制睡眠和夢的研究。這個問題引起了所有人的極大興趣。睡眠和夢，似乎人人都熟悉，每個人都會經常做夢，各種文化傳統也對夢有種種解釋。但是，把大腦作為主要的物理對象來研究睡眠和夢，卻是當代神經科學和心理學的「釋夢」不同的地方。佛教也重視睡眠和夢，以及打坐冥想狀態。所以，科學和佛學對睡眠和夢的興趣有所重合，引起了大家的熱烈討論。這次討論留下了很多問題，因此，三年後，一九九二年在印度達蘭薩拉舉行的第四屆心智與生命研討會，就專門討論睡眠、夢和瀕死狀態。

艾倫綜述了現代科學關於睡眠和夢的一般知識，揭示相關科學發現對我們理解「意識的本質」所產生的影響。他說，意識被理解為我們大腦活動的一種自然條件，大腦活動有各種不同的狀態，比如清醒狀態、做夢狀態、深眠狀態等等，這些狀態是大腦從自身內部啟動，而不是由外部的感覺輸入來驅動的。

A：這是什麼意思？

B：也就是說，人清醒、睡眠或做夢，是大腦自身在控制，是大腦自身產生的化學物質的作用。這些化學物質或許也對打坐冥想狀態發揮作用。

還有一種做夢狀態，是做夢的人一邊做夢一邊知道自己是在做夢，即清醒的做夢狀態（Lucid dreaming）。這現象是最近才為西方科學家所認識，對此研究還很少。而藏傳佛教有一個悠久的傳統叫做睡夢瑜伽（dream yoga），這種瑜伽有一項修練就是經過訓練後可以控制自己進入清醒做夢狀態。

科學家們對此非常有興趣。艾倫還介紹了當代科學怎樣觀察和測量大腦的不同狀態，即清醒狀態、睡眠狀態和睡眠做夢狀態。當代科學已經對睡眠和做夢狀態的大腦和身體反應記錄了大量數據，有了很多重要的發現。對睡眠與夢的觀察已經達到神經元的層次，即發現了神經系統是怎樣控制睡眠、夢和清醒狀態的。

A：這些研究能不能回答人為什麼要睡眠？對大腦和人體來說，睡眠的目的是什麼？

B：所有人都對此表示極大興趣。參加對話的神經科學家，特別是有臨床行醫經驗的精神病學家，都是這方面的行家。至今為止，他們對睡眠的目的，或者說睡眠的功用，提出了種種假設，留下了一個又一個問題。

對於清醒做夢狀態，科學實驗中發現，這是可以經過訓練達到的，事實上這是一種相對簡單的訓練就能做到的狀態。

藏傳佛教對睡眠和夢的看法似乎更深更複雜。藏傳佛教中的密宗修行認為，在深睡眠、無夢睡眠和其他一些狀態（比如性高潮狀態），恰是人在體驗「精微意識」的時候。

什麼是精微意識？

A：「粗意識」和「精微意識」是佛學對意識的細分。佛學認為「精微意識」非常重要，而當代科學還很難把握什麼是「精微意識」。現在出現了一個「精微意識」的例子。

B：是的，所以對話進行到睡眠和夢以後，又返回到「精微意識」的概念上，現在科學家好像對佛學裡「精微意識」的意義有所理解了。藏傳佛教把很多心智狀態理解為各種不同層次的意識，意識從粗到細到極細。在西方科學中，所謂「精微意識」有時候被歸結為「潛意識」，有些被視為「無意識」，有些甚至是失去意識的狀態。而在佛學中，意識越是精微，對肉身的依賴就越小，也就是說對大腦的依賴就小。因此在佛教中，最精微的意識可以脫離大腦，這是佛教對意識的認識和當代科學最大的不同。在這個問題上，佛教和科學還只能互相了解，各自存疑。但是，佛教認為意識有不同的精微程度，而精微程度不同的意識所發揮的作用也不同。這一歷史悠久的觀念，或許能夠啟發科學家區別對待各種不同的意識狀態。

大腦研究和精神病學

A：科學家路易斯・賈德是精神病學權威。精神病人也有意識和心智，精神病的異常意識，也是意識的一種。對精神病意識的了解，無疑有助於對一般意識的理解。

B：賈德當時是美國國家精神健康研究所主任。這個研究所是美國精神病研究和治療的權威機構，隸屬聯邦政府。賈德主講的內容是精神疾病和精神病藥理學。

他簡要綜述了精神病研究方面的最新成果，特別指出對大腦進行非損傷性圖像研究的重要性。透過研究，現代精神病學確定，精神病是和大腦有關的生化性失序，精神疾病和大腦某部分的病變有關，而精神病藥理學就是研究怎樣用藥品來醫治大腦的病變。由於對大腦研究的深入，研究者們開始對精神病系統分類，從而可以較為有效地診斷和治療精神病。

A：所謂「非損傷性的大腦研究」，就是核磁共振掃描（ＭＲＩ）或電腦斷層掃描（ＣＴ）等技術嗎？

B：是的，這是目前在大腦研究方面最有效的技術。歷史上，醫學對人類自身的研究和解剖學步步相隨，解剖是人類了解自己身體的最有效方法，但是對大腦的解剖和理解更困難。在積累了大量數據以後，非損傷性的研究技術可以比解剖更深入理解大腦的功能。

賈德以一些精神病為例，講述了最新大腦研究技術的作用、對精神病分類的意義、最新的精神病藥理學，精神病的遺傳因素等等內容。

A：在賈德之前，參與對話的科學家講的都是對大腦和心智的科學研究，即觀察、理論和實證，這樣的研究本身並不直接試圖去改變研究對象。對精神病與大腦關係的研究，發展出精神病藥理學，其目的是治療，也就是改變研究對象，特別是試圖用藥物來改變病人的大腦。就是因為這種治療是針對大腦，所以治療精神病和治療感冒、闌尾炎不一樣。

B：是的，所以在賈德主講後，達賴喇嘛和科學家們討論了現代科學和精神病學對大腦干預的限度問題。即使對大腦和心智的現代研究積累了以往不可比擬的豐富知識，現在使用藥物和其他醫療方法可以相當有效的治療一些精神疾病，但仍然有其局限。這種限度是因為我們對大腦的了解仍然十分有限，治療方法也有限。還有一個限制是來自於倫理學的考慮。如果藥物能夠改變大腦的疾病而醫治精神病，那麼必定會有藥物能影響大腦的記憶、判斷、思維功能，能改變人的情感和思想。這會引發一些非常嚴肅的問題。雖然這個問題不是科學對話的主題，但是參與對話的人都意識到這問題的存在。

未知多於已知

A：在短短兩天的對話中，涉及了這麼豐富的內容。更可貴的是，依照托馬斯・孔恩的說法，達賴喇嘛所代表的佛學和科學家代表的西方科學是截然不同的「典範」，使用不同的術語和規則，本來是非常難以交流的。

B：對話者的謙卑態度決定了一切。達賴喇嘛是非常謙卑的高僧，他的佛教修持使他能夠克服「我執」，克服對自我的固執，包括我們平常所說的自戀、自憐、自卑、自尊、自大、自以為是、自我中心等情緒。達賴喇嘛的謙卑態度很有感染力，在達賴喇嘛面前，每個人都會不由自主變得謙虛起來。

在兩天對話快結束時，達賴喇嘛問在場的科學家：「到現在為止，我們對大腦功能的理解，占了多大的百分比？」

羅伯特・利文斯頓回答：「百分之零點五。」

安東尼歐・達瑪西奧說：「我覺得稍微高於這個百分比。」

路易斯・賈德說：「我說不準。我想我們還只是稍稍觸及了一點點表面。」

十年後，這次為期兩天的對話整理成書出版，即《十字路口上的意識：和達賴喇嘛談大腦科學與佛學》（*Consciousness at the Crossroad: Conversations with The Dalai Lama on Brain Science and Buddhism*）。

4 情緒、大腦和健康

A：上一次對話，即第二屆心智與生命研討會因為是在美國舉行，所以只有短短兩天。

B：是的，與會的科學家和達賴喇嘛都覺得對話還應深入，而且最好是在印度達蘭薩拉的達賴喇嘛住所舉行，這樣時間可以充裕一些。於是第二年，一九九〇年，一組神經科學家、心理學家、哲學家和科普作家，在達蘭薩拉和達賴喇嘛展開了第三屆心智與生命研討會。這次對話的內容，由與會的《紐約時報》科普作家丹尼爾・高曼（Daniel Goleman）編輯成書《情緒療癒》（*Healing Emotion: Conversations with the Dalai Lama on Mindfulness, Emotions, and Health*）。

這本書一九九七年出版時，心智與生命研討會已經舉辦了五屆，由達賴喇嘛倡議，跨學科的心智與生命研究所也已經成立了幾年。

A：哪些科學家參加了第三屆研討會？

B：佛朗西斯科・瓦瑞拉博士是第三屆對話的科學協調人，其他幾位都是新人。克利福特・沙隆（Clifford Saron）是紐約阿爾伯特・愛因斯坦醫學院的心理學家和神經科學家。他的研究領域是透過了解心智與大腦的聯繫，來研究怎樣調節注意力和情緒。他的研究和佛教的打坐冥想有關，所以他很熱情地參與。

理查・戴維森（Richard Davidson）是威斯康辛大學神經科學實驗室主任，一位極有魅力的猶太裔科學家。他是出色的神經科學家，專門研究大腦皮層和皮層下功能。他在大腦可塑性方面的研究成果使他聞名全球。他提出，就像人可以透過練習樂器獲得演奏的才藝，透過練習網球獲得打球的能力，在練習的過程中，大腦起了實質性的變化，這就是大腦可塑性；同樣，人的情緒和情感也可以透過心智的練習而得以改變。他認為，快樂的情緒也像一種技能，是可以透過練習而完善的，而且還可以透過練習來培養人的善良和慈悲。他用實驗觀察來實證他的理論，得到了科學界和大眾的關注。二〇〇〇年，戴維森獲得了美國心理學協會頒發的傑出科學貢獻獎，以表彰他的成就。二〇〇六年，他被《時代》雜誌選為全球最有影響力的百大人物。

A：這是戴維森第一次參加心智與生命研討會吧，此後他逐漸成為心智與生命研究所的核心人物之一。

B：是的。參加過心智與生命研討會的人有些只參加過一次對話，有的多次參加，還有像戴維森這樣的科學家，後來成了對話會的組織者。

這屆對話會還有一位很有意思的人物：丹尼爾・布朗（Daniel Brown）。他是哈佛醫學院的心理學家。他在麻薩諸塞大學讀本科，在安赫斯特學院獲分子生物學碩士學位，在芝加哥大學獲宗教與心理學博士。身為受過現代科學教育的心理學家和臨床心理醫師，他對跨文化、跨學科的研究特別有興趣，研究過宗教史、人類學，還研究過佛學，修習打坐冥想，學過藏語文、梵文和巴利語。他有多種專著出版，曾拜印度、緬甸和西藏的多位宗教大師為師。這屆科學對話後，他拜達賴喇嘛為師。他出版的四本關於打坐冥想的著作，有兩本是和達賴喇嘛合作撰寫的。

李耶理（Lee Yearley）是史丹佛大學的比較宗教倫理學教授，專研中古基督教倫理和古代中國思想史。

丹尼爾・高曼出生於加州的猶太人家庭，是《紐約時報》的科普撰稿人，著有暢銷書《EQ》（*Emotional Intelligence*）。他的著作得過很多獎。

雪倫・薩爾茲堡（Sharon Salzberg）出生於紐約的猶太人家庭。她是麻州一個冥想協會的主要教師，教授佛教的打坐修行技巧。

A：雪倫是很有影響力的冥想教師，她將東方傳統的冥想技巧與西方社會的現實生活結合，有一系列很有影響力的著作。她二〇一〇年出版的《靜心冥想的練習》（*Real Happiness*），和二〇一三年出版的《辦公室靜心冥想的練習》（*Real Happiness at Work*）曾上《紐約時報》暢銷書榜。

B：顯然她在這個領域裡取得了相當成就。這次對話還有一位喬・卡巴金（Jon Kabat-Zinn）教授跟雪倫殊途同歸，把冥想與現實生活結合，只不過是在不同的領域。卡巴金是麻薩諸塞大學醫學院的醫學教授，他也學過佛教，修過禪宗，是劍橋禪宗中心的創建人之一。他從東方的瑜伽大師和佛教高僧學習瑜伽和佛學，並且把自己的修習、科學研究及教學結合起來。他創建的透過專注冥想來減輕精神壓力，緩解焦慮、壓力、疼痛和病痛的理論和技巧，被廣泛用於醫院和保健組織。但是，他認為自己並不是佛教徒，而是科學家。

西方倫理觀（一九九〇年第三屆心智與生命研討會）

B：這屆對話的主題是「情緒」怎樣「醫治」身體和精神上的痛苦，怎樣使人更健康，有臨床的意味。不過，像前兩屆對話一樣，開場第一個主講的是哲學家李耶理，介紹西方的倫理觀念。

A：這次對話的內容既然是情緒和大腦的關係，為什麼以倫理觀念開場呢？

B：我想可能是科學家意識到，對大腦的研究進入到控制情緒的階段，就必然觸及倫理議題。也就是說，控制情緒有「對不對、該不該」的問題。論及什麼是快樂，怎樣使人快樂，怎樣培養人的慈悲心，涉及科學對大腦的研究成果可以影響甚至控制人的情緒等問題，科學家們不得不思考其中可能蘊含的倫理問題。

李耶理主講的題目是「三個美德觀」。他介紹了西方三大哲學傳統：個人主義、至善主義和理性主義。個人主義主張，讓個人得到滿足的東西就是正確的。理性主義則認為，一個行為如果是合乎倫理的，邏輯上就必須是在任何情況下都合乎倫理。也就是我們日常說的，對人對己都應該是一樣的。至善主義是拿個人的行為去比較一種假設的理想，行為越符合這種理想狀態就越合乎倫理。

A：介紹這三種觀念傳統，和這次對話的「情緒與健康」主題有什麼關係呢？

B：這涉及當人們說到「控制情緒」時，怎麼做在道德上是正確的。倫理問題就是要回答什麼是正確的、是好的，對的、好的做法就是符合道德的。可是道德觀本身取決於人們的哲學觀，即世界觀和人生哲學。一個文化系統中所謂的道德，在另一個文化系統中可能不道德。

李耶理介紹說，某種特定的道德，比如慈悲心，能不能作為一個社會倫理系統的基礎，在這基礎上建立起整個社會的倫理道德觀念？西方哲學的回答是否定的。現代西方哲學思想摒棄了用慈悲心作為社會倫理基礎的想法，也摒棄了用宗教作為社會倫理基礎。

對慈悲心作為倫理系統之基礎的質疑

A：西方哲學思想摒棄慈悲心作為倫理系統基礎的理由是什麼？

B：李耶理指出，在基督教和其他文化傳統中也有慈悲心的理想，但是這些文化傳統仍然容忍了太多的不公。這就是把慈悲心作為倫理體系基礎的問題，一個倫理體系除了需要有慈悲心的理想外，還需要「什麼是對的」的思想，即是非觀念、正義觀念。而是非觀念無法直接從慈悲心的理想中導引出來。

A：「慈悲心」是佛教的基本觀念之一。以前也有人對佛教慈悲心的觀念提出類似的質疑，認為佛教講慈悲但缺乏正義觀念。不過，近年來佛教界對慈悲與正義之間的關係也有很多討論，比方說怎樣在慈悲與正義之間保持平衡，慈悲是否意味著放棄正義，慈悲、正義和智慧不可偏廢等等。

B：第二個質疑是，慈悲心是施行於人對人的層面，但是不能為我們提供最高的行為指導。我在馬路上看到一個受苦的人，慈悲心教導我賦予同情，盡我所能幫助他，但是慈悲心並不會告訴我怎樣才能使得類似的苦痛不再發生，應該為消除這些痛苦做些什麼。

第三個質疑是，慈悲心的關懷經常會產生一種家長式的關係，你會去照顧那些需要照顧的人。而從西方的自由原則來看，這樣的關係會降低被照顧者的自由。

最後，從西方哲學的角度看，佛教慈悲心和佛教的來世觀念相關，把今生看做人們生命的一小部分，而這種觀念至今沒有得到實證。

A：達賴喇嘛是怎樣回應的？

世俗倫理概念的產生

B：達賴喇嘛說：「我想提一個問題，是不是有可能建立一個不訴諸於任何宗教性原則的倫理系統。是不是有這樣的可能，不講上帝或任何神秘的力量，也不講前世今生或『業力』，就根據我們這一世的生活，在道德和不道德之間劃分一個界線，在正確和錯誤之間劃分界限？」

A：這正是「世俗倫理」的概念。達賴喇嘛在二〇一一年出版了《超越生命的幸福之道》（*Beyond Religion: Ethics for a Whole World*），闡述了世俗倫理的概念，和全人類在共同價值觀和普世責任的基礎上，建立起共同、非宗教的倫理。這是達賴喇嘛非常重要的思想。從以上對話可看出，達賴喇嘛至少二十年前就在思考這個問題，而且是在和當代科學家對話的啟發下形成的。

B：你說的有道理。達賴喇嘛與科學家、各學科學者們的對話，是高層次的「腦力激盪」，這些「激盪」很可能使達賴喇嘛的一些想法逐漸變得清晰完整。

A：請說說其他人對這一質疑的看法。

B：其他科學家對李耶理質疑慈悲心提出了不同意見。雪倫・薩爾茲堡說，南傳佛教對待倫理問題的原則，是看一個行為是製造苦痛還是消除苦痛，這個區分原則比區分對和錯，善和惡更能成立。這個原則適用於自己，也適用於他人。人的最高發展是自己完全脫離苦痛，也再不會對他人造成苦痛。她認為，這就是佛教的慈悲心。所以慈悲心是倫理系統的基石。

達賴喇嘛說，世界上各種不同的宗教都強調慈悲心很重要。「從佛教的觀點看，我相信慈悲心是人類本質的一個重要層面，是人類心智的一部分。這是人類的一種優良特質。各種宗教都想促進和加強人類的這種特質，但這種特質並不是從外在獲得的，也不是宗教信仰的新發明。不管你是不是佛教徒，它本來就在那裡。世界上有那麼多不同宗教，並不是只有有宗教信仰的人才會發慈悲心。所以，完全有可能無需宗教信仰也能促進慈愛善良和慈悲心。」

達賴喇嘛承認李耶理說的，僅僅用慈悲心來作為倫理系統基礎是不夠的，但是，他指出慈悲心和理性智慧結合起來，再加上有效的方式，能夠使得倫理系統的基礎更為充實。

A：顯然，達賴喇嘛的「世俗倫理」概念就在這些對話中開始萌芽了。

人性本質是善良的

B：達賴喇嘛和科學家們對各種不同文化背景下的倫理系統展開熱切的討論。在人類歷史上，倫理系統大多和某種宗教信仰相關，對於未來是否可能有全人類共同的、超越不同宗教信仰的倫理系統，參加對話的科學家們持不同意見。達賴喇嘛對人性持樂觀信念，他一直說，人都是一樣的，都有天生良知。他常說人的善良、利他和愛心，從嬰兒時期接受母親的乳汁和愛撫的時候就開始養成，善是人性的本質。然而，參加對話的西方科學家中以李耶理為例，對人性本善表示懷疑。

達賴喇嘛說，人類社會建立在人類家庭的基礎上，而家庭是建立在合作的基礎上，這種合作不是強迫實現的，而是出於必需。最初的必需造成了合作，合作產生了正面的效果，滿足了人的需要，這就是人性本質的基礎，人在這個基礎上有了善良和利他等特質。人類雖然也有妒嫉和憤怒等情緒，但是人性中占主導的是愛心和慈悲。如果由嫉妒和憤怒主導，人類社會就不會發展至今。他說，人類本性不喜歡憤怒的情緒，因為憤怒會製造問題。人性不喜歡破壞而喜歡建設。

李耶理問道：那麼為什麼歷史上會有那麼多的毀壞？

達賴喇嘛答道，如果我們縱觀人類歷史的全部過程，應該看到建設多於破壞。通常，破壞發生的時候，我們感到震驚，因為我們的本性溫和善良。當美好的事情發生時，我們則認為理應如此。所以，毀壞的事情給我們留下了更深的印象，久而久之我們就以為人類歷史是破壞多於建設，其實並非如此。

A：如果撇開宗教的吸引力，超越宗教的普世倫理用什麼來說服沒有宗教信仰的人呢？

情緒和健康的關係

B：《紐約時報》的科普撰稿人丹尼爾・高曼綜述了他所參與的有關情緒和健康關係的科研。情緒對健康的影響極大，人們對這一點大概不會有異議，但是要用科學數據來證明，並且找出情緒和健康之間的聯繫，並不簡單。大量數據證明，負面的情緒和感覺會對身體產生負面的影響。憤怒、焦慮、憂鬱等情緒如果很強烈，且持續很長時間，會使身體容易生病，加重症狀，而且較難治癒。正面的情緒，比如平和、樂觀等，會對身體產生有益的影響。這方面的證明比負面的情緒數據少一些，但結論也是肯定的。

丹尼爾・高曼對達賴喇嘛說：您提出了一個問題，世界上大約有三十到四十億人是沒有宗教信仰的，什麼樣的倫理觀念對他們是有吸引力的呢？

高曼說，科學數據顯示上述問題有一個新的思路：人體有自身的心智，這就是人體的免疫系統，免疫系統是情緒和健康之間的連結點，它是人體自身事實上的倫理系統，情緒或情感就是透過它而影響到人體的健康和壽命。他從科研數據中舉了很多實例來證明情緒和健康之間的聯繫。最後，他說也許這些數據和結論可以回答前面提出的問題，對一個沒有宗教信仰而只有個人主義倫理觀的人，怎樣說服他生活得符合全體人類的普世倫理呢？也許你可以告訴他，充滿愛心而不是充滿憤怒，對你自己更有利。達賴喇嘛和瓦瑞拉等科學家對此表現出極大興趣。

A：達賴喇嘛的「世俗倫理」概念表達了同樣的觀念，或許就是在這次對話中得到的啟發。

免疫系統是人體的第二大腦

B：這次對話的第二部分是科學家介紹情緒與健康的生物學基礎。

佛朗西斯科・瓦瑞拉主講人體免疫系統。他介紹免疫系統的結構和功能，稱其為「第二大腦」。他將免疫系統和神經系統作類比，這兩個系統都是自我調節的，都控制人體對環境的反應。免疫系統和神經系統一樣，都能記憶、學習和適應，但不是在認知的意義上，而是在生理學的意義上。心智、神經系統和免疫系統之間的互動，提供了情緒影響健康的生理學基礎。實驗室證據顯示，對神經系統的壓力實驗證實了免疫系統功能會因壓力而降低，而免疫反應可以像巴甫洛夫的狗唾液制約反射實驗一樣改變。生物學中出現了一個新分支，研究神經系統和免疫系統之間的反應的學科，叫做心理神經免疫學（Psychoneuroimmunology）。

瓦瑞拉講解了免疫系統的構成：胸腺、骨髓、脾和淋巴系統。構成免疫系統的細胞叫淋巴細胞，或者叫白血細胞，它們在全身各處流動，而不像神經細胞是固定的。大多數淋巴細胞由骨髓產生，叫B細胞。胸腺製造的細胞則稱為T細胞。T細胞控制B細胞，就像軍官指揮士兵一樣。B細胞各有不同，其中之一是B細胞所帶有的一種大分子，稱為抗體。人體中B細胞的壽命一般只有一兩天，更新得非常快，但是它們在不斷自我複製，產生同樣的B細胞，帶有各自的抗體。

瓦瑞拉講解了大腦和免疫系統的聯繫。他以實驗結果舉例說明大腦的認知會影響免疫系統的反應。他又舉了閱讀障礙兒童的病例。最近的醫學發現證明，閱讀障礙的兒童伴有免疫系統缺陷，即自身免疫疾病，免疫系統會把自身的神經系統當作外來細菌攻擊，最後導致大腦的認知缺陷，即閱讀障礙。

最後，瓦瑞拉以「精神壓力」為例，講解了精神壓力和心智狀態、心理態度、身體反應的聯繫。

A：情緒影響免疫系統，看來這方面還有許多問題留待未來研究。

大腦和情緒的關係

B：瓦瑞拉講解了免疫系統之後，克利福特・沙隆和理查・戴維森講解了大腦和情緒的關係。對大腦研究的最新發現，呈現出大腦功能更清晰的圖像，使得我們可以把情緒和大腦結構聯繫起來。以往認為，大腦的情緒中心位於大腦外皮的邊緣，稱為邊緣系統（limbic system）。最新的神經科學發現，情緒衝動是來自於邊緣結構，但是情緒的表達是由進化上相對較新的結構——位於前額皮質層來調節。

更有趣的是，又新發現兩側的前額皮質層負責不同的情緒反應。令人不快的情緒，即讓我們退卻的恐懼或厭惡的情緒，是由右側前額皮質層調節；令人愉快的情緒是由左側調節，這些發現有助於我們理解情緒的動態。我們所感覺到的情緒，以及我們處理情緒的方式，是由互相連結的大腦神經電路管理。

A：按照科學界的規範，對「情緒」進行科學研究之前，應該對「情緒」作出定義吧？

B：是的。沙隆開講的第一句話就是：怎樣來定義「情緒」？他用心理學和生理學中對情緒的實驗和描述方式來解釋「情緒」的含義。他舉例說明在實驗室裡，他們是怎樣「捕捉」情緒的。他們讓受試者觀看電影，有些是令人不快的鏡頭，如燒傷病人和截肢手術，還有一些是令人愉快的鏡頭，同時將觀看者的臉部表情拍攝下來。臉部表情反應情緒。透過這樣的數據收集，對「情緒」進行分類、編碼和鑑定。

但是，用臉部表情來確定情緒，必須考慮特異性。有可能受試者有情緒卻沒有表情，也有可能受試者沒有情緒卻有表情，還有可能受試者的文化背景使得他的表情並非純粹反應情緒。

另外一種捕捉情緒的方法是測量大腦，即用特殊的儀器記錄受試者的腦波圖（EEG），測定頭顱表面不同區域的微量電流活動。這樣記錄下來的數據，只反應了大腦活動的極小一部分。把測量大腦的腦波圖方法和記錄臉部表情的方法相結合，科學家在實驗室對嬰兒進行測試，記錄嬰兒微笑時的臉部肌肉和腦波圖，發現嬰兒在母親或陌生人接近時，雖然都表現了笑容，情緒卻不一樣。這說明，科學家可以用更複雜的設備來更精確「捕捉」情緒。

情緒也和人的氣質有關係，那麼大腦和氣質是什麼關係呢？氣質如何受文化背景影響？這些問題引起了與會者的廣泛討論。

壓力、創傷和精神健康

A：參與對話的有臨床心理醫師，會討論情緒和精神創傷問題嗎？

B：當然。丹尼爾・布朗是臨床心理醫師，他接著主講精神壓力、精神創傷對身體的影響。

精神壓力引起人體的壓力反應，而所謂壓力反應是緊急狀態激發人體應急機制時的身體與精神反應，但是現代社會生活的精神壓力，普遍導致高血壓、肌肉緊張、焦躁、焦慮、憂鬱和免疫功能降低而導致的其他疾病。布朗主張針對精神壓力造成的問題，採用行為上的醫治方法，包括用生理反饋*、打坐冥想、催眠療法等方法來治療慢性病痛，提高免疫功能。

人在感受精神壓力的時候，會不由自主的尋找減壓的方法，但所採用的方法經常會造成更大的問題，比如飲酒和使用毒品。

布朗舉了很多實例解釋精神壓力和精神創傷所造成的疾病和痛苦。特別令人印象深刻的是臨床上的「創傷後壓力症候群」（ＰＴＳＤ）。這通常是經歷了極度的精神和身體創傷後的人所產生的心理失調綜合症，比如經歷過酷刑、性虐、戰爭，危及生命的車禍、風暴等事件後，時常會瞬間令人陷入恐怖的情景、夢魘、飲食失調、焦慮、疲憊、迴避人際交往等等症狀。ＰＴＳＤ實際上就是對環境做出過度反應，激發自主神經系統高度緊張的症狀。

流亡藏人呈現的精神健康

布朗用很多例子講解ＰＴＳＤ病人需要的幫助，他指出，讓經歷了精神創傷的人生活在熟悉的文化環境中，即自己人當中，非常重要。有時候，對精神嚴重創傷的人而言，什麼也不能替代生活在自己人中的作用。他講到印度的流亡藏人兒童村，流亡藏童雖然精神受到很大的傷害，但是表現出相當健康的精神狀態，原因就是他們生活在兒童村自己熟悉的環境中，有歸屬感和安全感。

布朗也介紹了對ＰＴＳＤ病人進行心理治療的方法。

達賴喇嘛插話說，在流亡藏人中有不少難民曾經多年被關押在監獄和集中營裡，其中有些人後來說，監獄歲月對於他們的靈修助益甚大。平均而言，西藏難民遭受虐待和苦難而留下嚴重精神創傷的情況相當罕見。如果研究精神創傷的專家去了解西藏難民，他們會發現和其他地方難民有所不同的實例。

丹尼爾・高曼問，他們會有夢魘嗎？

達賴喇嘛答，有些人會有夢魘。印度的西藏難民社會有很多新近從西藏來的人，從十幾歲到三十多歲，很多人曾經有過監獄和集中營的經歷。其中很多人現在在南印度的三大寺學佛，鮮少有PTSD症狀。

高曼問，這是不是因為如你早先所說，他們把受苦看作修行的機會？他們在遭受虐待時進行佛教的觀想修行？

達賴喇嘛作出了肯定的答覆。布朗和瓦瑞拉加入討論，他們討論了對納粹集中營倖存者、對越南、柬埔寨受政治迫害者，以及智利受皮諾契特軍事獨裁政權虐待的人民的研究。強烈的宗教和哲學信念，能夠使人在面對殘酷的遭遇時表現得更堅強，但是他們仍然會產生PTSD症狀。達賴

＊生理反饋，即利用電子儀器將人體的心跳、體溫、肌肉鬆緊度等現象，用視覺或聽覺的方式呈現，以了解身體症狀和情緒之間的關係，再透過治療師的協助，輔以其他的治療技術。

喇嘛告訴他們，在南印度三大寺有一些經歷過牢獄之災的僧侶，他們和其他僧侶完全一樣，看不出任何異常。

這時候喬・卡巴金插話說，他讀過達賴喇嘛私人醫師的生平，這位醫師在中國的監獄遭受了多年虐待，但是他說從沒有對施害者感覺憤怒，即使遭受酷刑，他仍然對施刑的人抱持慈悲心。美國的心理治療醫師在檢查過他的狀態後十分震驚，不明白為什麼他在經歷了長期的不公和苦難後，沒有出現臨床上的ＰＴＳＤ症狀。他沒有任何和以往受害經歷相關的身心問題。但是，達賴喇嘛說，並非所有的西藏僧侶都能做到對施害者持有慈悲心，到底有多少人能修行到如此境界，還有待研究。

A：藏傳佛教僧侶非常講究打坐冥想等修行，在打坐冥想時，心智進入了一種特殊狀態，這種狀態又改變了身體的狀態，並且有累積的效應，練的時間越久，心智與身體狀態的改變就越大，也就是常人所說的，功夫就越精深。而這種心智和精神上的功夫，顯然幫助西藏僧侶克服所遭遇的痛苦。我想他們討論的就是這種情況。這幾位科學家中的臨床心理醫師，一定會對藏傳佛教修行方法在臨床上的運用很感興趣。

以「專注力冥想」（Mindfulness meditation）為藥方

B：雪倫・薩爾茲堡女士和喬・卡巴金都練過打坐冥想，他們講的主題就是把練習提高專注力的冥想等技巧，作為醫治心理疾病的「藥方」。他們在麻薩諸塞大學醫學中心的減壓診所進行的臨床實踐，正在西方社會普及。

剝離這一項「技巧」的宗教背景，在臨床上，就是讓病患學習以開放的態度來應對腦子裡出現的任何心思，觀想和引導心智的運作變化，讓注意力集中、進入沉思冥想的狀態。他們證明這是一種有效的減壓方法。

A：事實上，運用於心理治療的沉思和冥想，並不是一項新發明。在東西方各大文化傳統中，都能找到作為精神修持的冥想傳統。印度教和印度其他宗教傳統、古印度佛教，佛教的南傳、藏傳和漢傳各派，都有冥想修行的方法。中世紀歐洲天主教修道院有冥想修行的傳統，伊斯蘭教的蘇菲派也有獨特的冥想修行方式。但是各宗教的冥想修行方法，以往是不公開交流的。冥想修行是一種宗教儀軌，對外通常秘而不宣。交流冥想修行方法，是世界進入現代化，各大宗教本身開始交流思想的時候才可能發生。在這方面，達賴喇嘛一直採取開放態度。早在六〇年代，達賴喇嘛流亡初期，他和著名的美國天主教修士托馬斯・默頓（Thomas Merton, 1915-1968）在達蘭薩拉交流打坐技巧和心得，是非常有名的事件。

在這次對話中，達賴喇嘛和科學家交流作為心理治療方法的專注力冥想，他們也必定要討論這種冥想方法在東西方文化背景下的源流。

B：是的，他們討論了很久，進行東西方傳統方面的比較。科學家們注意到，控制心智並用心智來控制身體，藏傳佛教有著悠久的傳統和精深的技巧。用我們平常的說法，藏傳佛教喇嘛們的功夫很高深，但以往外界對此所知甚少。這些功夫可以貢獻給科學做研究，還可以經過科學研究後貢獻給臨床心理醫學，幫助所有需要幫助的人。

5 東西方心智科學比較

哈佛心智科學討論會

B：在達賴喇嘛的倡導下，經過佛朗西斯科・瓦瑞拉和亞當・英格爾等人幾年努力，心智與生命研究所成立，成為達賴喇嘛和西方科學家對話的平臺。這個對話平臺至今已經舉行了二十多屆對話，並且從單純的私人對話發展到專門的科研計畫、在流亡藏人寺院引入現代科學教育等活動。與此同時，達賴喇嘛還在西方的大學或研究所等其他場合，展開佛學和現代科學的對話。一九九一年的哈佛心智科學討論會就是其中之一。

A：也就是說，從這時起，達賴喇嘛與科學家的對話開始從「客廳對話」發展成「公開對話」。對話怎麼會從客廳走到哈佛大學呢？

B：這次討論會是哈佛醫學院的一項活動，於一九九一年三月二十四日在麻省理工學院的克雷斯吉（Kresge）會堂舉行，名為「心智科學──東西方的對話」。參加討論的科學家中有幾位參與了第一屆心智與生命研討會，紐康・格林利夫、傑瑞米・海伍德、羅伯特・利文斯頓、埃莉諾・羅希、皮埃爾・路易奇・路易斯、和佛朗西斯科・瓦瑞拉。土登晉巴和艾倫・瓦萊斯擔任翻譯。

協調這次對話會的丹尼爾・高曼是一九九〇年第三屆心智與生命研討會的參與者。另外一位協調者是哥倫比亞大學教授羅伯特・瑟曼（Robert Thurman）。

A：瑟曼是國際藏學界非常有名的教授。我們知道，佛教的傳播和佛經的翻譯是分不開的，唐代玄奘西天取經，把佛教智慧傳入中土，他最重要工作之一是返回大唐後的譯經。最近半個世紀藏傳佛教在歐美的傳播，也離不開佛經的翻譯，其中最重要的人物之一就是瑟曼。

瑟曼一九四一年出生於紐約。他青年時代前往土耳其、伊朗及印度旅行，在印度皈依佛教，一九六四年成為美國第一個藏傳佛教僧人，隨達賴喇嘛學佛。後來他返回美國，還俗成家，繼續研習佛學。他在哈佛大學獲得印度梵學博士學位，最後成為哥倫比亞大學宗教學和梵文教授。瑟曼撰寫、編輯和翻譯了多種佛學著作，是美國有關古印度梵文和藏傳佛教的第一把交椅。他從青年時代開始就和達賴喇嘛保持了密切的友誼。一九九七年他被《時代》雜誌選為二十五位最有影響力的美國人之一。

這次討論會有哪些科學家和學者參加？

B：出席討論會的另一位專家是赫伯・班森（Herbert Benson），他是醫師、心臟病專家，還是麻州總醫院班森－亨利心身醫學中心（Benson-Henry Institute for Mind Body Medicine）的創始人，哈佛醫學院的心身醫學教授。他發表過一九〇多篇論文，出版了十二本專著，他的著作以多種語言發行了五百多萬冊。他是心身醫學的開拓者，是第一位把「靈性」（spirituality）概念帶進臨床醫學的西方醫師。他極力推廣心身醫學觀念，受到世界各國媒體的高度關注，每年都在報紙雜誌和廣播電視講解心智與身體的關係，主張用冥想修行來放鬆身心、釋放壓力，達到治療的目的。

A：我記得一九九〇年代，這個觀念對當時的醫學界產生了一定程度的衝擊，也有很多爭議，因而引發美國社會對「心身聯繫」（Mind-body connection）問題的廣泛討論。現在，無論在醫學界還是美國社會，情緒對健康產生影響可以說已經是共識，透過冥想、打坐、瑜伽等方式來放鬆身心，減少壓力已經普遍用於心理輔導。先驅者班森，功不可沒。

除了班森，還有誰參加了討論會？

B：參加這次討論會的還有哈佛大學心理學家霍華德・加德納（Howard Gardner），他是德國猶太裔移民的後代，父母於第二次世界大戰期間為逃避納粹迫害而前往美國。他出版過幾十本專著，發表過很多文章，得過許多獎，世界各國大學授予二十六個榮譽博士學位。在心理學界，他以所創立的「多元智能理論」而聞名。

A：人的心智會影響人的身體，這一點大概不會有人提出異議，因為每個人從自身體驗中，多多少少都體會過：心情愉快則身體感覺舒適，心情惡劣則易導致身體不適。問題是，心智對身體的影響是怎樣造成的？也就是說，這種影響的機制是什麼？

B：這正是班森想要回答的問題。他想用符合現代科學規範的研究方式找出心身關係的機制。參加討論會時，他主持的研究計畫已經進行了近十年。這次他可以從現代科學的角度來探討東方文化傳統中的修心養身方法。他的考察對象是藏傳佛教的喇嘛們修練的拙火瑜伽。

拙火瑜伽

A：拙火瑜伽是源於印度的一種瑜伽修行，隨佛教傳入藏地後，成為寺院喇嘛的一種傳統修行。拙火瑜伽的基本思想是認為人體內有一種潛在的能量，平常處於潛伏狀態，可以透過修行喚醒。這種修練的關鍵是調動人的心智，用打坐冥想的意念來影響人體，有點類似中國的氣功，但是它在藏傳佛教中更為系統化，是佛教修行的一部分，有嚴格的師承，一般人是不知道的。班森是怎麼得知西藏喇嘛修練拙火瑜伽呢？

B：說來話長，班森是從亞莉珊卓・大衛－尼爾（Alexandra David-Néel, 1868-1969）的著作中得知的。

A：亞莉珊卓是西方藏學界無人不知的人物，她是法國人，著名探險家、東方學家、藏傳佛教徒。

她極其注重靈性（spirituality），特別迷戀東方的宗教和文化傳統。她在印度、越南、錫金等地旅行遊學，一九二四年到達拉薩，這在當時是一件幾乎不可能的事，因為當時的西藏政府不向外國人開放，交通又非常困難。亞莉珊卓之所以能成行，主要依靠她精通藏語文和藏傳佛教。她返回法國後出版的著作，成為西方人了解西藏必讀的書。她所描述的西藏，西方人聞所未聞，難以想像。

B：班森就是從亞莉珊卓的書得知西藏喇嘛修練的拙火瑜伽。在《西藏的魔力與神秘》（*Magic and Mystery in Tibet*）一書中，她描述了在嚴寒冬天看到的情景：

> 新學僧們赤身盤腿坐在地上。把床單在冰水裡浸濕，然後圍在每個人身上，他們必須用體熱把床單烘乾。乾了的床單立刻又放到冰水中浸濕，再拿來圍在身上烘乾。如此反覆一直做到天亮，誰烘乾的床單數最多，誰就是比賽的冠軍。
>
> 除了烘乾床單之外，還有其他各種不同的測驗，用來鑑定新僧侶發熱的功力。其中之一是坐在雪地裡，由他身底下融雪的數量，以及身體四周有多大範圍的雪融化，來衡量他的能力。

低溫下讓人體發熱，一般人知道的方式是活動身體。而這些喇嘛在練拙火瑜伽時是靜坐不動的，他們調動的是他們的意念，即用心智來影響身體。班森想要知道他們怎麼修練？在修練的過程中身體發生了什麼變化？

A：那麼班森就得找修練拙火瑜伽的僧人來研究，這可不容易。藏傳佛教修行必須嚴格遵循師承傳統：你只能跟從你的上師學習，在上師的指導和監督下修練，學成之後，你也只能傳授修行方法給你的學生。也就是說，藏傳佛教的修練方法是不外傳的。這個保持正統的規矩，其哲理是謙卑；反過來說，違背規矩，向外人炫耀你的修練功夫，就是狂妄，違背了佛教的基本教義。此外，藏傳佛教的實修是根據學生的進階進行的，必須一步一步修習，沒有達到某個進階，就不能進入更高階段的修習。

所以，如果班森到寺院跟僧人們說：能不能讓我來觀察和研究你們修練的拙火瑜伽是怎麼回事？他肯定會遭到拒絕。在這情況下，他怎樣來做研究呢？

B：他求助於達賴喇嘛，希望達賴喇嘛支持他們的研究。

一九七九年，達賴喇嘛第一次訪問美國期間，訪問了哈佛大學。班森身為聞名美國的醫師和醫學教授，又是心身醫學的開拓者，有機會和達賴喇嘛交談。他把用現代科學來考察研究拙火瑜伽的想法，以及研究的意義告訴達賴喇嘛，希望達賴喇嘛允許他請幾位練拙火瑜伽的喇嘛做測量研究。達賴喇嘛回答說：「要測量這種能力非常難。做這種冥想修行的人是出於宗教的目的。只有真正做了才會感覺益處。你必須先得自己做才行。」過了一會兒，達賴喇嘛又說：「不過，我們的文化正在經歷很多變化。」他想了想，最後說：「也許這個研究值得做。」

幾個月後，班森收到達賴喇嘛辦公室的信，達賴喇嘛經過慎重思考，決定打破藏傳佛教密宗的傳統禁忌，允許西方科學家來考察西藏喇嘛的冥想修行。達賴喇嘛已經選出了三名修持拙火瑜伽的喇嘛，供班森的科學團隊研究。

A：為什麼是三名喇嘛？

B：三名喇嘛各處於初級、中級和高級三個不同的修行階段。

藏傳佛教面對科學的改革

A：達賴喇嘛作出這個決定不容易。修練拙火瑜伽不是現代生活的健身體操，也不是中國的強身氣功，而是藏傳佛教寺院宗教儀軌的一部分，從來就秘不外傳，向外人透露這種修練方法，違反宗教儀軌，是不允許的，喇嘛們違反規則會受到譴責。

B：所以，幾乎所有的喇嘛都反對，就算有個別喇嘛心裡願意，也不敢「離經叛道」。當年，亞莉珊卓之所以能親歷、描述拙火瑜伽的情景，是因為她是以藏傳佛教僧人的身分在藏區旅行，她被喇嘛們看成是自己人。所以，班森想踏入喇嘛們的禁地，只有獲得藏傳佛教最高領袖達賴喇嘛的幫助才行。

而達賴喇嘛打破這個禁忌，就必須承擔改革傳統的責任。事實上，有些高僧大德對達賴喇嘛的決定抱持不同的看法。

A：那麼，達賴喇嘛是怎麼想的呢？是什麼促使他作出了讓現代科學進入佛教修練禁區的決定？

B：達賴喇嘛後來在他的著作中解釋過。他認為，藏傳佛教的隱秘禁忌雖然有理由，但是過份的保密和封閉，不利於佛教本身的完善提升和佛法弘揚。西藏所遭遇的很多艱難，都可以追溯到自身的過份封閉。他認識到任何事物都在變化，佛教也一樣。佛教需要改革，就像宗喀巴當年的宗教改革創建了格魯派一樣。而且，讓西方科學研究佛教的修行，或許可以吸收西方科學和西方文明的一些成果，促使佛教修行更為完善、有效。再者一定程度的開放，也可以讓寺院之外的大眾獲得修行的益處。有益大眾是佛陀的教誨，佛教本來就提倡我們的言行要有益於一切有情眾生。所以達賴喇嘛說，如果佛陀在此，想必也會同意。

A：從班森得到達賴喇嘛的協助而得以研究喇嘛的修行方式，到這次哈佛討論會，差不多有十年了。所以這次討論會也可以看作是班森醫師團隊向達賴喇嘛的彙報。

赫伯・班森的心身科學研究

B：班森介紹了他的團隊對心智影響身體的測量。意念和心智能直接影響身體狀況，這天天發生在我們每個人身上的現象，要予以科學化的描述，就有待科學家按照現代科學規範來測量。首先要面對的問題是：測量什麼？怎麼測量？如何解釋測量得到的數據？

班森在二十多年前就對一些有打坐冥想經驗的年輕人做過測量，測量他們打坐前、打坐進行之中和打坐以後的血壓、呼吸、脈搏、體溫、腦波等指標，主要是觀察打坐對新陳代謝的影響和其他生理變化。那些受試者不是佛教僧侶，只是練習打坐冥想的一般人。班森透過對他們的測量，已經有了測量方法和經驗，積累了一些數據。當他測量拙火瑜伽修練時，已經有了一些數據供他比較。

班森團隊在位於錫金的佛教寺院裡對幾位喇嘛的測量，有些數據連他都感到出乎意料。他早就有數據，一般練靜坐冥想的人，打坐時氧氣消耗量減少百分之十六－十七；而有一位拙火瑜伽功夫高深的喇嘛，修練時氧氣消耗量減少了百分之六十四，呼吸次數由正常的每分鐘十四次減少到五－六次。這讓他想到，有些印度瑜伽修練者可以活埋在地下一段時間，因為他們能把能量代謝降低到從泥土中吸收微量氧氣就足夠維生的程度。而這一切只是透過意念來達到，是心智的作用。

對於修練拙火瑜伽的喇嘛在低溫狀態下出現的身體反應，班森作了初步解釋。他解釋了人體在遇到低溫時的一般反應，如何保存熱量、減少熱量散發，和如何產生熱量，保持身體關鍵器官如心臟、大腦等的恆溫，以及皮膚溫度下降。而修練拙火瑜伽者卻能夠透過意念來提高皮膚溫度，同時大幅度降低新陳代謝。

A：然而，這個研究要回答的問題是：透過心智來影響身體的機制是什麼？也就是說，練功者是怎麼做到僅僅以腦子裡的心智活動就影響了身體的新陳代謝和皮膚溫度？

放鬆反應及其臨床功用

B：班森也試圖對此作出假設或解釋。

他指出練功者透過心智而達到的身體反應，與一般人在壓力下產生的「壓力反應」相反，壓力反應通常是新陳代謝加速、血壓升高、心跳和呼吸次數增加等等。所以，心智對身體發生影響的機制一定和心智導致身心的「放鬆」有關。他說，拙火瑜伽和一般的打坐練功都包含一些共同的技巧：重複默唸某個咒語或短句、祈禱、引導注意力專注於某個景象或感覺，排除任何雜念，從而達到「放鬆」。

他說誘發放鬆反應（relaxation response）的方法，在各大宗教或非宗教文化傳統中都有，已經存在千百年了。各文化所採用的方法不同之處只是咒語或祈禱文的不同，基本方法都一樣。例如，基督教中冥想修行的祈禱文至今還在天主教修道院或某些新教教派中使用著。在藏傳佛教中最常使用的是「六字真言」。

A：「六字真言」（唵嘛呢叭咪吽）也稱為「六字大明咒」，因為是觀世音菩薩的咒語，亦稱「觀音心咒」。「六字真言」是佛教中的重要咒語，具有極豐富的內涵和象徵意義。唸咒語時，不僅要唸誦，還要觀想。專注地唸誦咒語，排除雜念，自然有助於放鬆身心。

B：班森二十年的研究發現，放鬆反應被反覆誘發以後，可以抵抗壓力所產生的有害作用，從而用於治療因壓力反應而引起的疾病。這種治療功能已經得到臨床證明。放鬆反應於是進入近代醫學，被越來越多的醫師用於治療緊張過度、心律不齊、長期疼痛、失眠、因癌症與愛滋病治療產生的副作用，以及焦慮、仇恨與沮喪等心理症狀，甚至不孕症。

A：西藏喇嘛修練拙火瑜伽的效果，是否可以用於使多數人得益的臨床醫療呢？

B：這方面還有待進一步的研究。拙火瑜伽及靜坐冥想的機制引起了很熱烈的討論，心智到底怎麼發揮作用，這種作用機制、過程還不清楚。此外，它和其他心身現象是什麼關係，比如和催眠術是什麼關係，也是令人感興趣的話題。

班森指出，拙火瑜伽和其他靜坐冥想練功都顯示，在心智和身體之間，有一個可以貫通的通道。儘管現代科學對這個通道還有很多未知之處，但是練功者顯示，適當的靜坐就可以使得心智穿過這個通道。一旦穿過通道，達到了一定的狀態，練功者不僅會有更平靜、更宏大包容的心態，而且可以只用意念就把生理反應帶往不同方向。拙火瑜伽在低溫下讓身體發熱就是其中之一。以班森為首的西方「放鬆反應」醫學，就在研究怎樣利用病人的心智訓練，在心智穿過通道後，比如「觀想」體內白血球攻擊癌細胞，來調動人體自身的免疫能力，達到治療疾病的作用。

A：這無疑有可能造福很多被疾病困擾的病人，特別是現有醫藥還不能有效治療的一些疾病和症狀。不過，這些探索和藏傳佛教又有什麼關係呢？

佛教的心智觀

B：藏傳佛教在利用心智影響身體的「功法」方面很精深，也很神秘，拙火瑜伽只是其中之一，還有其他功法。由於密宗秘不外傳的傳統，其中到底有多少方法可被研究開發、脫離宗教框架，用來利益大眾，至今還不清楚。但是，就以班森所測量的拙火瑜伽喇嘛為例，藏傳佛教的修練方法為現代科學研究提供了考察的對象。僧侶們在寺院裡已經修練了千百年，如果無效也無益，不可能持續到現在。而且，藏傳佛教有自己的知識體系，對這些功法自有解釋。

A：這主要是指什麼？

B：這種解釋主要是對「心智之本質」的解釋。心智（mind）是什麼？這是一個根本性的問題，事實上現代科學，包括醫學和心理學，都無法徹底回答這個問題。作為古印度文明長於「內觀」自身內在精神世界這一傳統的繼承者，藏傳佛教對心智的本質有自己獨到的分析和理解。達賴喇嘛在討論會上講解了佛教的心智觀，引起了與會西方科學家們的極大興趣。

達賴喇嘛說，他接觸了各種不同宗教與文化背景的人，包括科學家及徹底的唯物論者，有很多人甚至不接受「心智」的存在，因為心智不是一種可以觸摸的物質。佛教不接受造物主上帝的觀念，但是認為心智是存在的。佛教強調個人本身所具有的力量和潛能。有些人認為佛教是屬於無神論的意識形態。他說，他相信佛教可以做唯物論和宗教之間的橋梁。

達賴喇嘛介紹了佛教中大乘和上座部佛法的基本教義和修習，由此指出，佛教是一套知識體系，這套體系是以對「實在本質」理解為基礎，即佛教所說的「實相」。缺乏對「實相」的理解，就談不上真正的佛法修行。

佛學的另一個基本觀念是「因緣」，即所有事物都不是自身獨立存在的，而是依賴原因和條件而產生。

達賴喇嘛告訴與會者，在佛教典籍中，無論是佛經還是密宗經典，都有關於心智及其本質的廣泛討論。這種討論有的是出於思辨，有的是出於觀察。思考和理解心智，是學佛的人在理論和實踐方面的必然途徑。也就是說，修持密宗的人必須理解心智的本質。如果不去理解心智的本質，不去理解心智和外在世界的關係，就不能好好修持密宗。所以，密宗典籍對心智與意識進行分析，將心智和意識分成各個細微層次，對意識的各個層面有細緻的描述，講解了心智的細微層面和生理狀態的關聯，也講解了瑜伽靜坐修行怎樣利用生理原動力來影響修行者的種種意識狀態。

達賴喇嘛還講解了一些密宗的觀點：密宗認為心智的根本性質是潔淨的，這種純淨的本質稱為「明光」（clear light）。各種使人痛苦的情緒，如欲望、仇恨、妒嫉等等，都是條件的產物，佛教稱之為「緣」，那不是心智本身的性質。當心智的明光被各種「條件」遮蔽或抑制時，就產生痛苦的情緒，佛教稱為墮入苦境。但是，運用適當的靜坐冥想和修習，人可以超脫苦境，體驗心智的明光性質，走上解脫和根本開悟之道。

佛教認為，修行就是用各種方法來達到明光的終極潔淨狀態，使得心智的本質完全顯示出潛在的能力，即所謂開悟。

達賴喇嘛也引用了科學家的說法，指出佛教典籍裡提到身體內有特殊的能量集中點，可能和神經生物學家所說的人體免疫系統有關。這些能量集中點受各種情緒的影響，然後再影響到人體的其他生理反應。由於身體中存在這些特別的能量集中點，使得心身之間有密切聯繫，所以修練瑜伽或者靜坐冥想來訓練心智，對健康有明顯的功效。

A：達賴喇嘛講解的這些知識是佛教知識體系的基礎，討論會上的西方科學家聽得懂嗎？

實相與空性

B：參加哈佛大學討論會的西方人有不少接觸過東方文化，有些科學家自己就有靜坐冥想經歷，體驗過功效，所以對藏傳佛教最高導師達賴喇嘛來講述佛教基本教義，都表現出高度熱情。

達賴喇嘛說，佛教哲學家考察實體的根本性質後得出的結論是，事物缺少本有的存在，即缺少自我定義、自我證明的特性。如果我們對事物做追根究柢的分析，就會發現它們並不如其表相那樣存在。事物並不像它們看起來那樣是實在、客觀、獨立的實體。事物的表相和其存在的本質之間有不相符合之處。看到這一點，能使我們免於絕對論極端執著於實體的觀點。但是，在我們的經驗裡確實有事物存在，我們不能否認事物名義上的存在，這一點使我們免於虛無論。

如果事物並不如它們看起來那般存在，且不具有客觀的實質，同時它們又確實是存在的，那麼它們的存在是怎麼回事呢？它們是以何種方式存在呢？佛學的解釋是，它們是形式上、相對的存在。

達賴喇嘛解釋說，佛學認為事物不能單獨依靠自身存在，而必須依靠和他者的關係而存在，即「緣起」，然後他介紹了佛學重要的「空性」概念。他說，「空」是「實相」的終極本質。

A：這就是佛教「空」的概念。佛教的「空」並不是徹底斷滅、「一無所有」，而是指出事物並無「本性」，亦無「常性」，即尊者所說的「缺少自我定義、自我證明的特性」，也缺少恆常不變的特性。就此而言，事物的終極本質是「空」。「任何事物都必須依靠他者的關係而存在」，即「諸法互為緣起」。在佛教中，「空性」是比較難理解的概念，也是容易被誤解的概念。但是，了解了「緣起」的意義，就不難理解「空性」，故有「緣起性空」之說。然而，「空」的概念在量子力學和當代基本粒子物理學裡就容易理解了。古老佛學的「空」概念和當代物理學的空間觀的契合，真是非常奇妙。

B：是的。達賴喇嘛後來和物理學家詳細討論過這些概念。而在這次哈佛討論會上，達賴喇嘛指出，心智也缺乏具體化的存在，但是我們能看到心智是存在著的，你不能否定心智的存在，所以，心智的這一性質，也可稱為心智的空性。

達賴喇嘛說佛教認為，我們心理上和情緒上的問題，都是因為我們對「實相」的認知發生了錯誤，我們看到事物的表相，就以為事物是以它們顯現的樣子存在著，而不理解這只是事物的表相，這表相與其真正的存在不盡符合，也就是說，我們把表相當成了事物的本質，即實相。而我們又執著於事物表相的持久不變，認為它們具有自身獨立存在的實質。這種背離實相的認知，是我們心理和情緒上痛苦的根源。佛教認為，透過對「實相」的了解，洞察事物並非實有、本性為空的道理，能使心智開放，獲得心理和情緒上的快樂。

A：對心智的這種說法帶有佛學理論的特點。佛教並不認為心智或意識完全依賴於物質性的大腦。唯物論者一般不接受這種觀點，而現代科學家相對來說比常人更傾向於唯物論。討論會上，有沒有科學家提出，佛教以為是心智發揮作用的地方，其實是某種物質的作用造成的？

心智與唯物論

B：有科學家提出了這樣的疑問。哈佛大學一位研究細胞學的神經科學家大衛・波特（David D. Potter）說，他和一些同事就質疑，為了了解腦科學並促進對人類行為的認識，是否需要求助於一個非物質、透明的「心智」？他的意思是，徹底唯物論的觀點也許足夠解釋一切，心智終究只是某種物質對人的大腦和身體發揮作用的結果。

他以吸食毒品古柯鹼為例。吸毒者自述，吸食毒品可以產生幸福感，而且導致對此幸福感的終生記憶，這種幸福感比他所經歷過的任何其他幸福感更強烈，而且，這種幸福感沒有任何不正常感覺，完全正常，只是更強烈。所以，大腦科學要了解和解釋，為什麼毒品的物質分子能夠使人產生幸福感。也就是說，幸福感是否只是大腦裡的某些化學物質反應的結果？

現代大腦科學已經發現，古柯鹼分子的作用機制是它加強了大腦中一種多巴胺物質的效應。神經科學家發現了這兩種物質的作用，以及它們能使人產生幸福感，於是傾向於把情緒和情感設想成化學反應，尤其是發現這種物質作用可以重複，任何科學家都能透過實驗得出相同結果，這一點對科學家很有吸引力，因為它符合當代科學的經驗實證。發現了這種可能性以後，就更不願求助於非物質的心智來解釋人的情緒了。

從這角度來看人的情緒，科學家們就傾向於把人的情緒和感情歸結為大腦中化學反應的結果。無論是仇恨還是男女情愛，都只是大腦或身體中某一種或多種物質的化學作用，科學家的任務只是找出這些物質是什麼，化學作用的機制是什麼。

這種徹底唯物論的觀念相當吸引人。如果人的心智和情緒真的只是大腦或體內的化學反應的結果，那麼回頭向佛教等古老傳統尋找理解心智本質的鑰匙，不僅沒有必要，也不會成功。

A： 這是對佛教心智觀的挑戰，我相信很多具有唯物論觀念的人會期待佛教如何回答這個問題。達賴喇嘛在討論會上是怎麼回答的？

B：達賴喇嘛的回答很有意思。他肯定了科學發現的意義，認為科學家們探索和發現化學物質對人體大腦的作用導致人的情緒變化，對我們了解人類心智極有助益，說明了人的情緒有時候和大腦中的物質有關連。然後，達賴喇嘛請教波特，古柯鹼對人情緒的影響，有沒有發現個體差異，即古柯鹼對人情緒的影響，是否有人強一點、有人弱一點？

A：波特怎麼回答？

B：波特的回答是肯定的。古柯鹼對人情緒的影響和作用，有個體差異。而且，有些人容易成癮，另一些人不容易成癮。不容易成癮的是那些比較快樂、精神比較豁達開朗的人，反之，比較憂鬱不快樂、精神上缺乏追求的人容易成癮。

A：波特無意中已經回答了自己的問題。

B：是的。達賴喇嘛倡導並參與佛教和現代科學的對話，他的態度非常謙卑而開放。在他的影響下，每次對話都提倡不同觀點的互相切磋，沒有什麼觀點不可以受質疑，也沒有什麼是絕對正確的。每個人關心的是，在別人不同於自己的觀點中，是否有可取之處，是否可以補充或糾正自己的認識。

針對極端唯物論者質疑心智的作用，甚至質疑心智的存在，達賴喇嘛沒有表示不同意，在肯定了唯物論觀點的合理性一面後，他正面講解佛學密宗典籍對靜坐冥想和瑜伽的理解。達賴喇嘛指出，佛學認為這些功法是為了控制修行者的生理力量，使它們不會影響「明光」心智。這一過程，和藥物的化學效應有相似的地方。

達賴喇嘛提出，同樣的藥物比如古柯鹼，對不同的人，比如意志力薄弱的人和意志力強的人，快樂的人和不快樂的人，所產生的效應不一樣，這不就是心智的作用嗎？心智的存在是一種客觀事實，只不過現代科學對大腦進行觀測探索時，仍無法從外在確定，因此心智的存在至今只能依賴主觀的陳述。

A：當代科學家對於還不能「掌握」到的東西，傾向於繞過去、避免談論，因為科學界的規範要求你要嘛別談，要談就得拿出可以實證的事實和數據來。顯然，每個人都知道自身意志的存在，因此都明白「心智」是一種「客觀存在」，誰也不會否認「心智」存在，但是每個人除了主觀陳述，誰也拿不出「心智」或者「意識」這個實實在在的東西來。科學家可以展示物質性的大腦，可是無法展示「心智」或者「意識」，這確實是令科學家們很無奈的難題。

B：達賴喇嘛說，當我們談到佛學裡的「心智」時，不是把它當成單一實在的個體，或把它看成一件無形的東西，而是一個相互關聯的認知和心理事件的複雜網絡。他說西方人似乎以為，佛教所說的意識或心智，是指一件獨立於身體的實質個體，這是一種誤解。在佛學裡，心智是互相牽連的心理事件所形成的複雜網絡。佛教徒不認為有一個「我」，一個「自我」，或者一個永恆的靈魂住在身體之中，就是因為他們不把心智看成獨立於身體的實質個體，而是看成一個動態，與身體的生理狀態密切相連相關、永遠在進行中的過程。獨立、永恆的靈魂這種假設不符合佛學的基本哲學。最後終於可以和人類肉身分離的，不是靈魂，而是心智最精微層面的「明光」。

討論到最後，自稱是「不可救藥的唯物論者」的神經科學家波特向達賴喇嘛提了「最後一個問題」：如果在未來的某個時候，我們有了足夠多的知識能夠用遺傳工程的蛋白質和氨基酸，或者用工程上的晶片和電路，做出一個有機體，讓「他」具備我們所有的優點而沒有我們的任何缺點，您會去做嗎？

達賴喇嘛笑著回答說，如果可能做得到，儘管去做好了，那省了我們好多麻煩。

A：看來唯物論者仍然會把「發現」並「製造」心智的希望，寄託在對物質世界的研究上，而避免直接討論那無形但事實上存在的人類心智和意識。

達賴喇嘛和哈佛大學

B：達賴喇嘛和科學家對話過程中，雙方最大的分歧大概就是談到「心智」是否可以脫離大腦而存在的問題。然而，西方科學家們願意傾聽東方佛教哲理，不僅是因為彼此之間有契合之處，也是因為彼此之間有深刻的不同。現代量子力學和相對論物理學在顛覆了經典物理學的時空觀後，發現自己對時空的觀念和古印度佛教有了更多的共同語言。同樣，大腦神經科學和認知心理學在一系列科研後，發現佛教對人類心智的認識和提問，早就走在他們的前面。

A：作為一種知識體系和修行生活方式的佛教，最近半個多世紀在西方的知識精英中迅速傳播。這個時期恰恰是達賴喇嘛帶領十多萬西藏僧俗流亡的時期。

B：達賴喇嘛這次在哈佛大學的討論會，早在十年前就播下了種子。一九七九年達賴喇嘛第一次訪問美國時就到過哈佛大學。一九八一年達賴喇嘛在哈佛大學講解佛教，整整講了五天，每天上下午各兩個小時，介紹了佛教的哲學和知識體系，還回答了聽眾的許多問題。那次在這世界一流學府的講經，也是羅伯特・瑟曼組織並主持的。在那五天裡，達賴喇嘛圍繞著佛教的「四聖諦」展開，在回答聽眾問題時講述了科學和宗教的關係；意識的本質和不同層次的意識；在一個「無我」的體系中，作為一個個人的意義；二元論和非二元論；克服和醫治憂鬱的方法；「執著」和「破執」的關係；婦女在佛教中的地位，密宗修行中的「雙修」是怎麼回事；怎樣做到每日修行又不執著於此，怎樣在利他和發展自我內心修養之間取得平衡等等。

A：達賴喇嘛了不起的地方在於，他對佛教經典有深刻的思考，而且知道怎樣和西方知識傳統對話。那次在哈佛大學的五天講經，不是一般對佛教徒的開示，而是東方佛教傳統和西方知識傳統的第一次系統性對話。

B：顯然一九九一年的心智科學討論會，是一九八一年達賴喇嘛在哈佛大學講述佛教哲學和知識的繼續，這次西方科學家有備而來，佛教方面也有幾位達賴喇嘛的學生參與討論，其中包括達賴喇嘛在美國的學生瑟曼。他在這次哈佛討論會講解了藏傳佛教的心理學。

西藏的心理學，即佛學的心理學和認知科學

A：心理學是西方科學創始的，藏傳佛教中沒有所謂的心理學吧？

B：當然，在藏傳佛教中不叫心理學，不過心理學是有關心智和情緒的學科，在印度和西藏被稱為「內在科學」，它是把人的心智和情緒視為一種「實在」，有關這種實在的本質的知識，即對人類自身「實相」的探索。

在西方，科學家研究「實在」的本質，把「實在」認定為存在於人類精神世界之外，是一種物理世界、外在世界，也就是我們所說的「外在環境」。於是物理、化學、天文學、生物學等等，再加上作為推導工具的數學和幾何學，被認為是最重要最基本的科學。精神世界，即「內在世界」，是教士、哲學家、詩人、藝術家的領域，不是科學家的領域。近代西方心理學的趨勢是採用科學方法和規範來研究人的精神世界，一方面借助物理學和化學的概念和方法，例如「能量」的概念，來建立精神活動機制的理論，另一方面創立了行為論和認知科學，從觀察行為來解釋心智。

西方心理學和認知科學最令人興奮的發展是神經科學。這一學科的思路，仍然是將心智視為大腦中的物質變化過程，結合當代化學、生物學和物理學的觀點和方法，去了解作為物質的大腦，並試圖以此解釋精神的心智和情緒。羅伯特・瑟曼說，達賴喇嘛對西方科研的很多發現成果非常感興趣，十分期待新的成就，認為神經科學家的參與對東西方的對話有重大的貢獻。

A：瑟曼是達賴喇嘛的第一個西方學生，既精通西藏佛學，又有較完備的西方文化背景，橫跨東、西方兩大文化傳統，他知道怎麼向西方人解釋西藏佛學。他的參與對達賴喇嘛和科學家的對話一定很有幫助。

B：確實如此。瑟曼指出達賴喇嘛對西方神經科學的發現十分期待，然後他提出兩個問題：第一，現代西方認知科學需要和古老的西藏心智科學對話嗎？第二，如果印度和西藏的傳統學術可以有所貢獻，那會是什麼貢獻？

瑟曼用長篇討論來回答這兩個問題。他說，有關外在物理世界和內在精神世界的知識和理解，即實相的外在和內在方面，究竟什麼更重要？西方科學認為研究外在世界更重要，然而，我們對於外在世界積累了豐富的知識，卻缺乏整體透徹的知識，我們根據這些片面的知識，嚴重破壞自然固有的程序，我們一面解決問題，一面製造問題；在開發了自然資源的同時也汙染了環境、破壞了自然的平衡。本質上，我們影響外在實相的能力遠遠超過了我們控制和改善自己的能力。

而佛陀創立的佛學教育，就把外在環境和內在自我都作為研究的對象，而且認為更應該去了解內在自我，關於內在自我的知識更實用，更需要。

A：這正如哲學家羅素（Bertrand Russell, 1872-1970）所說，西方文明是注重外在物理世界的文明，而印度文明是注重人類自身的內向的文明。

B：是的，佛教徒認為內在科學，即心智科學是各科知識之首。當代科學技術發達以後出現了許多新問題，這些問題很大程度上是源於人類的貪婪、自私等心理。而對人類精神世界的分析和控制，是印度與西藏文明的強項。所以，現代西方認知科學需要和印度與西藏的心智科學對話。

A：那麼，西藏佛教的心智科學能夠在對話中貢獻什麼呢？

B：瑟曼比較了西方神經科學和西藏佛學對心智的認識方法。他指出，西方神經科學研究人的心智，是把大腦當作一部複雜的機器，是一種視大腦為硬體的認識方法。當代西方科學將心智比喻為電腦，一部極端複雜、極其強大的機器。神經科學對大腦的探索，偏向於對大腦作為機器硬體的分析，而迴避這部機器的軟體、程序。

瑟曼指出，西方科學的這一傾向，來自於文藝復興之後，西方文化整體上的唯物論趨勢，從十七世紀到現在一直統治著西方的科研和學術，以至於處理所有問題都把它物質化。二十世紀的西方哲學，將「實在」視為物質，形成西方學界的集體約定，而忘記了這並不是「實在」的本質。科學唯物論已經成為今日西方的教條。

而佛教的科學觀認為，對「實在」的本質，即「實相」的描述都是協定性的，而不是絕對的。佛學學者某些時候持唯物論，但是他們並不限於唯物論，任何立論都同時存在反證。他們有時候是二元論者，有時候是互動論者。這是一種極富彈性的知識觀。

瑟曼說，西藏佛學的內在科學，即對人類心智進行分析和修練的知識體系，就是對人類大腦和身體這部機器進行精密的軟體分析和修正，這套方法可以幫助一個人重新做內在世界的程序設計。

佛學的內在科學包含在浩瀚的經典中，這些經典描述心智的作用，提出了極為豐富的觀念，發展出各式各樣的心理調適和精神修正方法，比如靜坐、冥想、內觀等。

A：這次達賴喇嘛和西方科學家在哈佛大學科學論壇的對話，向大眾公開，在形式上比在達賴喇嘛居所進行的心智與生命研討會更開放。在討論會後是否有論文或書籍出版？

B：這次對話後出版了《心智科學》（*Mind Science: An East-West Dialogue*）。

6 探討意識的來龍去脈

A：今天請你談談第四屆心智與生命研討會。

B：心智與生命研究所成立後，達賴喇嘛提議每隔一兩年舉行一次為期五天的對話，提議得到了科學家們的熱情響應。一九九二年，心智與生命研究所在印度達蘭薩拉的達賴喇嘛居所舉行第四次對話會。對話從試探和摸索進入了熟練的階段，形成了一套雙方都感覺愉快而有效的交流形式。

A：交流形式非常重要。在思維和語言習慣等方面，古老的東方哲理和佛教知識體系與當代西方科學有很大的差異，有些術語很難直接對譯，因而造成交流障礙。克服交流障礙，也需要一定的技巧，需要合適的對話形式。

B：心智與生命的對話平臺，從一開始就很重視創造和調整合適的對話形式。

這個對話平臺採用科學家和達賴喇嘛對談的形式。在達賴喇嘛的客廳裡，參加對話的科學家圍繞低矮的長桌坐成一圈，為數不多的特邀觀摩者則坐在外圈。達賴喇嘛身邊的椅子是主講科學家的座位，科學家們稱之為「熱座」（Hot Seat），主講者輪流坐到這個位子發言，主講者旁邊還坐著一位科學家，擔任「協調人」的職責。

在主講者向達賴喇嘛介紹某個專題、西方科學在這個專題上的發現、科學家們面前的疑惑和問題時，達賴喇嘛可以隨時插話提問。達賴喇嘛不是專業的科研工作者，雖然主講科學家使用普通的語言講述，但是講述的內容卻是當代科學新知，往往相當專業，有時候十分難懂。達賴喇嘛接受的藏傳佛教「辯經」訓練，使他具有極強的理性思辨能力，能迅速抓住主要概念的關鍵內涵，當場提出一兩個問題要科學家進一步解釋。這些問題往往是科學家原以為很難向業餘者說清楚而想迴避的。達賴喇嘛迅速抓住議題要點、以及理解科學家複雜解釋的能力，常常令科學家不由自主對這位藏傳佛教大師由衷的稱讚。不止一位科學家曾半開玩笑讚道：「要是我的研究生像尊者這樣就好了，請尊者當我的研究生吧。」

佛教的慈悲心建立在知識和理性基礎上

A：在藏傳佛教中，達賴喇嘛是觀音菩薩的化身，是慈悲和智慧的象徵。他經常強調，慈悲和智慧是結合在一起的，真正的慈悲是有了知識、經過理性思考後的慈悲，同情心、同理心、利他心等等，都是經得起理性和知識提問的，也就是說是從智慧、知識中發出慈悲心。慈悲和智慧缺一不可，佛教稱之為「悲智雙運」。

B：西方科學家和達賴喇嘛對話時，除了對他的智慧與慈悲心抱持極高的尊重和敬仰，也對他的理解力和迅速的反應能力十分讚賞。我想，達賴喇嘛的精力充沛也一定給西方科學家留下了不尋常的印象。

特邀的觀摩者們對此印象更深。連續五天的對話，每天上下午各兩個多小時，談話的內容無論是西方科學還是東方佛學都很深奧，需要高度集中注意力才跟得上。主講科學家們輪流上陣，講述他們所熟悉的專業知識，而且都是作了充分準備來的。達賴喇嘛卻是連續不斷地面對好幾位科學家，他們都熱切希望聽到佛學大師對特定科學議題的評論。達賴喇嘛可以說是會場上唯一一個腦子一刻都不得休息的人。五天對話，無論是科學家還是觀摩的客人，都有長時間高強度用腦的緊張壓力，甚至會有吃不消的感覺。可是達賴喇嘛依然興致勃勃、精神飽滿，絲毫不顯疲憊。

而且，每次中途休息的時候，大家都要放鬆一下，去喝杯茶或咖啡、吃點小糕餅，達賴喇嘛通常不離開自己的座位。這短短十幾分鐘裡，不斷有人要抓住機會走近達賴喇嘛，或表達敬意，或傳達消息，或發出請求。午餐時間，達賴喇嘛經常只用不到半小時午餐，其餘時間都要用來會見來自世界各地的佛教徒、藏人難民或其他人，往往下午的對話會即將開始的時刻，達賴喇嘛才結束最後的會見，直接進入會場。

達賴喇嘛為什麼要和西方科學家對話？

A：無論是身為佛教高僧還是藏民族的領袖，達賴喇嘛為什麼和其他僧俗領袖都不一樣，要付出那麼多時間和心力與西方科學家對話？是什麼促使達賴喇嘛長年持續和當代科學家交流？

B：簡單的回答是「好奇心」。好奇心看起來很單純、普遍，人們看到新奇的東西或多或少都會有好奇心，然而持久的、對於世間萬物抱持追根究柢態度的好奇心，卻不容易，也不常見。我們對於世界的眾多疑問多數時候無法立即得到解答，追問再三也仍然是疑問，久而久之好奇心就會消退，疑問還有，卻不再追問。對於科學研究者來說，持久的好奇心是最寶貴的動力。

達賴喇嘛天生有強烈好奇心，特別是對新鮮的事物，他有想要親自嘗試、探個究竟的衝動。在和科學家對話時，他的好奇心使他對任何不懂的事情都想提問。他的好奇心也是科學家們樂意跟他交流的重要原因。在現代科學領域，科學家是他的老師，老師都喜歡好奇心強烈的學生。

A：除了好奇心以外，是不是還有別的動機促使他和科學家對話呢？我想，這大概跟達賴喇嘛的佛學修養有關吧？達賴喇嘛說過很多次，佛教和其他宗教不一樣，沒有創世主，不認為人有靈魂，沒有天堂的觀念，佛教強調的是對「實在的本質」的了解，即對「實相」的認識，強調透過觀察和邏輯推理來認識「實相」。佛學知識體系及其認識方法，也是古代的一種科學。

B：用托馬斯・孔恩的科學革命理論來說，佛學具有作為一個時代的科學體系的特徵，和西方科學相比，只不過是具有另一套「典範」的科學。所以達賴喇嘛說，我們可以把佛學看作一種古代的科學。而且，佛學作為一種知識體系，並不因為現在有了西方科技就徹底過時、失去價值了。相反的，佛學和西方科學一樣，也可以發生「科學革命」，也可能出現「典範轉換」。

A：也就是說，達賴喇嘛和現代科學家對話、進行科學探討，是在佛學的本意之中，並未越出佛教的範圍。達賴喇嘛對待現代科學的態度，不是「上帝的歸上帝，凱撒的歸凱撒」，因為佛學裡本來就沒有上帝，佛陀的教導是要透過實踐和邏輯來認識實相，這本來就是一種科學探索的態度，和當代科學是一致的。有些不了解情況的人認為，宗教不應該涉足科學研究，提出「宗教的歸宗教，科學的歸科學」，其實是對達賴喇嘛與科學家對話的誤解。

問題在於佛學和西方科學是兩種不同的「典範」，彼此的交流和理解不易。達賴喇嘛和科學家的對話，不僅雙方有這樣做的熱情和願望，還要講究方式。

B：心智與生命研究所平臺幫助極大。他們以數位在科研專業上有成就有威望的世界級科學家為主，每次對話有幾位主要科學家參與，對話內容有一定的連續性，又邀請不同的新的科學家參與。除了科學家，每次還會有哲學家等學者參與，因此每次都有新的內容和不同的思路、風格。

第四屆心智與生命研討會的協調人是佛朗西斯科・瓦瑞拉，仍然由藏學和西學皆精通的土登晉巴和艾倫・瓦萊斯擔任翻譯。特別重要的是，在對話中要求科學家和佛教僧侶適時轉換成對方的「典範」，用對方的術語和名詞來表達和理解命題，用自己的典範來做參照和比較，以這種方式來越過不同典範之間存在的交流障礙。

A：第四次對話的主題是什麼？

睡眠、夢和死亡（一九九二年第四屆心智與生命研討會）

B：第四次對話的主題是「睡眠、夢和死亡」。五年後，一九九七年，瓦瑞拉根據對話的紀錄，出版了專著《睡眠、夢和死亡：和達賴喇嘛一同探索意識》（*Sleeping, Dreaming, and Dying: An Exploration of Consciousness with The Dalai Lama*）。

A：當代神經科學和心理學正在研究睡眠和夢的機制，有一些發現，但更多的是問題。至於死亡，或者瀕死狀態的大腦和意識，當代科學似乎還沒有重大的研究發現。相反的，夢和死亡是佛學的重要內容之一，特別是藏傳佛教，著名的《西藏生死書》（*The Tibetan Book of Living and Dying*）在西方世界廣為人知。

關於睡眠和做夢時候的意識，在前兩次的心智與生命研討會上就提到過，達賴喇嘛和西方科學家都同意應該專門討論一次。這次對話談到了什麼具體內容？

B：前幾次對話會讓大家看到，請一位哲學家來開場談科學專業問題，有很多好處。

A：是不是因為佛教中哲學思辨的傳統？藏傳佛教寺院的傳承特別重視哲學思辨。喇嘛們都要經歷大量的「辯經」訓練，對每個概念、命題、結論都要從正面、反面、側面再三詰問。因此，分析理解抽象的概念是喇嘛們的強項。但是科學的實驗、觀察，尤其是高端的實驗和數學工具，是喇嘛們的弱項，卻是科學家的強項。

B：是的。請一位西方哲學家或科學史家開場，能夠在東方佛學和西方科學之間架起橋梁。哲學家的作用被稱為對話會的「哲學導向」（Philosophical Orientation）。這次邀請的哲學家是查爾斯・泰勒（Charles Taylor）。

泰勒是當代著名哲學家，被譽為當代英美道德哲學領域最傑出的思想家。他一九三一年生於加拿大，是牛津大學哲學博士。他對「現代性」的文化和社會轉變的反思，使他獲得廣泛推崇。出版過多部著作，二〇〇七年獲得鄧普頓獎，該獎旨在鼓勵科學和宗教的對話，他是當代哲學界當之無愧的重量級人物。

參加對話的還有精神分析專家喬伊絲・馬克杜格爾（Joyce McDougal, 1920-2011）。她是出版了幾部專著的精神分析師。

還有一位是UCLA的神經科學家和精神病學家傑羅梅・恩格爾（Jerome Engel）。

美國人類學家和生態學家喬安・哈利法克斯（Joan Halifax）是個很有意思的人。她一九六八年獲得邁阿密大學醫學人類學和心理學博士學位，然後擔任過好多不同的職位，包括在哥倫比亞大學研究人種音樂學。她是新墨西哥州一個基金會的主席，這個基金會設立了一個專門照顧瀕死者的機構。她發表了很多文章，以及有關瀕死、薩滿教等的著作。她身體力行進行各種問題的跨文化研究與交流，在死亡和瀕死方面有開創性的成績。她也是佛教修行者、禪師。

A：這也是美國佛教的一大特色。佛教傳入美國，逐漸形成「美國佛教」這樣一個當代佛教流派之後，走的就是「入世」而非「出世」的道路，一直積極參與人權、民權、環保、動物保護等等社會議題。

查爾斯・泰勒主講西方的「自我」觀念史

A：哲學家泰勒的開場主講題目是什麼？

B：西方的「自我」觀。

A：這是一個什麼概念？他為什麼要談這個概念？

B：他用的詞是self，不容易直接對譯成中文。我在這裡譯為「自我」。Self就是人對「我」的意識，認識到「我」的存在，但這個「我」究竟是什麼？可不是一個簡單的問題。按照唯物論者的標準，「我」就是有別於他人的一個獨特的身體，可是，如果由於事故而失去了一條腿，身體不再完整，「我」卻依然是完整的。如果身體失去了更多的肢體和器官，那麼到什麼時候「我」就不再存在了呢？如果說，人死亡了「自我」就不再存在了，那麼原來的「自我」消失到什麼地方去了？

A：這確實是一個哲學問題。可是，這和睡眠、夢及死亡的科學探討有什麼關係呢？

B：因為人有了意識，才有「我」的觀念，而睡眠、夢和死亡，都是意識處於一種特殊狀態的時候。你睡著而不做夢時，就沒有意識了，意識消失了，你的「自我」也消失了。你做夢時，似乎是另外一個「自我」在活動。可見睡眠、夢和死亡，都是在設法追尋「自我」，也就是探討意識。而人類對「自我」的思考由來已久。泰勒在開場主講中回顧了西方文明對「自我」的追尋，從柏拉圖到奧古斯丁，一直說到基督教文明在「自我」中發現了上帝。他用短短的時間呈現了西方文明的「自我」認識史。

A：很好的開場。第一位主講的科學家是誰？

佛朗西斯科．瓦瑞拉主講睡眠中的大腦

B：第一位主講的科學家是佛朗西斯科．瓦瑞拉，主題是「睡眠中的大腦」。瓦瑞拉是大腦神經科學家，專門研究大腦結構和功能。

一開頭他提了一下，哲學家泰勒的「自我」概念對於研究睡眠非常重要，因為對睡眠的研究不可避免地要回答這個問題：為什麼睡眠的時候，人的「自我」發生了根本性的變化？熟睡無夢時，你醒來發現在熟睡的時間裡，「我」消失了，無知無覺。而在夢中，「我」卻可能是另外一個

「自我」，和白天清醒時的「自我」有所不同，甚至有很大的不同。有人在夢中的「自我」是不同的年齡、不同的身分，甚至不同的性別。

A：確實如此。相信我們都曾體驗過：夢中的「自己」跟現實中的「自己」完全不同，可是卻「知道」那個不同的人是「自己」。

B：然後，他一一敘述了對睡眠中的人體和大腦的觀察，解釋了一些重要的發現。他說，現代大腦神經科學糾正了歷史上人們對睡眠的誤解，發現睡眠不是消極、靜止不動的。在神經科學的一系列發現中，最重要的是一九五七年，一組美國科學家發現睡眠時的快速動眼期（REM，Rapid Eye Movement）。這一發現開啟了對睡眠時的大腦神經進行觀察分析的研究方向。

然後，他簡單介紹了當代大腦科學研究的一個主要工具：腦波圖（EEG，Electroencephalography）。對當代科研來說，工具是決定性的。腦波圖技術的發明和完善，使得科學家對大腦的觀察大大前進了一步，科學家的觀察現在可以進入到功能正常活動的大腦裡面，這是以往做不到的。

用睡眠時的腦波圖作為圖示，瓦瑞拉解釋了科學家們的主要發現：睡眠的不同模式、人體的生物鐘現象、REM睡眠時的大腦活動、做夢和REM時的腦波圖等等。瓦瑞拉強調，科學家們發現，REM睡眠具有非常重要的意義。

有趣的是，科學家怎樣來解釋這些發現？瓦瑞拉由此引出了進化論角度的解釋，他說，科學觀察發現，所有高等動物也和人類一樣需要睡眠，而且也做夢，牠們具有和人類幾乎一樣的睡眠模式。和人類最接近的所有大型哺乳動物都有REM睡眠及非REM睡眠。

但是，各種動物在睡眠「習慣」方面有很大的不同。人類一般是躺著睡覺，貓和狗的睡姿就不一樣，大象站著睡，牛可以張開眼睛睡，海豚可以邊睡邊游，牠們似乎只有半個大腦處於睡眠狀態。睡眠的時間也相差很大，大象平均每天只睡三・二小時，而老鼠每天睡十八－二十小時。有些科學家猜測，候鳥在遷徙途中可以邊飛邊睡，甚至邊飛邊做夢。

達賴喇嘛立即問道：這個發現得到實證了嗎？瓦瑞拉回答這只是一個猜測，卻是一個合理的猜測，因為有些候鳥在遷徙途中有時連續飛翔幾天，而海豚能夠邊睡邊游已經得到科學證實，所以候鳥很可能在進化中獲得了邊飛邊睡的能力。

達賴喇嘛又問，已經被科學證明在進化中至關緊要的REM睡眠，到底有什麼作用？

人為什麼需要睡覺？

A：也就是說，人到底為什麼需要睡眠？

B：瓦瑞拉回答說，以往認為睡眠是為了恢復精力，消除疲勞。乍看似乎不錯，可是科學家沒有發現睡眠到底消除了什麼，到底怎麼恢復體力和腦力。科學觀察發現，睡眠不是大腦靜止的過程，而是積極活動的過程。事實上，睡眠時人體消耗了很多能量，REM睡眠時，大腦耗氧量比清醒時還要高。所以，睡眠不是單純的讓人體像機器一樣冷卻下來。正因為REM睡眠過程中，大腦處於活躍的狀態，所以我們透過睡眠消除疲勞、恢復精力的機制並不如我們所想像的那麼簡單。

瓦瑞拉認為，REM睡眠本質上是一種認知活動。在REM睡眠時，實際上大腦可以展開想像力活動，設想種種不同場景和劇情，學習新的可能性，那是在一個可創新的空間中。他認為做夢提供了讓大腦想像、遐想和變換思維的空間，是一種可以讓你在新的可能性中排練的方式。他用不同睡眠狀態、睡眠階段的腦波圖說明他的觀點。但是瓦瑞拉又說，對於睡眠和夢，大腦神經科學有一些重要的發現，但是產生了更多的疑問。他想知道，佛教對於睡眠，特別是夢的發現和觀點。

佛教對夢的認識

A：西方科學研究睡眠和夢，是把睡眠和夢當作一種「客觀」的東西來觀察，科學家作為研究者並未睡眠或做夢，而是被研究者在睡眠和做夢。因此，對睡眠和夢的第一人稱的描述和體會，是主觀性的，不符合現代科學的「客觀性」規範。而佛教對睡眠和夢的認識，和佛教的修行分不開，也就是「第一人稱」描述。所以，當瓦瑞拉說他想知道佛教對夢的認識時，他是怎麼看待「第一人稱」的描述呢？

B：瓦瑞拉認為，東方佛學和西方科學的對話對他的神經科學研究非常有益，為此，他認為神經科學應該修正科學的「客觀性」教條，引入第一人稱的描述，也就是說，把東方佛學中以第一人稱形式表達的知識引入神經科學的研究。他認為，神經科學研究將來不可避免要這樣做。

A：藏傳佛教對夢的研究已經有上千年歷史，其中有個重要的傳統，即源自於十一世紀的印度那洛瑜伽（The Six Yogas of Naropa）。這個傳統引入西藏後，演變為「六法瑜伽」，即拙火、幻身、光明、遷識、夢觀和中陰。噶舉派和格魯派的「六法瑜伽」略微不同，但都有夢觀瑜伽。夢觀瑜伽就專門涉及夢，透過控制夢境來修練。經過理論和修行實踐的淬煉，夢觀瑜伽成為一整套知識和精細的修行藝術。

B：瓦瑞拉向達賴喇嘛請教藏傳佛教中，夢和意識的關係。

達賴喇嘛說，古代佛學認為夢和不同層次的意識，即粗意識和精微意識有關。心智和體內的特殊能量可以創造出一種特定的夢的狀態。修夢觀瑜伽時，首先要在夢中認識到自己是在夢中，然後經過長久修練，你能做到控制夢的內容，可以隨心所欲做你想做的夢，最後可以使你夢中的人體和你物理的人體分離。這是一種修行技術，就像靜坐冥想一樣，調動你精微的意識和體內能量。

這種修行技術可以學，可以透過練習提升，但是有些人天生就具有這種能力。達賴喇嘛舉了一個尼泊爾婦人為例。有一次，婦人的身體一動不動長達一個星期左右，旁人看不出她是不是還在呼吸。一星期後她醒來，說她在夢中到了好幾個地方。根據夢觀瑜伽的理論，在這種特殊的夢的狀態下，婦人的精微意識有了脫離肉體的經歷。

現代神經科學利用腦波圖技術，發現在REM睡眠狀態之前，要經歷四個不同的非REM睡眠狀態。達賴喇嘛對此很感興趣，他告訴瓦瑞拉，佛教金剛乘的經典指出，睡眠要經歷四個不同層次，最後獲得睡眠的「明光」。西方科學家認為睡眠中的人並不自知自己處於四個不同睡眠階段，這四個階段一個接著一個，是不可變的。達賴喇嘛說，佛教金剛乘認為經過修練的人，能夠知道自己處於睡眠的什麼層次，能夠控制自己進入什麼層次，使得自己更快進入「明光」的階段。

這個討論似乎顯示，西方科學家確定的睡眠的不同模式，漸進的階段和達到REM睡眠，和佛教金剛乘所講述的睡眠四個層次，最後達到「明光」階段，有著令人驚奇的類似。不同的是，西方神經科學是單純把睡眠當作「客觀」的對象觀察，認為睡眠的不同模式是睡眠者自己不了解的，睡著的人是被動的；而佛教把睡眠看成是一種修練，是主動的，是有目的的要獲得「明光」。

A：事實上，佛教對睡眠和夢的觀察與「實驗」歷時千年，有更深的「發現」，只不過西方科學仍然在追求「客觀」的研究，而佛教的結論都離不開第一人稱的主觀陳述。這對於科學家來說，一定是個問題吧。

B：這點對瓦瑞拉不是問題，瓦瑞拉明白大腦神經科學和心理學的研究應該利用第一人稱的主觀陳述。所以他們和達賴喇嘛討論得非常熱烈。佛教經典中的一些結論和說法，即使是來自和當代西方科學完全不同的「典範」，科學家們仍然聽得津津有味。此時達賴喇嘛更像大學老師，而科學家們成了學生。達賴喇嘛有一個強項，就是對佛教經典瞭如指掌，如數家珍。他不是單純地說自己的觀點，而是呈現歷史上佛教高僧大德和佛學學術大師們的知識，透過介紹各種流派，他要讓科學家理解佛教並不是一個簡單的教義信仰，而是經歷了變化、更新的知識集合。佛教大師們的說法可能有所矛盾，但是卻不能簡單地說誰對誰錯，要看你從中學到了什麼。每一個說法都只是一種「虛相」，卻是從某一面來表達「實相」。

A：這相當於西方科學家現在的共識：任何科學命題都只是科學家們的一個協定。

B：達賴喇嘛還提醒科學家注意，佛教很重視冥想修行。佛教認為，睡眠就像食物營養一樣，能滋養人體；而另一種滋養人體的方式是「三摩地」（samadhi），即冥想修行。佛教金剛乘中有龐大的冥想修行的理論和技巧，有些非常高深，只有在最高層次的密宗經典和寺院裡才傳授。但是，讓瓦瑞拉高興的是，這種修行技巧並非只有信仰佛教的佛教徒才能學，任何人都有可能學習和修行冥想。

A：睡眠和夢的討論與死亡有什麼關係呢？

B：對於佛教來說，它們都是意識的精微層次，即達到「明光」的意識層次。睡眠的某種狀態、冥想修行達到的狀態，夢觀瑜伽的修練，以及修行人的瀕死狀態，都是「明光」的精微意識狀態。

A：東方佛學的死亡觀完全不同於西方科學的死亡概念。

B：可以這樣說。對於佛學來說，死亡只是一種深層次的精微意識的轉移，肉體會死亡，精微意識並沒有消失無蹤。所以對佛教徒來說，死亡並不可怕，要緊的是了解和控制死亡時的精微意識。參加對話的西方科學家對此持姑且聽之的態度，但是達賴喇嘛建議他們不妨研究那些瀕死但是處於睡眠狀態的人的腦波圖，這個建議引起了瓦瑞拉的興趣。

接下來主講的題目是「夢和潛意識」。

夢和潛意識

A：看到「潛意識」這個概念就能猜到，科學家將要向達賴喇嘛尊者介紹佛洛伊德精神分析學，這是西方心理學史上的里程碑。

B：主講的是精神分析專家喬伊絲・馬克杜格爾。

瓦瑞拉解釋說，精神分析學不是當代科學主流的一部分，很多當代科學家甚至認為精神分析學不能歸入科學研究。我想這可能是因為精神分析學不是「純客觀」的，它非常依賴人的主觀體驗和主觀陳述，也就是說，它在研究方法上不能達到現代科學規範的要求。但是，它產生於神經病學和精神病學，而且至今在西方世界的很多精神病和心理醫療中心發揮非常重要的作用。當代認知心理學把精神分析學的實用性及理論和當代科學結合起來。

喬伊絲向達賴喇嘛介紹了佛洛伊德精神分析學的產生、作用和演變。她說，佛洛伊德生活在十九世紀末的維也納，作為醫師，他對所有現象都在問「為什麼」，為什麼人會生病，生病後又會痊癒？為什麼人類會發生戰爭？為什麼人類文明經常會失敗、崩潰？為什麼猶太人會遭受迫害？

他提出這些問題，也想回答這些問題。

她說，佛洛伊德精神分析學是在西方文明中產生的，它對西方世界的精神病學、醫學和幾乎所有人文學科都有極廣泛和久遠的影響。佛洛伊德之後，所有的醫療業都把身體的疾病和人的心智聯繫起來了。佛洛伊德始終關注人的心理和肉體的聯繫，他始終認為任何身體狀況都在影響心智，而心智或心理上的任何事情也在影響身體。佛洛伊德的理論對西方世界的教育學有很大的影響，對幾乎所有涉及創造性的活動都有深刻的影響，如藝術、哲學。

喬伊絲講解了佛洛伊德理論中關於「性慾」（Libido）的理論，這是佛洛伊德一直在尋找的生命驅動力，這種驅動力給與生命意義，並且在情愛、性、宗教感情，和其他所有創造性活動中表現出來。他又從多年的臨床觀察中總結出，人類還有一種毀滅的驅動力，即死亡驅動力，他名之為「殺人慾」（Mortido）。在人類心理中始終存在著生命驅動力和死亡驅動力的衝突。

佛洛伊德把人的心理結構分為三個層次：最上層是「意識」，下面是「前意識」，第三層是最大也最神秘的「潛意識」，這是我們清醒的時候在自己的意識裡找不到的，但是對我們畢生的行為有廣泛的影響。

A：喬伊絲介紹了佛洛伊德關於夢的理論了嗎？

B：當然。佛洛伊德在一八九六年完成的著作《夢的解析》（*Die Traumdeutung*）是他自認為最重要的著作。在這部集大成的著作中，佛洛伊德提出了一些結論，和後來神經科學家的發現一致。對夢的研究，發展出他整個有關心智的理論。他指出，做夢的人雖然是睡著了，其實並沒有入睡。他提出了睡眠的不同狀態，五十年後神經生物學家發現，這種不同狀態就是REM睡眠和非REM睡眠。他還解釋了夢的作用，說在睡眠和做夢的時候，我們的身體就像癱瘓了一樣，這時候夢就代替了身體的活動。佛洛伊德認為，夢是通向潛意識最暢通的途徑。

A：達賴喇嘛對佛洛伊德的理論感興趣嗎？

B：達賴喇嘛對喬伊絲的介紹非常好奇，特別是關於意識、前意識和潛意識的概念。他問道：在神經科學和這三種意識之間，發現了什麼聯繫嗎？

A：答案是什麼？

B：喬伊絲回答據她所知，它們之間沒有聯繫。

但是，這只是喬伊絲一方的答案。瓦瑞拉作為神經科學家，這時候出來解釋說，在神經科學中，我們沒有發現和「潛意識」相應的東西，有些科學家猜想「潛意識」和腦幹有關係，和大腦中涉及「本能」的部分可能有關。但是這種比較很模糊，它們之間的聯繫沒有被神經科學家們證實和接受。顯然，佛洛伊德精神分析學和神經科學是西方文化中兩個不同的流派。

不過，喬伊絲補充說，這兩個流派之間有一些共同的地方，它們都對人類行為和心智的模式提出了各自的解釋。

A：現代人會認為神經科學的研究更科學一些，因為更客觀，有更多更詳細的觀察數據，更複雜的實驗。

B：但是喬伊絲指出了佛洛伊德精神分析的臨床實用意義，以及在人類認識自身方面的歷史性作用。她引用了佛洛伊德的話：「我們並非我們自身的主人。我們以為我們知道我們為什麼做我們所做的事，我們以為我們知道我們是什麼人，知道我們自己的感覺，可是實際上我們知道得很少，我們只看到了冰山的尖頂。」

達賴喇嘛問喬伊絲，佛洛伊德精神分析的最終目的是什麼？她答道：是為了發現有關人自身的真相。她在主講以後，趁機向達賴喇嘛提出了一個顯然令她十分好奇的問題，這個問題也是在場的科學家和觀摩者都想知道答案的：在藏傳佛教的哲學中，是否有和佛洛伊德的「潛意識」概念相應的思想？

A：我也想知道達賴喇嘛怎麼回答這個問題。

B：達賴喇嘛說，首先，在藏傳佛教中，我們會談論「顯現」的意識和「潛隱」的意識。此外，我們也談論意識中潛隱的刻痕。這些是由於以前的行為和經驗而存儲在人心智中。在潛隱的意識中，我們還劃分為兩類，一類是可以被外在條件喚醒的，另一類是不能被喚醒的。最後，佛教典籍說到，人在白天的行為和經歷會積累潛在的意識刻痕，這些儲存於心智中的刻痕可能會在夜間的夢中被喚醒而變成顯現的意識。有些潛隱的刻痕會以不同的方式顯現，比如直接影響人的行為，但人卻不能有意識地想起行為的原因。

達賴喇嘛又說在藏傳佛教中，關於這個問題也有不同的觀點。然後達賴喇嘛簡要介紹了古典佛教各流派的不同看法。這方面的豐富知識讓喬伊絲非常感興趣，她承認佛教的知識和佛洛伊德關於記憶和夢的理論一樣非常複雜，她對佛學中關於潛隱的記憶刻痕在人與人之間的傳遞尤其感興趣。她告訴達賴喇嘛，佛洛伊德執迷於意識的傳遞問題，他稱其為意識的系統發生學遺產。他認為胎兒的記憶來自在母胎裡形成的意識印記。也就是說，是母親傳給胎兒的。

達賴喇嘛說，這非常有意思。但是佛洛伊德的意識遺產的概念和藏傳佛教的觀念有一個不同，藏傳佛教認為，兒童的潛隱意識來自於前世的生活。一部非常著名的印度佛教經典說，小牛和其他哺乳動物，一生下來就本能地知道怎樣吃奶，這種知識不需要學習，也不是母親教的，這種知識是來自於前世生活中的意識刻痕。

A：看起來，就科學「典範」的角度而言，佛洛伊德精神分析學相較於當代神經科學的研究，與佛學的意識理論更接近。

B：也許可以這樣說。可能正是由於這個原因，喬伊絲和達賴喇嘛的對話持續了很長時間，討論得很深入。

在喬伊絲主講後的下午，達賴喇嘛為在座科學家們講解了佛教中關於意識層次的理論，和夢觀瑜伽的修行。達賴喇嘛指出，佛學的意識理論是圍繞著「四聖諦」展開的，而這一切都出自於人皆共有的尋求快樂、避免痛苦的動機。

達賴喇嘛解釋了佛學中關於「無我」的觀念，沒有絕對獨立存在的「自我」，以及佛教不同流派對此的不同觀點。然後講解了佛教中特有的關於意識的層次，從粗意識到精微意識，這是一個連續的從粗到細的分類，而最精微的意識就是「明光」。明光被稱為一切意識的基礎。明光的本質即佛教中最重要的概念：空。最後，達賴喇嘛講述了佛學修行中夢觀瑜伽的知識。

A：這次對話還有一個話題是關於死亡。到此為止，死亡還說得很少。

死亡觀

B：五天對話的最後部分探討了死亡，是從「自我」和「意識」的角度來討論的。

查爾斯・泰勒又一次坐到「熱座」上，從哲學史的視角，講述了西方基督教世界的死亡觀。他講到了基督教和上帝的愛，基督教傳統中死亡的地位，西方人對待死亡的態度，現代世俗對待死亡的觀念。這是從哲學的宏觀視野來談論死亡。

UCLA的神經科學家和精神病學家傑羅梅・恩格爾主講昏迷和癲癇病，這是從醫學和病理學的角度來探討意識問題。他講述了西方醫學的死亡定義，腦死亡概念的提出，以及用腦波圖考察癲癇病。在此期間，達賴喇嘛和他討論了器官移植問題，藏醫對癲癇病的認識和醫治，以及藏傳佛教對死亡的定義。

最後，美國人類學家和生態學家喬安・哈利法克斯主講瀕死問題。她從死亡儀式的考古發現談起，說明人類文明對死亡的好奇和認知，瀕死的類型和經歷者的陳述，瀕死經歷的詳細描述和性質。在討論階段，對話參與者談到了唯物論對死亡的認知，而藏傳佛教被公認為對死亡有久遠的認識，特別談到了瀕死階段「明光」的出現。

A：人和所有動物一樣，天生害怕死亡。西方基督教文明相信人有靈魂，死後靈魂進入天堂，天堂是美好的，基督徒的死亡恐懼因此得以減輕。從人類個體心理來說，大概最害怕死亡的是唯物論者。佛教徒則以積極的態度討論死亡，特別是藏傳佛教的轉世觀念，把死亡視為生命輪迴的一部分。

B：這次對話討論瀕死問題，是為了探討人類意識的來龍去脈。這是一個久遠的問題，至今為止科學還回答不了幾乎所有根本性的問題，科學家們只能一次又一次承認「我們還不知道」。但是，對死亡討論得越多，越能克服死亡恐懼。這大概是我們讀瓦瑞拉整理的對話紀錄後的一大收穫。

7 人的利他本性

利他心、慈悲心之研究（一九九五年第五屆心智與生命研討會）

A：一九九五年十月二日－六日，心智與生命研究所在印度達蘭薩拉的達賴喇嘛居所舉行了第五屆研討會。請談談。

B：這次的研討會由威斯康辛大學的心理學和神經病學教授、著名神經科學家理查・戴維森擔任科學協調人，主題是研究利他心、慈悲心的觀念，以及這兩個觀念與當代西方科學的關係。

A：一般認為，慈悲心固然人皆有之，但作為一個理想和人生目標，卻只是典型的佛教概念。

B：參加對話的西方科學家意識到，對當代社會科學和生命科學領域，利他心和慈悲心都有明顯的意義。這次對話就是從多學科、跨專業的視野來討論這個看似是宗教和人文領域的觀念。

A：參加對話的有哪些科學家？

B：對話的科學協調人理查．戴維森和翻譯士登晉巴和艾倫．瓦萊斯都不是第一次參加心智與生命研討會，他們對科學家與達賴喇嘛的對話已經很熟稔。

這次對話的主講者中，有一位是亞利桑那州立大學的南茜．艾森伯格（Nancy Aisenberg），她是心理學教授，在加州大學柏克萊分校獲博士學位後，專門研究人的情緒調節，道德和情緒的發展，人的利他心、同理心，情緒調節的社會化和社會文化因素。

來自康乃爾大學的羅伯特．弗蘭克（Robert Frank）是經濟學家、康乃爾大學管理研究所教授，也為《紐約時報》撰寫「經濟學觀點」專欄，在美國的影響力很大。他提出了一些很有意思的理論。在眾多經濟學論文和經濟學專著中，他討論了情緒在決策和人際互動中的作用，諸如愛、憤怒、嫉妒等情緒在決策中的影響。他對經濟學中著名的「囚徒困境」和合作問題也有引人注目的貢獻。

經濟學通常被外界視為理性而枯燥的社會科學，弗蘭克卻是一個興趣廣泛、注重社會觀察和經驗的經濟學家。他參加達賴喇嘛和科學家的對話，給對話增加不了同的視角和思路。

安妮．哈靈頓（Anne Harrington）是哈佛大學的科學史教授，專攻精神病學、神經科學和其他心智與行為科學的歷史。在哈佛大學，她開設了一些很受歡迎的課程，比如「進化與人類本性」、「瘋狂和醫藥」、「皮膚下面的故事」、「佛洛伊德和美國科學界」、「心智與肉體」、「尋找心智」等等。

艾利歐特・索貝爾（Alliott Sober）是威斯康辛大學的哲學教授，以在生物學哲學和科學哲學方面的著作而聞名。他在哈佛大學取得博士學位，是倫敦經濟學院的經常性訪問教授。他對「智能設計」的批評非常有名，並以一九八四年出版的《選擇的本質：哲學焦點中的進化理論》（*The Nature of Selection: Evolutionary Theory in Philosophical Focus*），在哲學研究領域奠定了生物學哲學的專業地位。

A：在前幾次的心智與生命對話中，科學家們已經積累了對話平臺成功的經驗，其中之一是邀請一位哲學家或科學史專家，從一開始就提供對話會歷史視野和哲學思考。索貝爾將在這次對話中擔起這個責任？

B：是的。主講者還有心理學家歐文・斯達博（Ervin Staub）。他是麻州安赫斯特學院的著名教授，是「和平與暴力的心理學」博士研究計劃創始人。他最著名的著作是有關助人行為和利他心理，以及對群眾性暴力與殺戮行為心理的研究。他生於匈牙利，在史丹佛大學獲得博士學位，後來在哈佛大學任教。他在全世界很多機構進行研究，檢驗他的理論。他在學校研究學生的暴力行為及因應方式，在瑞士的研究試圖改善歐洲人和穆斯林的關係，在盧安達、蒲隆地和剛果促進種族和解及療傷。他在轟動一時的美軍伊拉克虐囚案的法庭上以專家身分作證，在美國和其他國家的很多大學、政府部門和公眾場合演講，介紹他對暴戾行為心理的研究和理論，得過很多獎項。

A：這次對話後，有著作出版嗎？

B：這五天的對話會有錄音和錄影，但科學家們需要時間來重溫和消化，然後才能整理出專著。六年後，二〇〇一年，理查・戴維森和安妮・哈靈頓編輯了《慈悲心的遠景：西方科學家和西藏佛教徒對人類本質的探討》（*Visions of Compassion: Western Scientists and Tibetan Buddhists Examine Human Nature*）。

我們可以透過這本書來了解這次對話。全書分成兩部分，第一部是「歷史學和哲學的背景」，第二部是「對利他、慈悲心及相關行為的社會學、行為學和生物學的探索」。

A：對當代社會來說，這些都是很有意義也很重要的話題。

B：但也是非常困難的話題，跨學科的內容，跨文化的對話，討論在怎樣的深度進行，怎樣克服不同「典範」之間的語言障礙，對參加對話的人都是挑戰。

這兩個部分，各自又分成兩個部分，第一部分是主講或論文，由幾篇單獨的講稿或論文組成，每篇講稿或論文就是一章，講述一個專題。第二部分是對話，根據對話會錄音整理而成。

神經科學家和喇嘛們的科研合作

A：第一章是什麼？

B：第一章就很有意思，介紹了西方神經科學家和藏傳佛教喇嘛們的科研合作計畫。

A：請詳細談談。

B：達賴喇嘛在印度的住地達蘭薩拉是一個海拔近兩千公尺的山鎮，從山鎮往上步行兩小時，在海拔更高的山坡上，散布著一些很小的石頭房子，每個小房子裡住著一名僧侶。這就是僧人們的閉關修行處。達賴喇嘛辦公室為這些修行僧提供一點生活費，流亡藏人也會不時給他們一些供養。他們在這裡閉關修行，有些人已經持續了二十多年。

西方神經科學家很想研究這些修行者的大腦和心智狀態。之前我說過，哈佛大學的神經科學家曾經得到達賴喇嘛的同意，對三位修練拙火瑜伽的僧人進行大腦神經科學方面的測試和研究，主要研究靜坐狀態下，拙火瑜伽修練者依靠心智而導致的身體變化。在一九九〇年的心智與生命研討會上，科學家和達賴喇嘛達成共識，在對話之外，科學家一方還應該展開相應的科研計畫，爭取讓科研計畫和對話互相促進。

佛朗西斯科・瓦瑞拉和理查・戴維森等神經科學家當然對此非常興奮。他們組成了研究團隊，攜帶儀器設備來到達蘭薩拉，在達賴喇嘛的指導和協助下，說服了十個閉關修行的僧人參與研究。這次研究和哈佛大學對拙火瑜伽的研究不同，是測量和研究喇嘛們的四項心理能力：注意力、觀想力、語言處理能力和情緒適應力。西方心理學過去認為，人的心理和行為能力是相對固定的，受遺傳和環境的影響，只能發生有限的改變。而藏傳佛教則相信，人的心智可以透過訓練和鍛鍊改變，高深的修行可以大大改變心理能力，這種改變在西方科學看來是異常的現象。瓦瑞拉和戴維森的研究團隊希望用西方標準的實驗室研究方法來測量修行者的心智變化。

展開這樣的研究並不容易。從上世紀三〇年代開始，就有西方科學家試圖研究冥想修行者的心理生理學變化，但是由於文化、地域和政治的障礙，始終沒有成功。瓦瑞拉和戴維森研究團隊的科研計畫，得到達賴喇嘛的支持，有了良好開端。首先，他們得到了研究對象，也就是研究合作者的配合。僧人們首先要求研究者保證研究計畫出自良好動機，這個計畫的出發點必須是利他，有益於大眾，而不是出於研究者的私利。他們認為，不管是個人的名利還是純科學的利益，都屬私利。由於達賴喇嘛的支持，這一點比較容易過關。

其次，參加研究的僧人關心這項研究對他們長期修行的干擾。為此雙方需要克服很多觀念和交流上的障礙。比如科學家們要測試僧人進入冥想後的大腦狀態，而僧人則認為冥想修行的效果是長期積累漸漸形成的。另外，測試時環境的改變也是一個需要考慮的因素，為此，科學家們攜帶儀器設備到高海拔的閉關修行場所進行測試。

這個研究計畫要回答一個問題：心智是否可塑？利他心、同情心、慈悲心是否可能透過修行而培養，如果可能，這種心智變化的生理基礎是什麼？這次對話也有助於科學家和喇嘛理解科研計畫的意義和可行性。

西方科學和慈悲心

A：按照前幾屆心智與生命研討會的經驗，每次對話都是由哲學家開場。這次對話也是如此嗎？

B：這次對話略有不同，是由科學史家安妮・哈靈頓開場，題目是科學和慈悲心的關係。第二天才是哲學家艾利歐特・索貝爾主講。

安妮指出，西方科學家和西藏佛教徒在一起討論慈悲心問題，其實是交換雙方對人性本質的理論和觀點。西方有關心智和生命的科學研究很少研究人類愛護和關心他人的能力，而多半關注人類的暴力和毀滅的能力。西方科學經常假設人類「本質上」就傾向暴力和自私。藏傳佛教則相反，認為人類有天生良知，有利他的行為能力，內心深處有慈悲心。很多科學家曾經認為，科學規範本身是道德高尚的，科學理性可以使得人類免於陷入自身的愚昧和自私，促進人類的正當行為。但是納粹德國時期的醫學科學給西方科學界提供了一個實例來質疑這種信念。

安妮說，我們需要向自己提出這樣的問題，有關人類本性的科學理論，和科學對其社會應用的理解，兩者之間到底存在什麼關係？對人類利他行為和慈悲心的科學研究，能不能使得科學更懷有利益眾人的慈悲心？西方科學家和東方佛教的跨文化對話，能夠得到什麼？

A：這是可以稱為「科學倫理學」的問題。對人性本質的看法，西方科學和佛教不同，西方科學家在了解佛教的人性觀以後，必然會用他們的科學思維來檢驗。科學認為人性自私，有一套邏輯可

「證明」人性自私是合理、自然的。佛教認為人性本善，也必須有一套邏輯才能讓科學家接受。

進化中的善良和殘忍

B：哲學家艾利歐特・索貝爾第二天主講的題目就是：生物進化和利他心理是怎樣聯繫起來的？

由於達爾文進化論至今仍然是生物學的標準理論，索貝爾從介紹達爾文進化論講起。一八五九年達爾文出版《物種起源》（*On the Origin of Species*），奠定了以他的名字命名的生物進化論學說。這個學說可以分成兩部分，第一部分是生物樹的假設，即所有生命，只要你往前追溯得夠遠，就都來自共同的起源；第二部分是自然選擇的理論。人們對自然選擇理論的理解，導致人們認為，自私者更有利於自己的生存，因為自私行為使得個體有更大的生存機會，於是自私成為競爭中一種更成功的行為。根據自然選擇的理論，進化使得人類本質自私，因為不自私的人更容易遭到淘汰。

A：「自私的基因」理論認為，生物從基因層次上就是自私的，生物個體的自私行為，源於基因的自私。

B：但是，大自然和人類社會中，利他行為也是一種客觀存在，並沒有完全消失。如果利他行為不利於生存，怎麼會至今沒有徹底淘汰呢？生物進化至今，利他行為是怎樣隨著進化過程而延續到現在的呢？

索貝爾引用了達爾文著作中的一段話，大意是：我們不能忘記，雖然高尚的道德沒有給高尚的人及後代比部落中其他人更大的優勢，但是一群高尚的人的道德提升無疑使他們的部落比別的部落有更多的優勢。

也就是說，單個利他者若處於自私者當中，自我犧牲的行為雖然道德高尚，卻使得自己處於不利的生存狀態，這樣的利他者將漸漸減少而至淘汰；但是利他者若處於一群利他者中間，這一群人將比由自私者組成的人群，具有更多的優勢。

索貝爾分析了利他者在各種生存狀態下的進化模式，以說明利他行為和高尚道德是能夠在進化中存在的，而不是必然被淘汰。

第二天下午討論時，參加對話的科學家更深入探討了「利他」的心理學定義。什麼是「利他」？如果一個人幫助他人純粹是出於自己感覺良好，這樣的「利他」行為是不是出於「自私」的動機？對行為的觀察能不能回答動機是什麼的問題？進化使得父母想要照顧自己的孩子，這種願望是建立在「為了自己」的動機，還是包含著「利他」的動機？

A：這是哲學家和歷史學家的開場。這次對話主要是心理學的探討，那麼心理學家們談了什麼？

B：對話會的第三天是心理學家歐文・斯達博談論利他行為中表現出的責任感的概念，又作為對比討論了群體暴力的現象。歐文不是書齋型的學者，而是積極的社會運動家，他在世界各地考察各種場合的利他互助行為和特殊境遇下的暴力現象，積累了大量的觀察和思考。他主講的第一部分是關於利他行為，講述當他人突然處於疼痛和危險的緊急時刻，周圍的人怎樣表現出試圖提供幫助的行為。

他主講的第二部分是關於暴力，他分析了種族滅絕暴力的根源。他逐一考察了產生大規模群體暴力的社會條件，比如生活條件艱難困苦、貶低其他社會群體價值的文化、產生暴力的心理學過程、施害者暴力增加的進化論理由、旁觀者的作用等等。他在第三部分講述了兒童在家庭和學校的「正面社會化」，對於兒童發展出尊重他人之價值和利他行為的重要性。

A：當今之世，科技的發展也使得戰爭與屠殺的能力大大增強，這些議題確實相當重要。接下來討論的議題是什麼？

B：第四天由心理學家南茜·艾森伯格主講。她的題目是和同理心相關的情緒反應。所謂同理心，即把自己放在他人的位置上，想像自己是他人，在心理學上也稱為移情，或投射。心理學家早就注意到了各種和同理心相關的情緒反應，比如同情心及個人的憂鬱。她探討了同情心和兒童行為之間的關係，兒童家庭環境的作用。

經濟學家談利他行為

A：參加對話的經濟學家羅伯特·弗蘭克主講什麼？

B：弗蘭克主講的題目是「在競爭環境中的利他主義」，他提出的問題非常有意思：利他主義者在競爭環境中能夠生存嗎？

A：我想大家都想知道這個問題的答案。

B：當代西方科學界和社會大眾傾向於相信人是利己的，這種信念並不是在譴責人類自身，而是在面對一個事實，因為在一個競爭的自然和社會裡，利己是生存必須的，所謂「人不為己，天誅地滅」。競爭和選擇無所不在，久而久之人們不得不自私。但是，仍然有人相信人是可能利他的，善良的人會犧牲自己的利益來幫助他人。可是在現實生活中，人們仍然不由自主在利他的行為中尋找自私的動機。而相信人性本善，相信利他也是人類本性的人，經常會被看成是天真而幼稚的人。

A：那麼，作為客觀事實的人類本性是利己還是利他的呢？

B：在現實生活中，我們可以看到普遍存在的利己行為。每個單一的個人，必須保護自己擁有的生活資源、生存空間、社會關係等等賴以生存的一切，現實生活中這一切資源是有限的，因此競爭無法避免，而有競爭就有利己的動機和行為。人們相信即使是生活中的利他行為，背後也有利己的動機。比如西方社會的民間組織，需要人們貢獻自己的時間、精力和金錢來活動。人們發現，積極參與這些組織的人，有很多是諸如牙醫、律師、房地產代理、保險經紀人等，但很少是郵局職員、飛機駕駛員等，前者參與公益活動能擴大人脈，建立良好關係，最終有益於自己的職業，而後者不可能從這些活動中得益。人們由此得出結論，熱心公益組織活動的人也有自私的動機，所以，人性歸根結柢是自私、利己的。

可是，事實上，社會上也有一些完全犧牲自己利益，從中得不到絲毫個人好處的行為，比如西方相當普遍的義務捐血，為白血病人捐出骨髓，更不要說普遍存在的匿名向慈善機構和公益事業捐款。所以說，人性的利他本質也是客觀存在。

我們通常認為，人的自私本性比較容易理解，因為自私行為背後是有邏輯的，利他行為就不那麼容易理解了。經濟學家弗蘭克是研究人類社會行為背後邏輯的專家，他分析了為什麼利他行為和慈悲心也是人類的本性。他的講解採取列舉一個一個「思想實驗」的方法，即假設一種處境，分析這種處境下的眾人有哪些選擇，每一種選擇的可能後果是什麼，行為者對自己的選擇的期望是什麼，然後探討人們會怎樣因應這種處境，這時的行為在多大程度上是利己的，在多大程度上是利他的，從而說明利他或利己行為的「合理性」。他講解了「綁架中的承諾問題」，「做生意的信任問題」，「威懾問題」，「討價還價問題」，「婚姻中的尋找配偶問題」，「偽裝問題」等等假設的例子。他用這一系列假設的問題來說明，利他行為背後其實也有充分的邏輯，利他並不是單純的犧牲。利他行為也能有利於生存，即使行為者本身主觀上並不是為了自己的生存而採取利他行為。

A：在這樣的討論中，達賴喇嘛提供了什麼觀念？

B：利他心和慈悲心是佛教的核心概念，所以，對於西方科學家提出的觀點，佛教幾乎都有與其「平行」的思想。「平行」的意思是，有時候佛教的看法和西方科學家一致，有時候相反。達賴喇嘛在討論中一再表達了這樣的信念：慈悲心是人類的一種根本人性。

8 新物理學和宇宙學

人對外界自然本質的認識（一九九七年第六屆心智與生命研討會）

A：一九九七年十月二十七日－三十一日，在印度達蘭薩拉的達賴喇嘛住所，舉行了心智與生命第六屆研討會。這次對話和第五屆對話隔了兩年。這是一次怎樣的對話？

B：這次對話的主題是「新物理學和宇宙學」。前幾次對話都是與心理學和神經科學領域的對話，討論的是人對自身本質的認識，而這一次對話是與當代物理學的對話，討論的是人對外界自然本質的認識。

A：這是兩個很不一樣的科學領域，參加討論的應該是另一批科學家了。

B：是的。這次對話會的科學協調人是安赫斯特學院的物理學教授阿瑟・查恩茨（Arthur

Zajonc）。從他的姓氏可以看出，他是來自於東歐的猶太人家庭。

查恩茨是物理學家，專業是天體物理學，在歐美多個著名學府和研究機構參與研究，在安赫斯特學院擔任過幾任物理系主任。他不僅是聲名卓著的科學家，也對人文學科深感興趣，特別是對心智與生命領域的神秘現象懷著強烈的探索願望。在這方面，他很像引領達賴喇嘛進入西方現代科學的物理學家戴維・鮑姆。少年時代的鮑姆在黃昏時分站在山頂看著城市的燈光，從一片燈光中感受到了大自然的神秘，由此開始了畢生對世界本質的追問。而查恩茨在一九九五年出版的著作也名為《捕光：光與心智交織的歷史》（*Catching the Light: The Entwined History of Light and Mind*）。

A：查恩茨是「心智與生命研究所」的靈魂人物之一，他就是從這時加入對話的？

B：是的。一九九七年的對話會是查恩茨第一次擔任對話協調人，以後他擔任了心智與生命研究所的主任，投入了大量時間和精力促進現代科學和達賴喇嘛的對話。他極具人格魅力，說話輕聲細語但邏輯嚴謹，表達清晰。他在達賴喇嘛面前表現出的謙卑和達賴喇嘛對他的敬重，是非常感人的景象。

除了查恩茨外，另外還有四位物理學家參加對話，這是一個令人印象深刻的物理學家陣容。

安東・翟林格（Anton Zeilinger）是奧地利因斯布魯克大學的物理學教授，是世界聞名的量子物理學家，他在二〇〇八年獲得了英國物理學界的牛頓獎章，表彰他在量子物理學基礎理論和實驗的開拓性貢獻，他的成就成為現在迅速發展中的量子資訊學領域的奠基石。翟林格得過很多重要的國際科學獎，獎項可以列成長長的一張表。二〇〇五年，他被英國政論雜誌《新政治家》（*New*

Statesman）選為「十個可能改變世界的人」之一，而且同時被七個國家的科學院聘為研究員。

參加對話的另一位物理學家是喬治亞理工學院的戴維・芬克爾斯坦（David Ritz Finkelstein）。他一九二九年出生於紐約的猶太人家庭，在MIT獲得博士學位。他主要研究時空結構的量子理論，在宇宙學研究領域有過重要發現。

皮埃特・哈特（Piet Hut）是普林斯頓大學的天體物理學家。他是荷蘭人，在荷蘭取得物理學博士和天體物理學博士，在普林斯頓大學主持跨學科研究計畫。有一顆行星「皮埃特・哈特」即以他的名字命名，表彰他在行星動力學方面的研究，以及他發起的預防小行星碰撞地球的研究計劃。他的跨學科研究涉及廣泛的自然科學領域，包括計算機科學、認知心理學和哲學。他是國際天體物理學界相當有名的科學家。

身為卓有成就的天體物理學家，哈特的跨學科研究成就斐然，其中最為人知的是巴恩斯－哈特模擬算法，這一計算機算法大大提高了大數量星體引力運動的計算速度，使得電腦可以計算和處理星系之間碰撞的問題。

最後，喬治・格林斯坦（George Greenstein）是安赫斯特學院的天文學教授。

A：按照前幾屆心智與生命對話的習慣，每次都會由一位哲學家或科學史家參與。這次出場的是哪位哲學家？

B：這次參與對話的物理學家和天文學家將要探討的時空本質也是哲學問題。在對話中，哲學家是不可或缺的。這次參與對話的哲學家是哈佛大學中國歷史和哲學教授杜維明。杜維明是華人學者，查恩茨認為，有一位華人哲學家和史學家參與對話，有著特別的意義。

根據這次對話的錄音，查恩茨在二〇〇四年編輯出版了專著《新物理學和宇宙學——與達賴喇嘛的對話》（*The New Physics and Cosmology: Dialogues with the Dalai Lama*）。

新物理學「新」在哪裡？

A：這次對話的主題是新物理學和宇宙學。所謂「新物理學」的「新」指的是什麼？

B：查恩茨是一位具有歷史感的物理學家。他說，新物理學和宇宙學是指二十世紀發展起來的物理學。從二十世紀初開始，物理學產生了重要的變化，這些變化最終導致人類必須改變對我們身處的宇宙的理解，從根本上顛覆物理學家們從十九世紀繼承的幾乎所有經典科學概念。

二十世紀之前的三、四百年，是西方科學取得傲人成就的時代，出現了許多科學巨人，諸如伽利略、牛頓、哥白尼、克卜勒、法拉第、馬克斯韋爾等等。他們的時代被稱為「科學革命」的時代。與之前中世紀和古代的「自然哲學家」不同，他們建立起一整套從實驗、系統觀察、理論模式和預測，到最終用實驗觀察加以驗證的科學規範。這套規範使得科學發現不僅具有令人讚嘆的預測能力，還具有技術應用的可能性。牛頓的動力學理論應用於複雜的天體現象，能夠用地球上物體

達賴喇嘛和阿瑟・查恩茨

運動的規律來解釋星球的運動，做到了古代希臘哲學家認為不可能實現的事。光學和電磁理論相結合，對電和磁的作用力發展出場的理論，甚至運用到引力場。到十九世紀末，西方物理學達到如此「完美」的境地，那是一個結構複雜精細但邏輯嚴密的知識體系，幾乎看不出有什麼缺陷和疑問。英國數學物理學家克爾文爵士（Lord Kelvin）說了一句後來被人引用了無數遍的話，他說，整個宇宙都已經被人類的科學看透了，剩下一些無足輕重的細節有待探索，只是在地平線上還有兩片疑雲。這兩片疑雲，其中之一是當時的科學家透過實驗沒有發現宇宙空間中存在的「以太」，另一片疑雲是沒有發現理論預測的物質在高溫下釋放的光譜。

這兩片似乎無關緊要的疑雲，其實隱含著十九世紀末物理學知識體系的嚴重危機。二十世紀初的物理學家已經明白，科學知識體系必須合乎邏輯，理論必須接受實驗觀察的檢驗。如果實驗不能證明理論所作出的預言，那麼理論和觀察兩者之間必定有一個有問題。科學家很快就意識到，這兩片疑雲意味著整個物理學的致命問題。從第一片疑雲中產生出愛因斯坦的相對論，第二片疑雲催生出量子力學。

在二十世紀前的三百多年間，由於經典物理學和宇宙學的輝煌成就，使得物理學理論的機械論和唯物論思想方法統治了西方思想界，人文領域和哲學深受物理學的影響，笛卡兒、康德、洛克等大思想家都受到物理學方法的影響。涉及生命的學科也在力求如物理學般的肯定和精確，遺傳學、進化論、細胞生物學逐漸替代「自然歷史學」和「有機整體生物學」。心智和意識，傳統上被認為是精神或靈性的表現，漸漸也被認為是機械宇宙的一部分。到二十世紀初，物理學的思想觀念已經成功占領了周邊的科學領域，開始進入有關心智的領域。物理學的機械論「典範」和它的唯物論開始統治西方思想界。

但是，二十世紀開始，量子力學理論和相對論的建立，從根本上改變了人類的宇宙概念。新的觀念與經典物理學和宇宙學的理解完全不同。查恩茨說，我們現在仍然在為理解其涵義而苦苦掙扎。物理學和宇宙學的新理論顛覆了以往對物質的簡單機械論認識，世界不再是我們從前輩科學家學到的情景。更重要的是，量子理論和相對論都給予觀察者以一種前所未有的地位。這些科學發展的意義非常重要，它改變了人類的時空觀念、對物質之本質，以及對宇宙演化的認識。

A：也就是說，當代物理學和宇宙學的意義還有很多有待釐清的問題，這是當代科學中最尖端的領域，只有經過長期專門訓練的專業科學家才有能力深入其中。不過，既然連人類中極少數的物理學家和宇宙學家還在為他們的理論「苦苦掙扎」，像查恩茨、翟林格這些著名物理學家為什麼要和達賴喇嘛討論現代物理學呢？而且這次對話排出了如此令人肅然起敬的科學家陣容，科學家為什麼對和達賴喇嘛對話那麼熱心？

物理學家為什麼來達蘭薩拉？

B：這是很有意思的問題。當然，並非所有科學家都對這樣的對話感興趣，這涉及科學家本人對本學科的認識、對哲學和文化問題的興趣，甚至個人的性格。但是可以肯定的是，參加對話的科學家是懷著極大的熱情和期待來達蘭薩拉的。那時從印度首都新德里到達蘭薩拉的道路條件還很差，通常需要火車轉汽車，或者從德里坐一整天汽車。對話會持續五天，達蘭薩拉的各方面條件比歐美要差得多。

科學協調人查恩茨對此作了一番解釋。他說，達賴喇嘛是藏民族的精神領袖，在藏傳佛教複雜的哲學、認識論和形而上學方面受過長期嚴格的訓練，熟知浩瀚的佛學經典，是能夠向西方科學家展現歷史悠久的東方智慧的最佳人選。參加對話的科學家非常急切地想向達賴喇嘛解釋現代物理學革命的理論和發現，和他一起分析其中的哲學意義。雖然佛教沒有現代科學理論要求的實驗能力，但是佛教持續千年一直在探討物質的根本性質，也探討心智的本質，佛學深刻地思索著有關經驗、干擾、因果等對象，討論我們頭腦中的概念和理論的作用是什麼。物理世界的漫長歷史也是佛學探討的對象，有意思的是，佛學由此得出的有些觀點非常接近今天宇宙學的理論。

這次對話將有世界一流的現代物理學家和宇宙學家講解新物理學和宇宙學，並聽到達賴喇嘛的思考和評論。科學家們立即發現，儘管達賴喇嘛沒有受過正規的物理學教育，卻是一位出色的學生。他不僅能夠跟上科學家們專業的講解，而且能預測科學家的下一步講解方向，往往提出十分中肯的問題。

這五天的對話會，每天上午由一位科學家擔任主講，解釋量子力學、相對論和當代宇宙學的重要發現。在這過程中，達賴喇嘛會不時提出問題，要求更具體的解釋。下午是討論時間，科學家和達賴喇嘛一起探討上午主講內容中的哲學意義。在討論的過程中，哲學家和亞洲歷史學家杜維明協助科學家理解東方文化，有如東西方文化交流的橋梁。

A：前幾次對話的主題集中在心智科學和生命科學，相較之下，這次以現代物理學和宇宙學為內容的對話，雙方必須克服更大的科學「典範」差異。現代物理學和宇宙學成為當代最尖端的學科，涉及非常複雜的數學工具，即使是現代西方理工科大學的學生，對量子力學和相對論的了解也有限。有人甚至認為，離開了作為工作語言的數學工具，現代物理學就無法理解，也無法討論。達賴喇嘛沒有受過數學方面的教育，他怎麼和現代物理學家對話呢？

B：在很大程度上，這取決於科學家們對談話的期待。這些科學家迫切地想好好理解現代物理學所呈現的似是而非的矛盾結論，理解那些經典物理學視為荒謬的發現。他們想要透過達賴喇嘛了解古代佛教大師們對物理時空的思辨，進而從中獲得靈感和新的思維方式。為此他們必須讓達賴喇嘛了解他們的理論和發現。在自然科學上，知識淵博而透徹的大師往往有能力以深入淺出的方式向一般人講解高深玄奧的知識。這些參加對話的科學家就是這樣的人，而達賴喇嘛經過長年修行，專注力很強，能夠長時間高強度用腦，跟著科學家的講解走，而且不斷提出問題。

達賴喇嘛在開幕致辭時說，在佛教中，尤其是大乘佛教中，有一個基本態度就是你應該保持懷疑，即使是佛陀本人的話，你也最好是抱持懷疑態度。因為懷疑的態度會帶來疑問，疑問需要答案，需要做研究。所以，佛教更依賴於研究而不是依賴信仰。達賴喇嘛說，這個態度對於和科學家對話非常有幫助。

由於達賴喇嘛和科學家都認同這種態度，所以對話是在一種互相敬重，尊重科學、尊重客觀事實的原則下進行。科學家們希望把西方科學最傲人的成就帶到藏傳佛教面前，和佛學的哲學洞察力、精細的思維方式結合起來，能夠對至今仍然難以理解和把握的現代物理學難題有所啟發。對話的雙方都沒有指望這次對話最終能解決問題，只希望能透過對話好好認識現代物理學的問題。正像杜維明在對話開始時說的，這是科學家和達賴喇嘛的一次科研合作。

A：以前幾次對話都是哲學家開場，這一次呢？

B：這一次的物理學家和宇宙學家都是帶著哲學問題來對話的，五天對話都是科學家主講，哲學家杜維明在整個過程中經常插話解釋，協助雙方相互理解。

第一天開場的是著名奧地利實驗物理學家安東・翟林格，他向達賴喇嘛介紹量子力學的基本理論和特點。翟林格是當代量子力學實驗領域最傑出的專家之一，他最著名的是關於量子遠距離傳輸（teleportation）的開拓性實驗，即一個量子狀態會在遠距離外出現另一個同樣的量子狀態。為了給達賴喇嘛講解量子力學，他把自己實驗室裡幾套精巧而微型的實驗設備帶到了達蘭薩拉，向達賴喇嘛示範說明量子力學核心的神秘之處。

A：這是什麼樣的神秘？

光的波粒二象性

B：光的波粒二象性是量子力學中一個著名的神秘性質。光是什麼？經典物理學家早就知道，光是一種物質。光是一種什麼樣的物質呢？量子力學提供的答案卻讓人大惑不解。光是一種粒子，

安東 · 翟林格和達賴喇嘛（2012 年）

稱為光子，是一種非常微小的粒子。但是，量子力學又發現光是一種電磁波，是變化著的電場和變化著的磁場交替產生的一種波動。

翟林格帶來了一個小巧的儀器，一個微型的雙縫實驗儀器，這個實驗在一八〇二年就由一位英國醫師托馬斯・楊觀察到了。當一束光線通過平板上的兩條平行窄縫，就變成兩束平行的光線，這兩束光線到達另外一塊平板，在這平板上出現了明暗相間的條紋。這種明暗條紋稱為「干涉條紋」，是兩束光線互相干涉而形成的，這是任何波都特有的性質，只有波才有干涉條紋，而凡是出現干涉條紋的東西，就一定是一種波。

A：是的，現在的理工科大學生都學過這些物理學知識。

B：但是，科學家又發現，光線照射金屬後，有時候能觀察到電流出現，而電流是另一種物質，稱為電子。一百年後，一九〇五年，愛因斯坦對這個現象作出了解釋，他證明光是一種粒子，這種粒子高速打擊金屬板，把金屬中的電子撞擊出來。愛因斯坦不僅描述了這種景象，而且能做出定量的預測，比如計算出電子受光子撞擊後的運動速度。愛因斯坦就是由於這個發現而獲得諾貝爾物理學獎。

翟林格還帶來了另一個實驗儀器，一個光子探測儀，一個小箱子裡有一塊金屬板，光線從箱子上的小孔射入箱子，打擊金屬板。每次一個光子打擊金屬板，有個喇叭就會發出一個輕微的聲音。翟林格向達賴喇嘛示範了這個實驗，說明光是一種粒子。

示範了這兩個實驗後，翟林格說，這是物理學中一個饒有意味的情況，我們對光的理解出現了兩個景象，一種景象是波，另一種景象是粒子。這兩個景象是矛盾的。物理學家在很長時間裡想理解這兩個不同的景象。

A：就是想把這兩種景象合為一個景象，因為邏輯告訴我們，一樣東西只可能有一個景象，你要嘛是這樣，要嘛是那樣，不能同時是這樣又是那樣。

B：是的。翟林格說，物理學家無法把兩個景象合併成一個景象，於是只能放棄任何景象。因為兩個景象互相衝突但是又都有實驗的驗證，科學家們最後只能描述現象，描述到一定程度，而不再努力要用一種景象來描述光。

達賴喇嘛向翟林格提出了一系列挑戰性的問題，為什麼光既是波又是粒子的兩種景象不能並列？翟林格又做了一次實驗示範，將雙縫實驗和光子探測儀結合起來，單個光子在穿過雙縫以後被光子探測儀捕捉到。被捕捉到的光子，是穿過了雙縫中的哪一條縫呢？這是量子力學的又一個神秘問題。

達賴喇嘛說，一束光也可能是由很多光子組成，波也可能是由很多粒子的運動形成，這不是解釋了上面的問題了嗎？

翟林格回答說，在實驗室裡，我們可以做到每次只送出一個光子，然後送出第二個，一個一個送，依次送出成千上萬個光子，這些光子仍然能顯示出干涉圖像，證明它是一種波。可是你卻不能說，單個光子是從哪個窄縫裡穿過，因為干涉圖像必須是穿過了兩個窄縫的波互相干涉才能形成的。也就是說，如果把它看成粒子，它只能穿過一個窄縫；如果看成波，它能同時穿過兩個窄縫。

於是，翟林格指出了量子物理學的一個關鍵悖論：當光穿過空間時，它看起來像是一種波；當光被捕捉到時，它又像是粒子。這兩種景象在一定條件下都是成立、有用的。可是當現代物理學用單個光子來做實驗時，我們就遇到了解釋的悖論，兩種景象都無法成立了。

A：事實上，兩種景象都存在，取決於用什麼實驗來觀察光。

量子力學中觀察者的作用

B：是的，這正是丹麥物理學家尼爾斯・波耳（Niels Henrik David Bohr, 1885-1962）定義光的波粒二象性的思想。波耳認為光的這兩種景象是「互補」的，你用不同的設備來觀察光，就會得到不同的景象。光是粒子還是波，這時是由觀察者的方法來決定。也就是說，觀察者對自然有很強的影響，這完全超出了經典物理學認為自然是一種客觀實在，完全獨立於觀察者，其本質和觀察者無關的觀念。

達賴喇嘛和翟林格討論了觀察者的方法在什麼程度上能決定一種物理現象呈現的景象，最後他們得出結論，所有的波現象，不管是聲波還是光波，都伴隨著粒子的效應，同樣，所有的粒子（電子、原子、分子等等）也都顯示出波的效應。事實上並非只有微小的粒子才有波粒二象性，這種二象性沒有體積的限制。當物體較大時，波的效應變小，但是只要有周全的實驗方法，這種波效應就能夠觀察到。也就是說，物理學家現在相信，整個世界徹頭徹尾是量子力學的。

A：量子力學還有什麼神秘的難解問題？

量子力學中的隨機性

B：翟林格提出了又一個量子物理學的重要問題，即隨機性問題。這是一個什麼問題呢？他解釋了量子物理學和經典物理學在這個問題上的基本差異。

他以擲骰子為例。每次擲一個骰子，骰子落下，你得到一個數字。這是什麼數字，你事先不知道，也不知道為什麼這次得到的是這個數字。但是在經典物理學中，你為什麼得到這個數字而不是那個數字卻有確定的原因，你擲出時用的力、擲出的角度，乃至於當時的空氣阻力等等，所以最終骰子落下是這個數字。因為你沒有這些因素的足夠訊息，所以主觀上你不知道結果，但是你知道必定是這一系列條件決定了這個結果，因此出現了這個數字。你可以清晰地想像骰子的運動過程，你有一個景象來解釋結果。每次擲骰子得到的數字是隨機的，在經典物理學中被稱為主觀隨機性，也就是說你作為一個主體，這個數字對你來說是隨機的，這只是因為你不知道所有決定這個數字的因素。

但是量子力學對隨機事件的解釋卻不同，即所謂客觀隨機性。數字的隨機性不僅是因為實驗者主觀上不知道，骰子自身也不知道為什麼出現這個數字。如果有一個上帝，上帝也不知道。這是物理學史上第一次提出，對單一事件無法建立一個推導鏈。

達賴喇嘛問道，隨機性的定義是否就是說，結果不呈現一個模式（pattern）？

翟林格回答，是的，但這只對單一事件而言，如果你一遍一遍重複，在積累了足夠多的數據後，模式就出現了。這是一個悖論。總體的模式是有的，但是其中任何一個單一事件都是隨機的。

達賴喇嘛再問，是不是說單一事件真的是隨機的，但積累多了以後，因果關係就出現了，你也可以作出解釋了？

翟林格回答說，是的，但是不能進行精確的解釋，因為單一事件的隨機性，我們無法精確預言總體模式，我們只能大概地預言。數量越多，預言越精準。

達賴喇嘛對量子物理學提出的隨機性問題非常感興趣。在經過一番討論後，翟林格轉向一個更複雜、涉及兩個以上粒子的問題。為此，他先解釋了波的震動方向，說光波和水波一樣，都是橫向波。然後他拿出了一塊偏振片，指出只有某個震動方向的光波能夠透過這塊偏振片。他拿出一個有兩片偏振片和一個激光發射器的裝置，當這兩片偏振片的偏振方向平行時，激光能夠透過兩片偏振片，但是如果轉動第二片，使得它的偏振方向和第一片不一致，則同樣的激光穿過第一片後，不能穿過第二片。

A：這個只有上過物理課的人能理解了。偏振片就相當於一個有方向性的網篩，只有某個符合一定方向的波能透過這個網篩。激光是一種單一振動方向的光波，這一振動方向符合偏振片的方向，它就能透過，否則就被擋住。

B：對。在做了這一番示範後，翟林格請達賴喇嘛跟他一起做一個思想實驗。他說，思想實驗在二十世紀物理學有其重要作用，因為相對論和量子力學剛開始時顯得很奇怪，人們都不知道怎麼用實驗來驗證。他要解釋的這個實驗是愛因斯坦在一九三五年的論文中提出的。

翟林格解釋的思想實驗說明了量子力學的另一個問題，即非定域性問題。從同一個光源向不同方向釋放的兩個光子，在通過遠遠分開的兩個不同偏振片時，表現出的性質證明雖然單個光子性質是隨機的，卻和遠處的另一個光子相關。這一現象應該怎麼理解呢？打個比方就是，你在這裡擲骰子，你的朋友在遠處同時擲骰子，雖然每次都是隨機的，兩人在不同地方卻每次都擲出同樣的數字。這兩個單一的隨機事件是相關的（dependent）。

達賴喇嘛問，你這裡說的相關，這裡發生的事情和那裡發生的事情相關連，是不是因果意義上的相關？

翟林格回答說這是一個很深的問題，我們至今仍然在爭論。有些人試圖建立因果模式來解釋這種現象。我個人認為這不是因果關係，但可能只是我個人偏好這個解釋。

達賴喇嘛問，是不是現代物理學一般來說不接受同時因果性？

翟林格回答說，是的，這一點愛因斯坦說得最清楚。他又解釋說，上述兩個粒子的非定域性相連使得量子物理學家們相信，在某種條件下，兩個粒子即使分隔遙遠，仍然是處於同一系統中。在深層的意義上，它們並沒有真正分開。這好像非常奇怪，但是，如果我們考慮三個粒子，那就顯得更奇怪。我們可以考慮更多的粒子，無窮無盡多的粒子。

A：量子物理學所認識的「實在」，不同於經典物理學。這就是所謂「新物理學」之「新」。這些從我們日常經驗來說幾乎是匪夷所思的物理發現，其哲學意義是什麼？

量子物理學的哲學意義

B：下午的討論就集中在翟林格所說的量子物理學發現的哲學意義。查恩茨先請杜維明談他對量子力學的客觀隨機性問題。

杜維明說，初次聽到客觀隨機性時，他的直覺是希望那不是真的。他希望隨機性只是我們知識發展過程中的一個階段，最終我們會得到更好的有關世界本質的知識，那時隨機性就消失了。他說，看到翟林格的實驗後，他想到量子物理學的發現對我們理解世界的知識是一種補充。

A：是的，我們都本能地不喜歡世界是隨機的。一個隨機性世界讓我們無所適從。

B：杜維明說，道家有一個經典思想，以語言為工具來捕捉意義。他說，用語言來理解意義，就像用漁網來捕魚。漁網並不是魚，但是，沒有經過專業訓練的人卻往往會把漁網和魚混淆，把語言、詞彙當成了意義。你用捕魚的工具規定了魚是什麼東西，這樣使用工具其實是本末倒置。可是不使用漁網就沒法捕到魚。這是我們手裡唯一的工具，我們為了捕到魚必須使用漁網，於是工具成為我們所做的事情的一部分，語言成為我們企圖掌握的意義的一部分。不管我們怎樣聰明地使用語言，我們最後捕捉到的意義必定受我們使用的語言的限制和影響。

A：這在中文裡更明顯。現代科學的體系和知識基本上是泊來品，我們的科學知識和哲學知識，科研系統和公共教育，目前都是按照西方模式翻譯模仿的，但是我們使用的是正宗的中文方塊字。方塊字是象形文字，是一幅畫，每個字有自身的意思。幾個自身有意思的方塊字組合成詞，規定了新的意思，但是原有的方塊字的意義會頑強地表現出來，所謂「顧名思義」是很難完全消除的。日文為了更準確拷貝西方詞彙的意義，他們翻譯時，大量使用音譯的片假名，而不是在原有的日文中發明新詞來對應西方詞彙。

B：中文在早期翻譯西方書籍時，從日文轉譯，已經採納了大量日文發明的詞彙，但是我們從來不喜歡大量音譯，也許是因為中文沒有類似日文片假名那樣的音譯工具，我們不喜歡清一色方塊字中夾雜其他東西，所以即使是音譯，也要採用方塊字來模仿發音。不管捕什麼魚，我們傾向於用中文方塊字這一種漁網。

A：這就使得我們在理解外來思想時，頑強地用中文原有的意義去套，但是當有些概念找不到合適的中文詞時，就只能勉強選一個現成的詞。現在我們談論達賴喇嘛和科學家對話，我們使用的「心智」（mind）和「靈性」（spirituality）這兩個詞就有點勉強。一千多年前佛經大量從印度翻譯到中土的時候，很多佛教概念找不到合適的詞，只能用方塊字音譯梵文原詞，比如把Prajna音譯為「般若」。好在「般若」這兩個漢字放在一起看上去莫名其妙，無法「顧名思義」。「色不異空，空不異色」這樣的意譯，就很容易產生錯誤的理解。事實上，這也是佛經中常常被人誤解的重要概念之一。

杜維明一開始就指出這個漁網和魚的問題，很有意思。這是不是和他是華人，第一語言是中文有關？

B：我想他至少比其他西方科學家更深切感受到了語言的作用。語言是漁網，但是很容易被使用漁網的人誤以為就是魚。

A：這也就是東土禪宗「不立文字」的本意吧。可是，我們畢竟要透過語言才能溝通，因此又只好「不離文字」，所以禪宗有很多看來莫名其妙的「公案」，試圖以此打破學人習慣性對語言的執著和謬誤，來「直指人心」。

B：杜維明說，量子物理學和經典物理學對「實在之本質」解釋的不同，發生在三個層面上，第一是觀察者的層面，即人的主觀層面；第二是工具的層面，即用於描述和理解的語言層面；第三是我們試圖理解和概念化的客觀現象層面。他在冗長的分析後總結說，在這三個層面中，工具層面最關鍵。

然後科學家們也希望聽到達賴喇嘛的評論。達賴喇嘛和科學家們一起討論了量子力學中的「參與性觀察」，即觀察者本身成為被觀察現象的一部分，影響了觀察到的結果，這一觀念和佛教中「緣起」的思想是什麼關係。

A：現代物理學的哲學意義中，另一個特別具有衝擊力的是時空觀念。

量子物理學的時間和空間

B：第二天坐在「熱座」擔任主講的是物理學家戴維・芬克爾斯坦。和實驗物理學家翟林格不同，芬克爾斯坦是理論物理學家，他的工具是大腦和紙上的數學推導。他的講解涉及抽象的概念和推導，有時候相當複雜費解，即使是在座的物理學家也感覺吃力。有時候他不得不使用數學方式表達，這對於科學家不成問題，反而容易理解，但是他的講解對象是達賴喇嘛，使用數學只能點到為止。達賴喇嘛跟著芬克爾斯坦的講解，不時提個問題，有時候他們還會互相開玩笑。芬克爾斯坦在科學家中年齡較大，比達賴喇嘛大六歲。看得出來，達賴喇嘛對他有種特殊的信賴。

現代物理學在二十世紀初期出現了兩個有關相對論的延伸。一個是愛因斯坦的時間與空間的相對論，第二個是海森堡的「非客觀」量子理論及其本體論的相對論。

愛因斯坦的時空物理學焦點是訊號的運動速度。訊息從一個系統傳送到另一個系統的速度是有限的。他推導出了著名的帶有根本性的「孿生子悖論」：一對雙胞胎可以有不同的年齡，取決於他們在空間中的運動速度。也就是說，時間流逝的快慢和空間運動的快慢相關。

海森堡的量子物理學聚焦在實驗者對一個本來是孤立的系統所做的觀察行動。他發現，一個系統有關另一個系統的訊息的完備程度是有限的，這引出了另一個悖論：打開第二條訊息通道會中止第一條通道的訊息流。

量子物理學的上述悖論導致對經典邏輯學的修正。我們都知道亞里士多德的邏輯法則同一律：某物是A或非A，不可能A和非A同時成立。在量子物理學中同一律仍然成立，即要嘛是A或者非A，不可能又是A，又是非A。但是，更複雜一點的邏輯分析，比如：「A和B或非B」，就等於「A和B，或者A和非B」，在經典物理學中是成立的，在量子物理學的預測中卻不再成立了。

身為理論物理學家，芬克爾斯坦要求自己的理論和推導邏輯嚴密，嚴絲合縫，不能有一點馬虎。他的推理是數學的推理，從理論物理學家的數學推理角度來看，推理得到的結論是「自然」

的。他指出，人們普遍用老的經典物理學的本體論詞彙和語言來表述新的量子物理學，這使得量子理論比實際更奇怪。反過來說，如果你有量子力學的語言和術語，拋棄舊的經典物理學的時空觀，那麼量子物理學其實並不是那麼奇怪而難以理解。

A：這正是杜維明指出的，工具層面對於理解新物理學知識的重要性。

B：在第二天下午的討論中，杜維明講解了現代物理學引發的知識主體和客體（knower and known）之間出現的新關係。達賴喇嘛對這個問題也非常感興趣。他們討論了知識和自我教化的關係，以及與人脫離蒙昧的關係。最後達賴喇嘛說，外在知識的發展和人的內在發展之間有肯定的關係。我們顯然需要拓展對外在世界的知識，也需要內在的完善。外在知識的拓展可能是我們內在滿足的一個條件。

A：達賴喇嘛在此引導對話科學家，從關注外在知識轉移到關注知識者自身。

科學知識和人類經驗的關係

B：這正是第三天阿瑟・查恩茨主講的內容。他主講的題目是科學知識和人類經驗之間的關係。他說，二十世紀物理學的發展引起了人類世界觀的若干重大改變，量子力學和相對論的一系列發現顛覆了經典物理學的一部分概念。科學和人類主體是什麼關係，人們以前認為科學不考慮這種問題，但是我們現在要對此提出疑問。在科學中，人類經驗被系統地用規整的抽象理論來代替，這些理論被當成現象背後隱蔽的真實，被當成客觀的存在。

這種理論對自然的系統替換，使得我們在智力和技術上居於自然之上。科學是一種有關客觀實在的知識，人本身是在科學知識之外。查恩茨提出的問題是，是否有可能重新構建科學，使得科學包括主觀經驗？這樣做有什麼好處？

查恩茨是能夠用淺顯的方式講解高深問題的科學家。他往往先講述科學史上人們曾經怎麼認知，然後提出一個問題，再講解科學史上人們為此作出的努力，發現了什麼，留下了什麼疑問，然後進入比較深奧的議題。為了說明科學知識和人類經驗的關係，他帶來了一個稜鏡，為達賴喇嘛示範幾個光學實驗，讓達賴喇嘛看到光線透過稜鏡以後的不同顏色。

達賴喇嘛連連提問，這些顏色是怎麼出現的？顏色在什麼地方，是在物體上還是在光線裡？是否必須穿過稜鏡才會出現這樣的顏色？稜鏡是否必須是三面的？最後問道，這現象是否就是我們在彩虹中看到的同樣現象？

查恩茨回答：是的。他說，「我在此要說明的是，一開始你看到了現象的模式和規律，然後，你要尋找原因。這是科學分析的兩個層面。」

查恩茨隨後又取出一個很小的電燈裝置，電池、燈泡和電線。他讓圍坐在桌邊的科學家們和達賴喇嘛手拉手，在端點由達賴喇嘛和查恩茨分別接觸電燈裝置的兩極而形成回路，電燈就亮了。然後他說，我在此要問的是電是什麼？我們什麼也沒看到、沒摸到，但是電流通過了我們的身體，燈泡亮了。那麼電是什麼呢？

他用這兩個淺顯的例子說明人的經驗和科學發現的關係。然後開始講解現代物理學對物質的發現，他從原子講起，向達賴喇嘛說明了ＩＢＭ實驗室用掃描穿隧顯微鏡得到的單個原子的景象，這讓達賴喇嘛很高興。查恩茨從原子的性質，講到電子和光子。他解釋說，電子有質量，但是沒有體積和形狀。最後他講解日常經驗所不熟悉的基本粒子的性質。

宏觀空間和天體

A：參與這次對話的還有宇宙學家，他們是研究天體和宏觀空間的。他們講了什麼？

B：宇宙學家喬治・格林斯坦在第四天主講宇宙新知，介紹了當代宇宙學的基本概念和發現。

天文學觀測能力的大幅提高，使得現代天文學家能夠看到非常遙遠的地方，也就是從我們的角度來看宇宙邊遠地區，從而能夠研究天體達到前所未有的細節。根據天文學的觀測和理論，很多古老的問題被放入了新的思考框架。這些問題非常引人入勝卻又非常難以回答。比如：宇宙是無限古老的還是有一個開端？宇宙是無限廣大還是有一個邊緣？這些是古老的問題，現代天文學的發現卻使這些問題復活了。各種研究都提出證據，說明在大約一百億到一百五十億年前，發生了一些至關緊要的事件，不過至今還不能肯定這些事件構成了宇宙的起源。同樣，愛因斯坦關於彎曲空間的理論解決了宇宙沒有邊界的矛盾，但是現在又有證據支持一個無窮宇宙的模型。

格林斯坦逐一講解了這些令人興味盎然的問題，介紹了有關大爆炸的理論和宇宙在膨脹的觀察證據。

第四天下午，科學家們和達賴喇嘛討論了宇宙學研究面對的問題，以及佛教對宇宙起源的思想。第五天，天體物理學家皮埃特・哈特講述了他的研究中一些饒有意味的內容。他一開始就拿出了一張報紙，那是九天前，一九九七年十月二十二日的《紐約時報》，那天，這位天體物理學家正在從紐約飛往新德里的飛機上。這張報紙登載了一張照片，那是哈伯望遠鏡拍攝到的宇宙中兩個星系碰撞的圖像。哈特說，多年來他就在研究星系的碰撞問題，他和研究團隊用電腦模擬了星系碰撞的景象。現在看到哈伯望遠鏡捕捉到了外太空真實發生的星系碰撞圖像，使他感到萬分激動。

達賴喇嘛問：兩個星系碰撞時，那些星體是真的互相碰撞了，還是擦身而過、並沒有發生真正的碰撞？

哈特答道：星球並沒有真的互相碰撞，因為它們互相之間都隔著遙遠的空間。與它們之間相隔的空間相比，它們的體積都極小極小，所以兩個星系可以互相穿越而過，並沒有發生真正的碰撞，但是星系還是會變形，因為它們會受到互相之間的引力作用。在星體之間的空間還有巨大的氣體雲，這些氣體雲會發生真正的碰撞。

達賴喇嘛問：它們的運動方向會改變嗎？

哈特回答：如果它們高速運動，在星系互相穿越後，星體可能因為受到引力作用而變慢一點點，但是仍然會繼續運動。

達賴喇嘛問他星體的運動會發生什麼變化？哈特解釋說，如果我們要知道它們互相穿越後的狀況，我們必須等待幾億年，可是我們大多數人沒有這個耐心，所以我們就去問電腦，星系碰撞後發生了什麼狀況。於是，哈特向達賴喇嘛介紹了他本人最為人所知的電腦模擬星體碰撞研究。哈特在大螢幕上逐一播放了由世界上最快的電腦為模擬碰撞而產生的圖像，這些圖像極為壯觀，有一種特殊、震撼人心的力量。播完後，在場的人情不自禁的鼓起掌來。哈特告訴達賴喇嘛，這些圖像模擬了四億年中發生的變化。

達賴喇嘛問，這個模擬需要數學計算嗎？或者是純粹的想像？

哈特回答，這涉及大量計算。每一步模擬上百萬年，我們計算了每個空間點承受的其他點的引力作用，這個模擬有一萬個空間點，每一步我們需要計算一億個作用力。

達賴喇嘛評論說，從佛教認識論的角度，我不知道這樣的模擬能不能作為一個真正的參考。可以作為真正的參考的是建立在理性基礎上的真實知識，然後你可以非常有信心事情將以極高的概率如此發生。你的模擬是這樣嗎？

哈特回答說，我能說這個模擬是最佳的近似，但不能保證所有的細節。其中有一些氣體雲和磁場等，我們還不甚了解。

A：這五天對話非常難得，由世界級的實驗物理學家、理論物理學家和宇宙學家、東方文化哲學家，和一位沒有經過現代學校教育的佛教高僧，一起討論當代物理學和面臨的困惑。科學家們對此感覺如何？

兩大心智傳統認識論的比較（一九九八年第七屆心智與生命研討會）

B：對話將近結束時，翟林格向達賴喇嘛發出了邀請。他說，這次對話他獲益匪淺，但是有很多實驗他無法在達蘭薩拉為達賴喇嘛示範，這些實驗需要昂貴而龐大的設備，只能在奧地利因斯布魯克大學的實驗室裡才能做。他想邀請達賴喇嘛於合適時間訪問他的實驗室，他可以為達賴喇嘛示範現代物理學中一些重要的實驗，在實驗室裡和達賴喇嘛再舉行一次對話。

第二年，一九九八年六月十五日－二十二日，達賴喇嘛訪問了因斯布魯克大學的實驗物理學研究所，這是心智與生命對話平臺的第七次對話。這次對話的科學協調人是實驗室的主人翟林格本人，陪同達賴喇嘛訪問的只有一位科學家阿瑟・查恩茨，翻譯仍然是土登晉巴和艾倫・瓦萊斯。

這次訪問和對話的目的，是比較兩大心智傳統的認識論：即以現代量子物理學為極至的西方科學認識論，和以藏傳佛教為代表的東方文化認識論。翟林格為達賴喇嘛解說了他實驗室的一些重要實驗，包括量子力學的非定域性、光的波粒二象性、光子的遠距離傳輸等。圍繞著這些實驗，他們討論了一些有趣的認識論問題：在科學實驗中，觀察者的作用是什麼？意識的作用是什麼？我們對世界的解釋有最終的限度嗎？在自然科學中，認知和經驗的基礎是什麼？

心智與生命研究所在之後幾年裡，還要舉行以現代物理學為核心內容的對話會，讓西方科學家有機會和達賴喇嘛一起探討實在的本質。四年後，二〇〇二年的第十次對話，即第六次和第七次對話的繼續。

9 怎樣克服破壞性情緒？

意識和情緒的探索（二〇〇〇年第八屆心智與生命研討會）

A：請談談第八屆心智與生命研討會吧。

B：第八屆心智與生命研討會於二〇〇〇年三月二十日－二十四日在印度達蘭薩拉舉行。這次對話的科學協調人是《紐約時報》科普撰稿人丹尼爾・高曼，他參加過第三屆心智與生命研討會並且將內容編輯成書出版。

參加這次對話的有神經科學家、心智與生命科學對話的創始人佛朗西斯科・瓦瑞拉，著名神經科學家理查・戴維森，他們都不是第一次參加。

這次的新參加者有加州大學舊金山醫學院的精神病學教授和人際互動實驗室主任保羅・艾克

曼（Paul Ekman），他是研究情緒和面部表情的開拓者，記錄和分析了一萬多個面部表情，從表情探測人的情緒，被譽為「世界上最好的測謊儀」。他在二十世紀被人引用最多的一百位心理學家中排名第五十九名。

艾克曼比達賴喇嘛大一歲，出生於猶太人家庭。他的姐姐是精神分析心理學家，他也想成為心理治療醫師，但在十四歲時，因母親得了嚴重的精神疾病，並造成悲劇性的結果，於是決定畢生以幫助他母親這樣的人為業。他顯然是很有天賦的人，十五歲中學沒畢業就進了芝加哥大學，三年就畢業了。讀碩士時，他得到了國家精神健康研究所的博士前研究計畫資助。他的碩士論文是他多年一直研究的課題：人的面部表情和身體動作。

艾克曼在心理學界和社會大眾中相當有名，他的名著《說謊》（*Telling Lies*）出版於一九八五年。二〇〇一年他參與了BBC的系列文獻「The Human Face」，還參與了電視系列「Lie to Me」，系列影片在六十多個國家播放過。他被二〇〇九年《時代》雜誌評為最有影響力的百大人物。他最擅長作面部表情分類，由此對情緒分類，對情緒進行心理學的測定。

杜克大學實驗心理學教授、神經科學家和哲學家奧文・弗拉納根（Owen Flanagan）比較年輕，他專研心智的哲學、心理學哲學、倫理學、當代倫理理論，道德心理學等領域，他也對佛教和印度教關於自我的概念非常感興趣，寫過很多有關意識的文章。他了解意識問題作為一個科學和哲學問題是十分困難的，但又認為仍有解決的機會，因此樂觀以待。

參加對話的還有賓夕法尼亞州立大學的馬克・格林伯格（Mark Greenberg），他是兒童心理和心理發展方面的專家。

蔡珍妮（Jeanne Tsai）是明尼蘇達大學的助理教授，她出生於臺灣移民家庭，畢業於史丹佛大學心理學系，在柏克萊的加州大學獲得博士學位。她的研究是文化對基本心理的影響，以及和情緒有關的社會化過程。

參與這次對話的人，還有「洋喇嘛」馬修・李卡德（Matthieu Ricard），是很有意思的人。他是法國人，生於一九四六年，父親是已故當代著名法國思想家讓－弗朗索瓦・雷沃爾（Jean-François Revel, 1924-2006），母親是當代法國抽象主義畫家亞娜・勒・杜默朗（Yahne Le Toumelin），也是一位佛教比丘尼。馬修本人曾經師從諾貝爾獎得主方斯華・賈克柏（François Jacob, 1920-2013），一九七二年在著名的巴斯德研究所獲得細胞遺傳學的博士學位。照他自己的說法，取得博士學位以後，他就開始了畢生的「博士後研究」，研究的卻是東方佛教。或許是「順理成章」，抑或是「因緣成熟」，總之，一九七九年他正式削髮為僧，拜兩位著名仁波切為上師，他的最高上師就是達賴喇嘛尊者。一九八九年後擔任達賴喇嘛的法語翻譯。

馬修高大健壯，一身絳紅袈裟，剃著光頭，說著一口帶法語口音的英語，精通藏文，也精通佛教經典。他興趣廣泛，研究佛經、修練打坐之餘，研究動物的遷徙，出版過專著。他愛好攝影，出版過多部影集，攝影作品被很多西方雜誌採用。他和父親一起出版過一本哲學著作《僧侶與哲

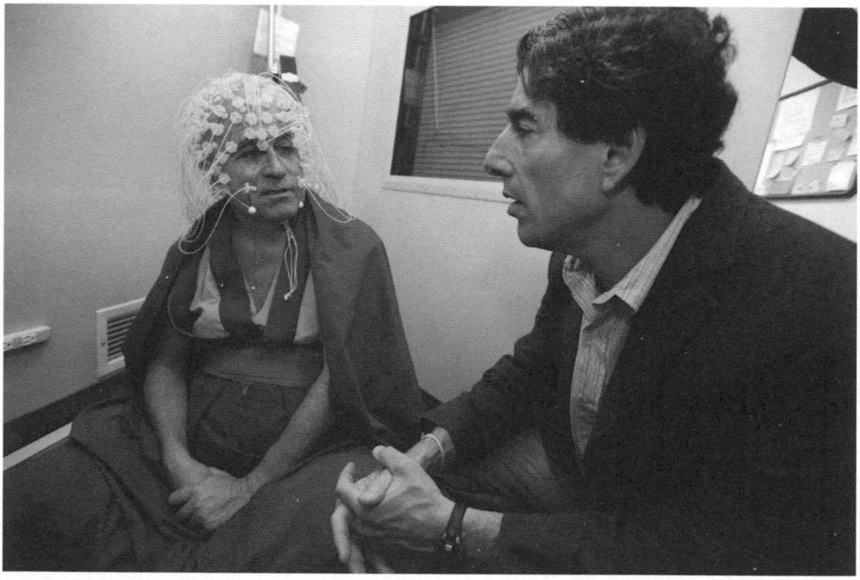

理查 ・ 戴維森為馬修 ・ 李卡德做大腦掃描（2008 年）

學家》（*Le moine et le philosophe*）；他與一位宇宙學家共同出版過有關量子力學和東方哲學的書，還撰寫、翻譯過其他著作。他把版稅所得全部用於一百二十多個慈善計畫，朋友們認為他是「世界上最快樂的人」。

第八次對話後，丹尼爾・高曼也將內容編輯成書，《怎樣克服破壞性情緒：和達賴喇嘛的科學對話》（*Destructive Emotions, How Can We Overcome Them? A Scientific Dialogue with the Dalai Lama*），於二〇〇三年出版。

A：這是一本四百頁的著作，份量很重。

B：高曼本人是專業心理學家，又是《紐約時報》的科普撰稿人，是擅於向社會大眾講解科學問題的作家。他在書中帶領讀者到喜馬拉雅山小鎮，感受那裡的氣氛。還一一介紹了科學家的來歷和個性，他用自己的眼睛和耳朵讓讀者身臨其境，好像全程參與了對話一樣。

A：這次對話的目的和安排是怎樣的呢？

B：對話在達賴喇嘛住所的大客廳舉行，客廳牆上有一幅佛祖釋迦牟尼的畫像。第一天早晨，達賴喇嘛走進來，人們全都起立，寂靜無聲地看著達賴喇嘛在釋迦牟尼像前伏身三拜，然後和科學家一一握手問候。

高曼致辭，向達賴喇嘛報告科學家們前來對話的目的：第一是向達賴喇嘛講解科學理論和發現，因為他們知道達賴喇嘛對科學抱著極大的興趣，他們想把豐富的科學知識奉獻給尊者；第二是對話，科學家們知道佛教對破壞性情緒問題比西方人思考得更深更久，他們急切地想從佛教學習這方面的思考和觀點；第三是合作，科學家們希望和達賴喇嘛及佛教面對面，想看到智力交流能帶給雙方什麼樣的新啟發。

像前幾次一樣由哲學家開場主講，這次是哲學家奧文・弗拉納根教授，他提出西方文化對破壞性情緒的看法，然後是馬修・李卡德提出佛教的看法。下午照例是討論時間。

第二天保羅・艾克曼將從科學的觀點討論情緒的本質，更深入解釋西方科學怎麼理解情緒，特別是破壞性情緒到底是什麼，最後探討在什麼樣的程度上，人們的情緒是可以轉移的。

第三天神經科學家理查・戴維森將對破壞性情緒進行大腦神經科學的探討，即破壞性情緒是大腦中的什麼東西引起的，特別是佛教所說的「貪嗔痴三毒」。他還要探討一個非常重要的話題，即「神經可塑性」的問題，在什麼樣的程度上，人的經驗能夠改變大腦。

第四天，蔡珍妮教授主講不同的文化怎樣塑造人們的經驗和表達情緒的方式。馬克・格林伯格將深入探討兒童經驗怎樣塑造個人的情緒反應，以及一項正在進行中的教育計劃，要在兒童的早期學校教育中教導孩子良好的情緒反應能力。

最後一天，理查・戴維森介紹專注冥想對大腦和健康產生影響的科學發現。佛朗西斯科・瓦瑞拉講述將佛教的知識和西方科學方法結合起來探索意識和情緒，和達賴喇嘛一起思考把所有這些知識和訊息放進一個科學行動的計劃之中。

高曼致辭的最後一句話說得很好：當然，我們希望這一切不僅對我們在座的人有益，而且有益於全世界。

什麼是破壞性情緒？

A：什麼是破壞性情緒的定義呢？

B：弗拉納根教授一開頭就下定義：破壞性情緒是對己對人有害的情緒。他說，這個看似簡單的定義是科學家們幾個月前在哈佛大學的兩天預備會議中，經過熱烈討論才確定的。不過，我們所說的

「有害」到底是什麼意思呢？情緒是怎樣的方式、什麼程度上是有害的，否則就是無害的？我們不僅要探討破壞性情緒的本質，還要討論它的組成因素，是什麼情況下發生？它的遺傳背景是什麼，大腦在破壞性情緒中的功能是什麼等等。

破壞性情緒的定義和本質，並不如乍看之下那麼簡單，「有害的」負面情緒，必定有其出現和存在的原因。從科學角度看，這些情緒提出了一系列複雜的問題：它們是形成人類心智的大腦反應，在人類的生存中有很大的作用。作為大腦對情景和事件的反應，如果一種情緒是純粹有害的，那麼根據進化論的原理，應該早已被漸漸淘汰而消失。既然負面情緒經歷進化而存在至今，說明它有進化上的存在原因。只是到了現在，我們意識到這種情緒也會對我們個人和集體的命運形成危險。佛教的傳統早就指出，認清和改變負面情緒，是佛教靈性修行的主要目的，即擺脫貪嗔痴三毒。

一旦我們能確定破壞性情緒，知道了它的原因和決定性因素，我們就可以問自己，有沒有什麼應對的「解藥」。這解藥是什麼？我們應該尋找的是化學藥品、手術、基因治療、心理治療，或者修行靜坐冥想？

還有一個值得討論的問題：是否有可能完全、一勞永逸地擺脫破壞性情緒，也就是佛教所說的徹底、永久性地擺脫貪嗔痴三毒？

馬修・李卡德講解了佛教對這課題的認識。他首先指出，事物實際上是什麼和它看起來是什麼，兩者之間是有區別的，而人們在看待和說起這一事物時，往往分不清兩者的區別。認清這種區別是非常重要的能力，而貪嗔痴三毒作為破壞性的情緒，會降低人分清上述差別的能力。

馬修對「有害」這個概念提出了疑問，探討到底什麼樣的情緒是現在的對話要確認的「破壞性情緒」，嫉妒、自愛、自傲、仇恨等等，在什麼情況下可以被視為「破壞性情緒」。他介紹說，佛教認為人的一生中有八萬四千種負面的情緒，雖然並沒有對所有這些情緒作出詳細定義。他舉出一些例子，如「我執」、「執著」、「無知」、「仇恨」、「驕傲」等等。他又講解了佛教中對「我」的虛幻性的認識。

他說佛教認為，因應破壞性情緒的普適「解藥」是內在的改變。他解釋佛教對待負面情緒的方式：在靜坐冥想中觀想「空」，這並不是說把一切都理解為空無一物的虛無，而是領悟到負面情緒是由於蒙昧、無知而產生的有害情緒，產生破壞性情緒的負面理由並沒有堅實的基礎，從而改變自己的內心，擺脫負面情緒。

他最後說弗拉納根曾經在一篇文章裡提到，有一位西方哲學家說，在整個人類歷史上找不出一個人是真正快樂、真正好的。因為人性本來就不好，所以不可能真正快樂。這是西方文化的「性本惡」觀念。

A：即「原罪」觀念。佛教有不同的人性觀，佛教相信人性本質上是好的、善良的，所有的人都如此。作惡是出於負面、破壞性的情緒，而負面情緒並不是人性本質的組成部分，而是由於無知、愚味、貪欲的緣故，是貪嗔痴三毒造成的，而這三毒是有「解藥」的。

B：馬修講解時，達賴喇嘛一直專注傾聽，沒有插話提問，偶爾微微點頭表示贊同。講完後，達賴喇嘛向他低頭致意，表示讚賞。

A：在第一天的哲學討論中，達賴喇嘛發表了什麼意見？

達賴喇嘛談經驗與情緒

B：達賴喇嘛引用佛學中最高深的認識論，即《阿毗達摩》經典理論，解釋佛學中有關破壞性情緒的基本思路。講解之前，達賴喇嘛先雙手合十，向在座一位來自泰國的上座部佛教高僧庫薩雷希特（Kusalacitto）致禮，然後平靜地開講。他說，我們或許應該記住佛教將經驗分成兩大類，一類是和我們的感官直接有關的經驗，另一類和我們的感官沒有直接關係，在佛教的概念中，稱為「精神性」的經驗。

我們平時所說的「感覺」和上述兩大類經驗都有關，根據佛學的觀點，在精神領域裡的「感覺」比感官領域的「感覺」意義更為重大。價值判斷，即對錯、好壞、好惡之間的判斷就是發生在精神、概念性的層面，而不是發生在感官的層面。

然後他又分析了「概念性認知」和「非概念性認知」的區別。感官的認知被認為是非概念性的，這種認知和對象的關係是直接的，不以語言和概念為中介。

A：比方說，當你看到一朵花時，這時的認知是非概念性的、感官的，但是當你思考什麼是花的時候，這時的認知就是概念性的。

B：但是精神領域的認知並不總是概念性的。比如你想到花，並集中注意力在頭腦裡想像的一朵花上，這時候的認知就是非概念性的。也就是說，感官的認知是非概念性的，但是精神性的認知可以是概念性的，也可以是非概念性的。

達賴喇嘛解釋說，人們可能會把一樣東西混同於這樣東西在頭腦裡的想像。他說，「很多煩惱，諸如執著和欲望，可以增長到如此程度，心裡想的東西根本就不對應於心智之外的現實。」他由此指出，精神上的煩惱是出自於對「現實」扭曲的認知。佛教所說的精神上的煩惱就相當於西方科學家所說的破壞性情緒。這兩個概念並不完全重合，但是有一定的平行性。

圍繞著佛教經典對精神煩惱的看法，瓦瑞拉等科學家和達賴喇嘛展開了詳盡而冗長的討論。憤怒能否是一種出於慈悲心的美德？達賴喇嘛說，在藏語中有兩個相近的概念，一個可以翻譯為仇恨，另一個大致上翻譯為憤怒。存在著由慈悲心引起的憤怒，但那不是仇恨。此時慈悲心是動因，它用憤怒來表達，他們討論了道德上正當的憤怒的價值，討論了精神上煩惱的種類，不同煩惱的不同因應方法，「執著」在什麼情況下可以是正面的。

A：在第一天的哲學討論後，對話應進入更專業性的討論。第二天的對話內容是什麼？

保羅・艾克曼和情緒的臉部表達編碼

B：第二天主講的是艾克曼，這位十五歲進大學、十八歲大學畢業的猶太科學家常有開創性的發現。他大學畢業後進了軍隊，在軍隊研究士兵心理，他的發現導致美國軍隊改變了對違紀和擅離職守士兵的處罰規定。他到新幾內亞研究被認為仍生活在石器時代的當地土著，發現這些偏僻部落的人表達情緒的方式在世界任何地方都可以準確辨認出來，這對理解人類情緒表達的普適性是一個里程碑意義的發現。

艾克曼最傑出的研究是臉部解剖學和情緒表達的編碼。他認為，臉部肌肉的動作是觀察情緒的一個窗口。他收集和分析臉部幾十塊肌肉的運動組合，在什麼樣的情緒下臉部產生怎樣的肌肉動作，形成怎樣的表情，最後得出了七千多個不同的臉部肌肉組合，即七千多個表達情緒的不同表情。經過六年多的研究，他和助手得到了情緒研究的突破性成果：每個表情都可以按圖索驥找到臉部肌肉動作的表達型式。這套編碼非常精確，科學家終於可以透過觀測一個人的臉部肌肉動作測定這個人的情緒。

現在，全世界有四百多個研究機構使用這套臉部動作編碼系統（Facial Action Coding System）進行研究。科學家們期望以後人們能夠透過機器觀察人的臉部而自動「讀」出人的情緒，就像從腦波圖讀出大腦的活動一樣。

艾克曼多年研究情緒，他對人們控制和改變自己情緒的程度非常感興趣。他覺得有很多研究成果值得告訴達賴喇嘛，也覺得一定可以從達賴喇嘛那裡學到很多東西。他說，被稱為「內觀」的藏傳佛教幾百年來對人類內心的科學考察，或許可以教給我們一些控制情緒的方法，西方科學對這些方法還幾乎一無所知。

艾克曼十五歲的女兒參加過幫助流亡藏人的活動。這次是他女兒敦促他來參加和達賴喇嘛的對話，而父親非常驕傲地帶著女兒來到對話現場。

A：他的研究一定很有意思，而且很實用。不過，我們在日常人際交往中不是時時刻刻都在透過別人的表情判斷別人的情緒，從而調整自己的語言、行為嗎？他的研究其實是我們每個人天天在做的，不過他做得更精細更有系統。

人類情緒表達的一致性

B：美國各地執法部門常請他講課，因為他的臉部表情編碼系統可當成測謊儀使用。他的講解從情緒表達的普適性開始。他說當他開始研究時，西方普遍認為情緒在不同文化中各不相同，就像語言和價值觀一樣。可是從達爾文開始就有科學家不同意這種觀點，達爾文在一八七二年的著作中說，我們人類和一些動物有同樣的情緒。他在螢幕上放了一系列各種臉部表情的幻燈片，說把這些圖放給世界上二十一個不同文化的人看，要求他們說出各個表情所表達的情緒。儘管這些人各有不同文化和語言，他們的判定是一樣的。

但是，他半開玩笑地說，他覺得這種一致性有個問題，就是這些現代人都看過電影電視，也許會受影視的影響，也就是說，「他們對表情的判斷也可能是後來從查理・卓別林或李察・吉爾那裡學來的」，這句話引出一陣哄笑，因為電影明星李察・吉爾是達賴喇嘛多年的學生，此刻正坐在艾克曼身後的觀摩聽眾席上。

為此，艾克曼研究了新幾內亞仍然生活在石器時代的土著部落，最後得出結論，人類的情緒表達方式是一致的，沒有什麼特別的文化差異。他還發現，引起特定情緒的原因也有相當程度的一致性，至少在抽象的層面上，各種文化的人是一樣的，比如失去親人就會感覺悲傷。另外，當某種情緒發生時，身體隨之引起的反應也一致，比如憤怒和恐懼時，心跳會加快，會伴隨出汗，但是憤怒的時候手會發熱，而恐懼的時候手會發涼。情緒的這種生理反應是普遍的。

A：他還有什麼有趣的發現？

B：他提供了一些圖像，說明用電極刺激臉部肌肉而表現出的表情，或者裝出來的表情，和真正發自內心情緒的表情大不相同。以「笑容」為例，他說，他一共確定了十八種「笑容」。達賴喇嘛聽了立即開心大笑起來，問道：「什麼時候你能發現第十九種笑容？」艾克曼說，但願沒有第十九種，因為我說服大家有十八種笑容已經夠麻煩的了。事實上，有好長一段時期人們不相信我們的發現，直到後來我們能夠在測謊時發現裝出來的笑容。有兩項研究我們是和理查・戴維森合作的，我們找出了兩種不同的笑容伴隨著兩種不同的大腦活動。

然後，艾克曼談到了用「閱讀」表情來測謊。他在研究中發現，大多數人非常容易被誤導欺騙，他們不去認真觀察他人的表情而只聽別人怎麼說，其實很多時候對方說的並不是心裡想的，而這很容易從表情上察覺，比如政治家公開說的話，很多時候明明是謊言，但是還是有很多人相信。

A：我想，這並不是聽的人愚蠢。有時候不去認真察覺對方心裡真實的念頭，是對自己有利的一種策略。也就是說，很多時候人是要故意騙自己。否則的話，設想一下你總是把人家內心的情緒和念頭看得一清二楚，你處理人際關係會更困難，而不是更容易。

B：你說的也有道理。

A：艾克曼和達賴喇嘛對話時，一定很注意達賴喇嘛的表情，他發現了達賴喇嘛「隱藏的情緒」了嗎？

達賴喇嘛的情緒和表情

B：艾克曼後來和對話的科學協調人高曼談了他的發現。他說，他發現賴喇嘛表達自己的感覺時非常開放、自由，一點都沒有大人物那種喜怒哀樂不形於色的自控，這一點讓他深深感動。他說，達賴喇嘛的臉部表情時時在變，不僅表達了他的情緒，也表達出了他的想法。你可以從他的臉部表情察覺他是專注還是懷疑，是表示理解還是同意。而且，非常突出的一點是達賴喇嘛的幽默感，能從生活中的任何細微末節感受到真正的快樂。

這並不是說達賴喇嘛就不會感覺悲哀、痛苦和其他的感情，相反的，達賴喇嘛對任何人的受苦都有很明顯的反應，他對他人痛苦的傷心同情在臉上表現得十分清楚。但是艾克曼注意到，達賴喇嘛能夠迅速從壓抑的情緒中擺脫，迅速對正在發生的事情採取正面的反應。

作為研究人類臉部表情的專家，艾克曼發現了達賴喇嘛不同於常人的地方，其中之一是達賴喇嘛臉部肌肉比常人更強健，更有表達力。達賴喇嘛臉部肌肉的狀態像年輕人，而不是六十多歲的老年人。艾克曼推測，這是因為達賴喇嘛表達情緒開放而自由，不抑制自己的情緒表達，臉部肌肉用得比別人更多。一般人都會自覺地控制自己的臉部表情，而達賴喇嘛很少這樣自我控制，他就像一個特別快樂、陽光的孩子，從不為自己的情緒表達感到尷尬。

A：這是由於他心地明朗。東方文化相信「心」和「相」有關連，相貌說明內心，有「修心改相」的說法。達賴喇嘛是畢生修行的佛教高僧，他習慣於正面看待一切。

情緒的正面功能和破壞性情緒

B：艾克曼由於研究情緒的臉部表達，收集了各種表情，也對人類情緒的種類與功能有廣泛的了解。他解釋說，情緒在人類生存中具有至關緊要的作用，它決定了人在生活中關鍵時刻的第一反應。在以往的進化中，人類的情緒為了解決特定生存問題而演化，比如在某些情景下，人必須快速解決問題或者對複雜情勢及時作出反應，而此時單靠理性思維太緩慢低效，需要瞬間激發某種情緒，好比「急中生智」。恐懼和憤怒等情緒可以被視為大腦發出指令的方式，要讓我們高度集中注意力，身體做好行動的準備。各種主要情緒在大腦中各有神經電路，有明顯的生物學特徵，從而產生各自的認知、心理和臉部表達方式。從進化論觀點可以解釋情緒的個體差異，包括情緒反應的速度和強度，控制情緒反應的能力和恢復情緒所需要的時間。人類沒有情緒就無法在大自然中生存，但是情緒有時候會讓人做出「有害」的行動。這就是要研究「破壞性情緒」的原因。

參加對話的西方科學家想知道，佛教和當代西方心理學對情緒的定義有何重大差異，特別是，佛教是否也像進化論一樣，認識到心理學上的「負面情緒」在進化中的「正面功能」？人們在生活中陷入負面情緒是不是因為這些情緒也有正面功能？是否存在精神健康意義上的情緒平衡？人們在更了解了情緒的機制後，是否能夠更有效控制自己的情緒，知道怎樣把破壞性情緒控制在最低點。

A：這些都是實用而重要的問題。第三天的對話內容是什麼？

破壞性情緒的大腦神經機制

B：第三天的主講者是著名神經科學家理查・戴維森。戴維森研究大腦，是第五屆心智與生命研討會的科學協調人，他在會後曾評論說：「參加了和達賴喇嘛的對話後，每個科學家都覺得自己發生了變化，受到對話的影響，當我們回到科研同行中，我們都像變了一個人一樣。」這次他滿懷著熱情和希望又來參加對話。

他介紹情緒和調節情緒的大腦機制，還涉及情緒的大腦機制的進化起源，介紹怎樣從大腦神經科學的角度來理解令人痛苦的情緒。他一開始先說明，大腦研究發現的一個最重要事實是，任何複雜的行為，例如情緒，不是基於大腦的單一區域，而是大腦的很多部分一起來產生複雜的行為。大腦中並沒有一個情緒中心，就像沒有一個部分專管打網球一樣。情緒涉及大腦中多個區域的相互作用。

戴維森用幻燈片示範了大腦結構，解釋大腦各部分的功能。在大腦皮層的各個區域中，對調節情緒最重要的是額葉，即前額下的區域。他又指出另外一個區域——杏仁體，它深埋在大腦當中，對情緒也非常重要。成人的杏仁體大約像一個核桃大小，有一對，左右腦各一個。戴維森說，杏仁體對某些情緒是非常關鍵的，特別是恐懼的情緒。

當產生行為的正常神經系統變得極端時，與此神經系統相關的情緒就可能成為破壞性的，它驅使我們用一種不適當、有害的方式來作出反應。為了理解為什麼在現代生活中，破壞性情緒變得如此容易發生，科學家們必須理解在進化過程中，情緒作為一種生存機制的作用，以及它對人類神經系統結構的影響。

以神經科學的這些發現和理論為背景，可以用一種新的視野來探討古典佛教所說的貪嗔痴三毒。了解調節負面情緒的大腦結構，有助於我們區分情緒的正常表達和破壞性的極端表達。

A：另外，動物也有情緒，這些結構也在動物身上發現了嗎？

B：戴維森說在進化過程中，不同動物物種的大腦體積差別很大。如果比較額葉和大腦其他部位，你會發現人類的額葉所占的大腦比例，遠遠大於其他高等動物。這意味著額葉在區別人與其他動物時，具有重要的作用，而人類的一個重要特質可能就是我們調整情緒的能力。然而，額葉也在人類的情緒失控和破壞性情緒的發生方面有其重要影響。

達賴喇嘛問戴維森，動物大腦裡也有調整情緒的機制嗎？戴維森回答，在一定程度上也是有的，只是沒有人類那麼複雜和高級。

戴維森又說，他過去五年的研究中最令人興奮的發現是，大腦中和情緒調整有關的額葉、杏仁體和海馬體是能隨著經驗而改變的，它們是大腦中會受環境和重複經驗影響而發生明顯改變的部分。大腦怎樣受經驗的影響而改變，這個課題叫「神經可塑性」。戴維森是該領域的開拓者。

這些發現中特別令人興奮的是，環境對大腦發展的影響可以追蹤到基因表現（gene expression）＊的層次。目前研究還局限於動物，但是科學家相信對人類也是如此。如果你是在營養豐富充足的環境下長大的，就可以察覺基因表現的改變，包括和調整情緒能力有關的基因表現。

達賴喇嘛問，這是不是說，在良好條件下長大的人調整情緒的能力更好？

戴維森作出肯定回答。他還指出直到最近，大約一兩年前，神經科學家還相信大腦神經元的數量是一生下來就固定的，一輩子不會增加。他們認為一生中只有神經細胞的關連會改變，部分神經細胞會死亡，但是不會長出新的大腦神經細胞。但是最近兩年的科學發現一改前非。現在已經證明，人的一生中，新的神經元會不斷生長。

戴維森主講的最後一部分，是逐一分析佛教的貪嗔痴三毒和大腦神經科學研究的相關發現。佛教認為，貪嗔痴三毒是痛苦的根源，也就是說，這是三種破壞性情緒。而戴維森的大腦神經科學希望能透過對大腦的觀察，找出這三種破壞性情緒各自的神經科學機制，從而找出調整情緒，改變負面情緒的方法。

A：這就是大腦神經可塑性的研究要做的，怎樣改變大腦，增強它調整情緒的能力。

B：戴維森主講之後的討論就集中在這個議題上：我們可以用什麼方法改變大腦，改變到什麼程度。

他們討論了心智和大腦的關係，心智是不是完全由大腦決定，就像大腦被動的木偶一樣？如果不是，那麼在什麼樣的狀況下，心智可以主動影響或改變大腦？情緒可以分為衝動的情緒和理性的情緒，這兩者在大腦神經科學方面的區別是什麼？

＊基因表現，是用基因中的訊息來合成基因產物（通常是蛋白質）的過程。所有已知生物都透過基因表現生成生命所需的高分子物質。

他們也討論了一些具有「實用意義」的問題：怎樣透過教育來改善心智，培養慈悲心。達賴喇嘛介紹了佛教修行中培養慈悲心的經驗，透過靜坐冥想來控制自己的情緒，在長久冥想修行後提升自己的慈悲心。他指出，慈悲心並不局限於宗教概念，不信宗教的人也有慈悲心，也需要化解和調整破壞性情緒，也能培養慈悲心。達賴喇嘛提出，要將佛教的修行實踐世俗化，把行之有效、調整心性的佛教修行方法傳授、推廣到世俗大眾中去，這有益於眾生的事業，符合佛陀的教誨。

A：達賴喇嘛的提議意義重大。佛教僧團上千年的修行積累了很多方法和經驗，特別是靜坐冥想，有益於身心健康的效果很明顯。以往藏傳佛教強調這些修行方法秘不外傳，達賴喇嘛倡導將其授予世俗大眾，是佛教文化的一大改革。

文化對心智的影響

B：第四天是心理學家蔡珍妮介紹她的研究發現，即文化對心智和神經可塑性的影響。

保羅．艾克曼在上世紀六〇年代拜訪了著名人類學家瑪格麗特．米德（Margaret Mead, 1901-1978）。米德認為，人類不同文化之間的習俗和價值，以及他們臉部表情的情緒表達是不同的。她的研究是為了說明，各民族的差異不是生物學意義上的差異，而是由於生活條件和文化差異而產生的。這結論反駁了納粹的種族主義和日耳曼優越理論。

達賴喇嘛則認為儘管人類社會存在文化差異，但是人類有根本的共同點，首先是生物學意義上的共同點，這種共同點使得全人類都是兄弟姐妹。他讚賞艾克曼的研究結論，認為他的研究提供了強而有力的證據，證明人類具有共同的人性。

但是，文化差異對人們在具體情境下的情緒有什麼影響呢？心理學家蔡珍妮的父母是第一代臺灣移民，而她在美國長大。家庭背景使她對文化差異有切身體驗。她認識到在很多場合，她的感覺和反應方式是「臺灣式」的，比如遇事謙虛含蓄，注重承諾，顧忌別人的感受。生活中的謙讓往往被歐洲裔的美國人誤認為是缺乏自信。這些對比促使她去研究文化差異對人的情緒反應的影響。在籌劃這次對話時，達賴喇嘛特地要求有一個能代表亞洲文化的科學家來參加。當蔡珍妮坐到「熱座」上時，達賴喇嘛表現得非常高興和專注。她可能是迄今為止參與對話的科學家中最年輕的一位，身處一組大科學家中間，顯得很安靜，開始主講時還有點緊張，她以十分平靜而清晰的風格開始，很快就不再拘束了。

A：她講了什麼？

不同的文化，不同的「自我」

B：她提出的問題是：文化怎樣影響情緒？文化和文化之間有同有異。社會科學家發現在西方文化和非西方文化之間有一點是不同的，即不同的「自我」觀，而這又進一步影響了情緒，即影響了我們感覺的方式。她解釋說，自我的內核部分似乎較少受文化支配，但是自我的外表部分則受到文化的很大影響。她的主講內容主要是「自我」的外表部分。

她以比較極端的文化差異為例，西方文化中的典型自我觀是「獨立型自我」，把自我看成是獨立於其他人的，包括獨立於父母、兄弟、同時、朋友等等。另外一種自我觀是「關聯型自我」，把自我看成是和其他人相聯繫的，是社會關係的一部分，日本、中國、韓國、臺灣人就是這樣的文化，也是被研究得最多的。她補充說，西藏文化還幾乎沒有人研究過。達賴喇嘛立即問：印度呢？回答是，印度文化有過一些研究。

蔡珍妮介紹說，在上述東方文化中也有一些差異。那麼，心理學家是怎麼知道存在著不同的自我觀的呢？她解釋說，除了研究文學、藝術等以外，心理學家向人們提出問題，讓他們回答他們是怎樣看自己的。她說，問「你是什麼樣的人？」獨立性人格的美國人通常回答：我是外向的人，我很友好，我聰明，我是個好人。而東方文化中的人會回答：我是誰的女兒，我為這個公司工作，我會彈鋼琴。在定義自己時，他們更注意自己的社會角色，而不是內在特質。

達賴喇嘛總是很快在理論中看出不一致的地方，並立即提出來：你怎麼看西方文化把家族的名號作為每個人的姓（surname）？這是不是說明他們仍然強烈用家族來定義自我？我們藏人就沒有這麼做。

蔡珍妮承認，科學家還沒有好好研究過西藏。這時土登晉巴插話說，現在藏人也在說需要在名字中引用家族的名號，即在藏人名字中加一個姓，因為現在藏人的社會活動多了，人多了，同名的人也太多，你隨便叫一個名字就會有六個人應答。他的話引起了一陣笑聲。科學家是喜歡別人質疑的，蔡珍妮面對達賴喇嘛的質疑，頓時來了精神。她解釋說，這正是文化影響的複雜性，文化影響是多因素的，有些因素會互相衝突而抵消，有些則會互相強化。

蔡珍妮舉例說明，不同的自我觀會影響不同的情緒，東西方在這方面有明顯的不同。西方人傾向於自我肯定，而亞洲人傾向於自我掩蓋。在西方社會，我們經常為自己說一些非常正面的話。這時達賴喇嘛再次插話，問這一結論的根據是統計數據還是一般性的概括。蔡珍妮說，這只是一般性的概括。達賴喇嘛表示懷疑。達賴喇嘛一向認為，全世界人的相同點多於不同點，人性是相通的。而社會心理學家為了說明一個結論，傾向於使用極端的例子。

蔡珍妮又講解了東西方文化中的「自我感覺」差異，人際關係和衝突問題，然後介紹了對幼兒情緒反應的觀察。幼兒對外界刺激的情緒反應非常有意思，蔡珍妮請馬克・格林伯格來解釋。馬克是研究心理發展的心理學家，他說，嬰兒在出生第一天就能以嗅覺記住母親的乳房，此後換一個人哺乳會引起嬰兒的不安反應。之後嬰兒會利用聽覺辨別母親，用視覺來辨認則是較晚才發展出來的。這時理查・戴維森補充了他的研究發現：母親懷孕時，貼近腹部用喇叭播放母親的聲音，然後播放另一個人的聲音，胎兒在生理上會有不同的反應。也就是說，幼兒在出生前就會對外界刺激作出情緒反應。

達賴喇嘛對科學家的這些發現非常感興趣。蔡珍妮又說，現在科學家還不能肯定兒童心理和情緒的不同，是基於基因層面的不同，還是早期環境的不同。同樣，不同文化中兒童性格的差異，有多少是基於生理上的差別，有多少是由於文化環境的差別，現在還不是很清楚。

馬克在蔡珍妮之後坐到「熱座」上，他介紹了兒童心理發展方面的研究和實驗計畫。

A：第五天的對話內容是什麼？

大腦神經可塑性的科研

B：第五天是佛朗西斯科・瓦瑞拉和理查・戴維森主講大腦神經可塑性。他們還討論了可能用來進行神經科學實驗的方案。

瓦瑞拉是在專業領域受到高度敬重的科學家，他出生於智利安地斯山中的一個偏僻小村莊，青年時期，他是理想主義者，受當時動盪的智利政治情勢影響，成為左翼青年。他天資聰穎，因而有機會獲得獎學金到美國留學，在歐美多個研究機構學習工作，接觸了東方文化。在他所從事的神經科學、心理神經免疫學、認知科學方面，瓦瑞拉是世界公認的優秀科學家。他在科學期刊上發表過兩百多篇論文，撰寫和編輯了十五本書，其中很多被翻譯成多種語言。這次是他第四次參加。

可是，這次對話前，同儕都知道瓦瑞拉健康狀況堪憂。他已經和肝疾奮鬥了幾年，在經過長久緊張等待後，終於在幾個月前接受了肝臟移植，身體還處於衰弱狀態，但他還是幾經轉折，顛簸到了達蘭薩拉，再次坐上「熱座」，和達賴喇嘛面對面對話。

瓦瑞拉在一九九七年被診斷出因C型肝炎而導致肝癌，他一度決定放棄治療。就在他承受著龐大的精神壓力時，他接到了達賴喇嘛的信，鼓勵他做任何可能的努力來延長生命。於是，他加入了等待肝臟移植的行列。在這次對話的第一天，達賴喇嘛見到他時，握著他的手，好久沒有說一句話，一切盡在不言中。當他在對話最後一天坐在「熱座」上、面對達賴喇嘛時，他望著達賴喇嘛，也是好久沒有說話。

A：這一定是令人動容的時刻。

B：瓦瑞拉一開始就告訴達賴喇嘛，在這次對話的最後一天，他和理查．戴維森想和達賴喇嘛一起探討，怎樣促進心智與生命研究所的科研計畫，把西方科學和藏傳佛教的智慧結合起來，在這對話平臺之外，研究大腦神經可塑性和心智的關係。實際上達賴喇嘛在前幾次對話中就提議，希望科學家把對話內容引用到具體科研計畫中，也就是說，不僅要展開對話，而且要合作展開科研。瓦瑞拉和戴維森已經開始這樣做了，他們想把正在做的研究告訴達賴喇嘛，然後討論以後可能的研究計畫。

A：瓦瑞拉有什麼想法呢？

打破主觀性禁忌

B：瓦瑞拉重新提起了意識和大腦的關係問題，他說，十幾年前，在他的大腦神經科學家同儕中，「意識」是個大家不好意思提起的「髒詞」，因為無法用科學規範來研究，所以大家都迴避。嚴謹的科學家都不願意談論「意識」。但是現在情況在改變，科學家們開始談論意識，甚至開了專門的學術討論會。引起改變的原因有兩個，一是大腦神經科學家有了更多非侵入性的新方法來研究人類大腦，二是關於科學方法的討論更為開放，大家的思路也有了改變。

瓦瑞拉在一九九一年發表的文章中說，對經過訓練的佛教冥想修行者進行研究，有可能讓他們成為第一人稱的合作研究對象，他們既是研究的合作者又是研究對象，在研究意識的過程中，他們可以自己報告自己的體驗。一九九六年和一九九九年，他在論文中指出，這是研究意識的必要新方法，他名之為「神經現象學」。

瓦瑞拉告訴達賴喇嘛現在越來越清楚，用第一人稱的方法收集數據對於研究意識有巨大的價值。未來的意識研究必須打破科學界原來的主觀性禁忌。

A：神經科學家原來認為，有了複雜的非侵入性儀器，能夠探測大腦活動，不需要被觀測者的任何陳述，研究人員就能知道大腦裡發生了什麼狀況，這樣收集的數據是客觀的，更可靠。在此之前，對修練瑜伽的西藏喇嘛進行神經科學的研究，不就是這樣嗎？現在為什麼仍然要返回到利用主觀性陳述的途徑上來？

依賴神經科學儀器的困難

B：瓦瑞拉向達賴喇嘛報告了第三屆心智與生命研討會後，神經科學家展開和修練瑜伽的喇嘛合作研究所經歷的困難與挫折。參加那次研究的還有理查・戴維森、克利福特・沙隆和另一位研究者克瑞格・辛普森。這組科學家持有達賴喇嘛的介紹信，他們每天把腦波圖儀器和其他設備揹上達蘭薩拉後面海拔更高的山上，找到在那裡閉關修行瑜伽的僧侶，要求測量他們的大腦。他們每天都遭遇僧侶們的懷疑和推託。一位僧人說，這些機器測量出來的東西跟我修練時發生的東西可能毫無關係，他懷疑這樣做只會干擾他修行。僧人們更多時候是拒絕合作，不願意讓科學家測量。

瓦瑞拉說，這次不成功的嘗試讓他們得到了一些有用的教訓。首先是科學家們認識到，要讓一個修練瑜伽二十年，對科學一無所知也絲毫沒有興趣的僧人參與科學實驗，是很天真的想法。所以，應該邀請已經西方化的僧人，或者有經驗的西方修行者來參加研究。第二個教訓是，高海拔的閉關修行處條件有限，所能進行的測量只可能是基礎性的。應該把瑜伽修行者請到實驗室測量，而不是把實驗室搬到修行處所。

儘管如此，瓦瑞拉說這次嘗試是非常有意思的實驗。他認為神經科學家將利用更高級、更複雜的儀器測量大腦裡發生的事情，即大腦裡瞬間即逝的變化。

瓦瑞拉和戴維森的討論焦點是現代神經科學怎樣研究大腦和意識，他們希望能夠在基本研究策略方面取得一些開拓性的前瞻。達賴喇嘛和他們一起討論了這種研究將涉及的種種議題，向他們介紹佛教經典裡記載的歷代高僧大德的觀點。

A：科學家們覺得有收穫嗎？

科學家們的收穫

B：高曼在他記載這次對話的著作中說，對於科學家來說，這次到達蘭薩拉和達賴喇嘛對話既是一次學術討論，也是一次精神上的朝聖。每個人在歸途上都顯得若有所思，都覺得對話改變了自己。對話者的專業不同，各人在專業上的收穫不盡相同，但是有一點是相同的，就是親自體驗了人類精神和智慧交流是那樣的美麗，那樣的吸引人。原來科學和佛學、西方文化和東方文化是可以這樣互動、衝撞的。

他們回到美國兩個星期後，哲學家奧文・弗拉納根在波士頓大學演講，題目就是「破壞性情緒」，他介紹了從達蘭薩拉帶回來的藏傳佛教對負面情緒所持的觀點。他說，西方科學傾向於把負面情緒看成是人類的生物學編碼確定的，是進化的結果，是生存的必要，人自己無法消除負面情緒，即使這種情緒對自己是有害的。而藏傳佛教的觀點相反，認為破壞性情緒是可以控制和消解的。他指出，事實上，所有文化傳統，從聖經、孔子、可蘭經到佛經，從大哲學家亞里士多德、彌爾到康德，都主張我們作出努力以控制破壞性情緒。弗拉納根同意理查・戴維森的觀點，儘管還有一些神經科學家對大腦可塑性抱懷疑態度，科學證據傾向於我們的大腦是可塑的，所以，人類有改變自己的大腦、控制負面情緒的潛力。這正是達賴喇嘛在公開場合講過很多遍的道理：每個人都有天生良知，都有變得更好的潛力。

A：這次對話最後集中到了對大腦神經可塑性的科研計畫上，這就是說，對話不再限於「清談」，而是進入了研究階段。

心智、大腦和情緒的轉變（二〇〇一年第九屆心智與生命研討會）

B：在這次對話後，心智與生命對話平臺舉辦的第九次達賴喇嘛和科學家的對話，在第二年五月二十一日、二十二日舉行，地點是戴維森任教的威斯康辛大學麥迪遜分校。

這次在美國的頂尖科研機構舉辦的對話會，是第八次對話會的自然延伸，目的是了解和檢驗當代探索人類大腦功能的技術和方法，討論怎樣應用這些方法來更深入了解冥想修行所產生的變化。在設計新的研究計畫以了解冥想對大腦功能的影響方面，科學家想向達賴喇嘛請教，需要達賴喇嘛的合作。

參加這次在實驗室舉行對話的科學家，除了理查・戴維森、保羅・艾克曼、馬修・李卡德、佛朗西斯科・瓦瑞拉外，還有以前參加過對話的喬・卡巴金、加州大學舊金山分校的著名神經科學家麥克・M・墨茲尼（Michael M. Merzenich）。他也是研究大腦可塑性的科學家，以相關傑

達賴喇嘛和理查・戴維森（2001 年）

出成就被選為美國國家科學院院士，並獲得二〇〇一年的傑出科學貢獻獎。他得過很多科學獎項，發表過兩百多篇文章，他的研究經常登在《紐約時報》和《華爾街日報》、《時代》雜誌和《新聞周刊》上。

瓦瑞拉參與安排了對話，但是不能親自到場，他委託一位博士研究生代表他出席。和以往的對話一樣，仍然由土登晉巴和艾倫・瓦萊斯擔任翻譯。

A：這次對話的主題是什麼？

B：主題是「心智、大腦和情緒的轉變：冥想的神經生物學和生物－行為學研究」。與會科學家認為，和達賴喇嘛對話是一個極好的機會，可以幫助他們進一步理解冥想修行對大腦造成的變化，

達賴喇嘛在威斯康辛大學實驗室，左為土登晉巴（2001 年）

這種變化能在情緒、認知和生理上有益於人類。科學家現在有了一些非侵入性的工具和方法來探測冥想修行對大腦的作用，他們想探索人類大腦可塑的能力，這種可塑性以前被認為不可能。既然冥想修行能夠影響大腦的可塑性，理論上就有可能運用藏傳佛教培養慈悲心的修行方式，使人變得更有慈悲心。

對話第一天，戴維森引領達賴喇嘛和其他與會者參觀了威斯康辛大學麥迪遜分校的大腦探測實驗室，這裡擁有現代最先進的設備，其中有些設備單價就花費上千萬美元。參觀的過程包括示範設備的使用，讓達賴喇嘛近距離觀察這些設備的具體應用。

然後，對話轉入討論，主要談論用

腦波圖等儀器測出的、修練很深的冥想者集中注意力的方法。

對話第二天，艾克曼扼要介紹行為試驗所觀察到的產生情緒的各種問題。然後是墨茲尼介紹研究人類神經可塑性和冥想修練之間的關係。在討論的階段，戴維森講解了現代科學儀器為研究提供的新可能性。

戴維森說，科學家和達賴喇嘛對冥想和大腦研究的合作剛剛開始。他說，科學家們深深感激達賴喇嘛成為他們的合作者。

10 物質的本質和生命的本質

物質—生命—意識（二〇〇二年第十屆心智與生命研討會）

A：心智與生命研究所主辦的達賴喇嘛和科學家的對話，從一九八七年到二〇〇一年，已經辦了九次。可以看出參與的科學家專業分成兩大類，一類是物理學家、化學家、天文學家、宇宙學家，另一類是神經科學家、精神病學家、心理學家。前者研究物質世界，後者研究生命和人類自身，哲學家則主要是把現代和傳統連接起來。是不是這樣？

B：是的。從科學「典範」的觀點看，有著悠久歷史的佛教是一種「內觀」科學，又有深厚的瑜伽和冥想修行經驗，科學家們認為佛學的洞察力有助於他們對人類心智與大腦的研究。一九九七年第六次對話主題是關於新物理學和宇宙學，科學家們看到佛教在「實在的本質」方面的見解，能夠幫助他們理解當代量子力學和相對論提出的困難問題。次年的第七次對話中，達賴喇嘛訪問奧地利因斯布魯克大學的實驗室。這兩次對話是向東方佛教展現當代物理學令人印象深刻的成就。物質世界，從微觀的基本粒子到宏觀的宇宙空間，其本質到底是什麼？物質和生命的關係到底是什麼？什麼是「實在的本質」？也就是佛教所說的「實相」？這些問題有待進一步深入探討。

A：也就是說，我們可以期待物理學家和生命科學家同時到場，共同和達賴喇嘛對話？

B：是的。二〇〇二年九月三十日－十月四日在達蘭薩拉舉辦的第十屆心智與生命研討會，主題就是「物質的本質和生命的本質」。

A：有哪些科學家出席這麼有意思的對話？

B：這次對話的科學協調人又是物理學教授阿瑟・查恩茨。參加對話的科學家中，有瑞士聯邦理工學院的大分子化學教授皮埃爾・路易奇・路易斯和法國喇嘛馬修・李卡德。

每次對話都有一位哲學家或科學史專家，這次到場的是法國巴黎的國家科學研究中心的研究主任米歇爾・比特波爾（Michel Bitbol）。比特波爾是科學哲學家，主要研究量子物理學對哲學的影響。他認為，量子力學的結構源自於一個假設，即微觀現象不能脫離其實驗條件。他和安東・翟林格的看法一樣，認為量子原理不是在表達物理客體的本質，而是顯示了實驗資訊的範圍。根據這些觀點，量子力學就不再能被視為一般意義的物理理論，而是物理理論的背景框架，因為它返回到最基本的條件，讓物理學家用它來構築任何物理學理論。由於在量子力學的哲學的貢獻，他獲得一九九七年法國科學道德和政治學院獎。

物理學家方面，史丹佛大學的應用物理學教授朱棣文（Steven Chu）參加了這次對話。朱棣文是美國著名的華裔物理學家，祖籍江蘇太倉，出生於美國。朱棣文於一九七六年取得美國加州大學柏克萊分校物理學博士學位，一九九三年獲選為美國國家科學院院士，一九九七年以關於原子和粒子的激光冷卻的研究，獲得當年的諾貝爾物理學獎，時年四十九歲。在這次對話後兩年，二〇〇四年，朱棣文出任勞倫斯柏克萊國家實驗室主任，這個實驗室隸屬於美國能源部，是美國歷史最悠久的國家研究室，在他的領導下，該實驗室成為生物燃料和太陽能技術的研究中心。二〇〇九年朱棣文出任美國能源部部長，是第一位擔任美國內閣部長的諾貝爾獎得主。

參加對話的還有華盛頓大學的生物學教授烏蘇拉・古特諾（Ursula Goodenough）。她以暢銷書《神聖的自然深處》（*Sacred Depths of Nature*）而聞名，這本書以她在世界各地大學的「宗教自然主義」和「進化論史詩」講課內容為基礎，她也經常出現在公共電臺、歷史頻道電視和公共電視上。

麻省理工學院的生物學教授埃里克・蘭德（Eric Lander）是遺傳學家、分子生物學家，也是數學家，他是麻省理工學院（ＭＩＴ）懷德海基因組研究中心的創始人和主任。由於他在人類基因組方面的工作，他被《時代》雜誌選為二〇〇四年全世界最有影響力的百大人物之一，在ＭＩＴ的一百五十位最有創新力和思想的人之中排名第二，並於二〇〇八年被任命為歐巴馬內閣的科技顧問委員會主席之一。

擔任翻譯的仍然是土登晉巴和艾倫・瓦萊斯。

A：這次對話的實錄出版了嗎？

B：路易斯在二〇〇九年出版了這次對話的記錄《心智與生命：和達賴喇嘛討論實在的本質》（*Mind and Life: Discussions with the Dalai Lama on the Nature of Reality*）。

從路易斯的記載中，我們還得知第十七世噶瑪巴、著名好萊塢電影明星李察・吉爾也出席了。在五天的對話過程中，路易斯還在午間休息時分別採訪了他們。

這次對話還有一點特別：旁聽觀摩的人比以前幾次多，其中將近一半是高階喇嘛，還有很多喇嘛被安排在達賴喇嘛住所外的大昭寺，透過閉路電視觀摩。達賴喇嘛在對話開始致歡迎詞時說，在過去兩年裡，南印度的格魯派寺院已經開始引進科學教育，僧侶中出現對科學的興趣和熱情。達賴喇嘛說，當然，有些僧人依然恪守傳統，但幸運的是，他們現在已經領會了現代科學知識的重要性。

首倡心智與生命研討會的佛朗西斯科・瓦瑞拉不久前去世。對話開始前，達賴喇嘛向瓦瑞拉的兒子表示歡迎，並且親手把瓦瑞拉的照片放在科學家們圍坐的矮桌上。他回憶當初瓦瑞拉開創了對話，十分懷念這位老朋友。然後他講到另一位參加過對話，也在不久前去世的科學家羅伯特・利文斯頓。他又講到多年前把他引進西方科學大門的著名物理學家戴維・鮑姆也去世了，他對這位老朋友表達了感激和懷念之情。

佛朗西斯科・瓦瑞拉（1946-2001）

A：瓦瑞拉英年早逝，令人想起佛教「諸行無常」觀。

B：達賴喇嘛還說到另一位科學家魏柴克已經九十高齡，下個星期他訪問慕尼黑時，要去探望這位老朋友。

顯然，瓦瑞拉的不幸去世讓達賴喇嘛想起這些科學界的老朋友，不禁流露出一絲傷感。好在和瓦瑞拉一起發起心智與生命研討會的亞當・英格爾這次也來了。達賴喇嘛說，他和英格爾商量過了，在沒有瓦瑞拉的情況下，對話怎樣繼續下去。他說，我告訴英格爾，我們展開科學家和佛教之間的對話已經十幾年了，這樣做的原因不僅僅是我們這些人對此感興趣。我們這樣做是有一定目的的。這個對話的目的有兩個層面，一個層面是學術探索，另一個層面是利益眾生，幫助大眾尋找達到快樂內心的途徑。在這兩個層面上，現代科學的知識可以幫助我們深入理解實在的本質，即佛教所說的「實相」，而長於「內觀」的藏傳佛教和浩瀚的佛學經典，能夠彌補現代科學在探索人性方面的不足。

在達賴喇嘛致歡迎辭後，阿瑟・查恩茨告訴達賴喇嘛，這次對話的主題是生命的起源和演化，這是西方科學又一個重要的領域。對生命起源和演化的探討，必然涉及意識的起源和人類智能的起源。這一題目的討論要在現代物理學的背景上展開，因為我們知道生命是從物質中產生的，我們必須理解物質的性質。

A：所以，第十屆心智與生命研討會是從物質到生命，再從生命到意識。這個話題看似「清談」，但了解物質和生命的本質，對於人類了解世界和自身至關緊要。

基本粒子有多真實？

B：物理學家朱棣文講解物質。他說，我們所知最重要的事情是：世界是由原子組成的。這是今天大多數物理學家都同意的觀點。然後，他在大螢幕上打出了一張掃描穿隧顯微鏡下的鐵原子的照片。達賴喇嘛對這張照片非常感興趣，看得很仔細。他要朱棣文肯定地告訴他，這不是畫出來的圖像，而是一片金屬表面的一些鐵原子的真實照片，那些是單個的原子，那些波形的圖像是金屬中的電子波。達賴喇嘛問他這些原子是停留在金屬表面還是會散失？朱棣文回答，在室溫下，由於熱運動，這些原子會散失。要它們停留在那裡，必須要有極低的實驗溫度。即使如此，原子內的一切都在運動，原子內有原子核和電子。電子不停地運動，原子核內有夸克，夸克也在不停運動。

他說，原子是由其他粒子組成，電子在外圍，質子和中子在核心。質子和中子由更為基本的粒子組成，稱為夸克。我們現在知道有六種夸克，而且每一種都有三種顏色。除此之外，我們不知道其他的粒子。

物質由原子組成的思想，在東西方文化中都有悠久的歷史，現代物理學原子觀的不同之處在於，原子理論是在實驗科學的基礎上建立的。簡而言之，古典的原子理論是想像中的原子，而現代物理學是透過實驗「看到」了原子，就像朱棣文在大螢幕上打出的原子圖像。

另外，古典的原子理論把原子看作一個實體，而現代物理學發現原子的結構是，占原子質量九九．九%的原子核，只占了原子體積的極小一部分。原子核在原子中所占的體積只相當於一粒米在一個足球場上的體積。也就是說，原子的主要部分是虛空的。這是物理學家歐內斯特．盧瑟福（Ernest Rutherford, 1871-1937）一九一〇年發現的。

在盧瑟福之後，波耳、海森堡和薛定諤（Erwin Rudolf Josef Alexander Schrödinger, 1887-1961）等建立了量子力學，他們發現了一些難以理解的事實，挑戰以前的原子和粒子理論的觀念。他們發現，無法測定原子和亞原子的粒子確定的軌跡。根據海森堡的測不準原理，如果你知道了一個粒子的精確位置，你就失去了有關它的精確速度的訊息，反之亦然。而任何軌跡的描述需要粒子在任一時刻的精確位置和速度這兩項訊息才可能。而如果有兩個以上無法確定軌跡的粒子，我們不能跟蹤其軌跡，那麼我們就無法確定哪個是哪個。結果就是，粒子們失去了它們各自的確切身分。

然後，朱棣文開始講解「基本粒子」。電子和夸克是帶有力場的微小粒子，它們如此之小，我們認為它們是沒有體積的，只是一個個「點」，只能用它們的「場線」加以描述。

A：聽起來這些與佛學理論相去甚遠。

B：達賴喇嘛請朱棣文解釋，為什麼質子不是基本粒子？朱棣文解釋說，因為它們是由夸克構成的，而電子是基本粒子。電子小到什麼程度？如果原子像地球那麼大，一個電子就小於一毫米。朱棣文說，我們從數學上推導出電子是沒有體積的。

達賴喇嘛疑惑地問它們互相碰撞嗎？當朱棣文肯定的回答後，達賴喇嘛說這非常奇怪，一方面你說它們小到只是一個點，沒有體積，另一方面你說它們會互相碰撞，如果一個電子的東側被另一個電子撞上了，這說明它有一個西側，那就意味著它是有體積的。如果一個粒子沒有體積，那麼它的東側被撞時，西側也同時被撞了。

朱棣文承認達賴喇嘛的推論是對的。達賴喇嘛說，有一個四世紀的佛教哲學家，他就反對不可分的粒子是物質宇宙最簡單的構成材料這一觀念。他的論據是，只要這些粒子保持著物質的性質，它們就有體積，有不同的空間側面。既然有不同的空間側面，那麼它們就不是不可分的。達賴喇嘛笑著對朱棣文說，也許你得和這個哲學家討論一下。

朱棣文笑答：「您是不是可以來當我的研究生？」

達賴喇嘛開懷大笑：「要是再年輕一點，我就來！」

A：我以前就注意到，尊者與西方人討論佛學和科學問題時，總是很開心。

B：是這樣。在這種場合，兩方是在互相學習。朱棣文承認這些互相衝突、帶有根本性的問題，引發了當代物理學兩大基本理論——量子力學和引力理論的衝突。

朱棣文開始講解正電子和負電子，粒子和反粒子的概念，再一次解釋海森堡的測不準原理，他根據自己多年來的物理實驗，強調測不準原理不是導出的理論，而是可以用實驗檢驗的粒子之基本性質。阿瑟・查恩茨要求達賴喇嘛談談對這種性質的看法。達賴喇嘛說，這實際上就是實體及其性質之間互相依賴，都不能獨立存在。我們所發現的物理性質，只有在和實體的關係、以及實體和觀察者的關係中才有意義。這就是佛教「緣起」的思想。以佛教的中觀論來說，這種互相依賴性是事物的內在本質。

在朱棣文講解量子力學時，哲學家米歇爾・比特波爾在最後提出質疑，他認為物理學家關於大的物質體是由原子、電子、夸克等微小粒子構成的觀念是有問題的。他並不是說朱棣文示範的原子圖像不對，而是提醒大家，這個令人印象深刻的圖像只是哲學家所說的「可觀察的價值」，是從穿隧顯微鏡和實驗環境之間的關係中出現的現象，而這種顯微鏡是根據非常複雜的理論製造出來並加以解釋的。他引用龍樹菩薩的話，佛法，即佛教哲學，是建立在兩個真相的基礎上，一個是世間習見的真相，另一個是最終的真相。

A：佛教經典對此有什麼論述？

B：佛教方面對這個問題展開了熱烈的討論。達賴喇嘛指出，在古印度佛教經典中，很早就出現了與古希臘原子論相當近似的觀念，認為微小的粒子（particles）是萬物的基本成分。二世紀的龍樹菩薩和他的弟子提婆（Aryadeva），四世紀的世親（Vasubandhu），八世紀的月稱（Candrakirti）等等佛教哲學家的著作中都討論過這個問題。

A：佛教的原子論在大乘佛教出現後起了極大的變化，物質世界的基本單元被觀念的基本單元所取代。大乘佛教認為，我們身處世界的實在是我們經驗的實在。於是，物質粒子的觀念在佛教哲學中消失了，代之而起的是「達摩」（Dharma）的觀念。達摩是從「緣起」中出現的。緣起是指事物在互相依賴的狀態下的存在，每一個體的存在依賴於它和其他個體的關係。這種依賴性是所有存在的普遍法則，是「空」的概念基礎。事物固有的存在是「空」，因為沒有什麼東西是獨立於他者而存在的，世界是由互相依賴互相牽制的元素而組成的。

B：現代量子力學的兩位奠基者尼爾斯・波耳和海森堡也有類似的看法。

A：在佛教中，粒子的概念相當複雜而高深。例如，在時輪（Kalachakra）經典中有「空粒子」的概念。在這概念中，空間是一種支持性的元素，使得其他四種基本元素（土、氣、火、水）能夠存在。

「時輪」即「時間之輪」，是密宗無上瑜伽部的重要本尊。「時間之輪」包含抽象的「時間」和具象的「車輪」這兩個概念，「時」指的是「時間終極的存在」，「輪」指的是一切現象的相對存在。也就是說，時間是永恆的，而現象是流轉的。當然，時輪法除了一套完整的理論之外，還有一整套相應的修練方法。無論是理論還是修練方法，都相當精深。

B：達賴喇嘛說根據這一觀點，空間不是完全空無一物，而是「空粒子」的存在媒介，而空粒子被認為是「最精微的物質粒子」。他說，根據時輪宇宙學，我們可以將一切物質客體往回追溯其起源，直到空粒子的層面，而這個層面就把我們帶回到宇宙的起源。空粒子中包含有在特定宇宙系統中存在的所有物質的根本原因。

A：不過，應當注意的是，雖然在討論過程中佛教方面使用，或者借用了「粒子」的概念，但其內涵與物理學所說的「粒子」定義並不一樣。

朱棣文教授還講了什麼？

數學在物理學中的作用——發現還是發明？

B：朱棣文教授講到了數學在現代物理學中的作用。現代物理學離不開數學。很多學物理學的人甚至認為，無法和沒有經過系統數學訓練的人講解現代物理學。為了說明數學在現代物理學中的作用，朱棣文從最基本的數學概念——數字，開始講起。

A：這是非常有意思的情景，獲得諾貝爾物理學獎的物理學家，對達賴喇嘛和一群身穿袈裟的喇嘛講解數學，那該從何講起？

B：你說的對，朱棣文就從最簡單的數字講起。兩隻鴨子再加兩隻鴨子就是四隻鴨子，二和四是最簡單實用的數，叫實數。實數有兩種，正數和負數。負數自我相乘，得到的平方數仍然是正數。反過來的運算是開平方。由於正數和負數平方的結果都是正數，所以負數應該沒有反過來開平方的運算，也就是說，負數應該是不能開平方的。但是數學家說，如果我們「約定」：把負數開平方，那就只能得到一種想像出來的數，叫虛數。這種數是數學家大腦的發明，它和實數的區別只在於虛數的平方竟然是一個負數，在現實生活中並不存在。一個實數和一個虛數結合在一起，數學家稱其為複數。虛數和複數，都是數學家自己的發明。數學家們頭腦裡憑空想像出來的這些數，看起來就像概念的遊戲一樣。

可是，當物理學家後來處理量子力學時，缺少數學工具來進行推導，最後發現他們需要的工具竟然正好就是複數。由複數發展出來的數學分支，解決了量子力學需要的數學工具問題。

朱棣文又舉了另一個例子。牛頓的引力定律使得他能計算出行星如何運動，但是牛頓自己對萬有引力定律很不滿意，他說，兩個物體之間隔著一段距離，中間什麼東西也沒有，他們沒有接觸，卻居然能夠互相有作用力，這是十分荒唐的。牛頓只能想像有一種神秘的力存在於兩個物體之間，他用傳統的歐幾里德幾何空間概念描述這種力，這就是牛頓的萬有引力。三百年後，愛因斯坦重新思考牛頓的引力問題，他得出的結論是，空間如果沒有物質存在，這樣的空間就是歐幾里德幾何描述的空間，也就是我們在國中課堂上學的幾何學的空間，而空間中若有物質存在，這物質將使得時空幾何變得彎曲。時空彎曲的概念使得行星運動的描述完全改變了。以前當我們描述地球繞太陽轉的時候，我們認為有一個力（萬有引力）拉著地球，所以地球沒有飛出太陽系。現在科學家說，地球其實一直是沿著直線運動，只是這條線本身在彎曲的時空中成了曲線，於是地球就沿著這條線轉圈了。

既然這彎曲的時空不同於原來所理解的空間，這空間的幾何學也就不同於經典的歐幾里德幾何學了，愛因斯坦需要新的幾何工具描述彎曲的時空。這時有一個朋友告訴他，一百多年前有一個數學家黎曼（Bernhard Riemann, 1826-1866）就發明了一套不同於歐幾里德幾何的幾何，即黎曼非歐幾何，這種幾何剛好可以用來描述和計算愛因斯坦的彎曲時空。

A：朱棣文為什麼要以數學為例？

B：朱棣文舉出這兩個數學例子是想說明，很多數學家相信他們不是在「發明」什麼東西，而是在「發現」，也就是說，這些東西本來就存在著，數學家只是發現了它們的存在。達賴喇嘛同意這些不會是純粹的智力發明，因為它們確實能代表客觀存在的事物。朱棣文這時卻顯得很謹慎，他說，這似乎說明物理定律是客觀存在著，我們能夠發現它們，大自然的法則竟然擁有一種數學公式。但是，從根本上說，我們並不知道為什麼這些理論竟如此「運作良好」。

當朱棣文說大自然的物理定律是客觀存在著時，他的意思是物理學的定律有客觀現實性，艾倫・瓦萊斯名之為「科學實在主義」，相信物理學的定律代表了獨立的客觀現實，自然法則被科學方法透過數學分析和實驗驗證所揭示，這些法則描述了獨立於人類心智之外的物理事件。

另外一種物理科學觀念被稱為「工具主義」，認為諸如場、能量、電子等等理論概念並不對應於獨立的客觀實體，它們是概念性的產物，或者說是概念性工具，只是物理學家認為這些工具在預測現象時有用而已。

在這場有關物理學的對話中，哲學家米歇爾・比特波爾向朱棣文的觀念提出質疑。物理學的研究對象，到底是物質還是關係的集合，這是當代物理學家們仍然沒有確切答案而要繼續探討的問題。

A：這些討論都非常有意思。至此，他們仍然是在討論物理世界，生命是什麼時候出現的呢？

複雜性的出現和生命的複雜性

B：物理學家薛定諤在一九四三年的演講「生命是什麼？」中問道：物理學和化學能不能解釋一個

生命有機體中發生的一切？這個問題就是生命的本質及其與物質的關係問題。在物理學家朱棣文之後，在場的物理學家、生物學家、哲學家要和佛學方面的喇嘛學者一起討論薛定諤的這個問題，科學家們要解釋當代西方科學關於生命的出現（emergence）和進化的重要作用，以及生物技術引起的道德挑戰。

物理學的研究揭示了宇宙演化過程中物質複雜性的增加：宇宙灰塵粒子組成恆星和行星，原子構成分子，分子構成複雜的有機結構，有機結構變成細胞，然後是多細胞有機體、生物組織、器官，直至哺乳動物。生命是從物質的複雜性中出現的。科學家們回溯了生命起源的過程，從小分子到能夠自我複製的複雜結構，這就是最初的生命。

在複雜性不斷增加的現象中，有兩個概念和生命有關，一個是自組織*概念，另一個是當生命出現時這種出現有什麼特徵。

這次對話關於生命本質的問題，由物理學家阿瑟・查恩茨主講。

＊自組織，組織是指系統內的有序結構或有序結構的形成過程。德國理論物理學家赫爾曼・哈肯（Hermann Haken）認為，組織可以分為他組織、自組織。如果一個系統靠外在指令而形成組織，即他組織；如果系統按照相互默契的某種規則，各盡其責、協調地自動形成有序結構，即自組織。自組織現象在自然界、人類社會中都普遍存在。自組織功能愈強，其保持和產生新功能的能力也就愈強。例如，人類社會比動物界自組織能力強，所以功能也高級多了。

A：物理學家主講「生命本質」的問題，這很有意思。

B：的確是饒有意味的安排，生命和無生命的物質有怎樣的關係，正是大家關心的問題。查恩茨講解了複雜性的概念，談到了「形式」的美妙之處。從複雜性中出現生命的途徑之一是自組織。他說，自組織肯定在有生命的世界裡具有重要的作用，不過在無生命的物理學世界裡，自組織也很重要。為了要更深入理解自組織，他介紹了他最熟悉的物理學中動力學系統的自組織現象，講解動力學系統中的複雜性，最後講解「自相似性」的概念。

查恩茨之後，化學家路易斯講解生命複雜性的來源。大多數科學家認同地球上的生命是經過一系列的自發反應、使得分子複雜性不斷增加而從無生命的物質中產生。這理論最初是俄羅斯化學家亞歷山大．伊凡諾維奇．奧帕林（Алекса́ндр Ива́нович Опа́рин, 1894-1980）在一九二四年的著作《生命的起源》中提出的。當時正是俄國十月革命之後馬克思唯物論聲望日隆的時代。生命源於無生命，是現代科學的基本信念之一。與之相隨的還有連續性原理，即在石頭的無機世界和動植物的有機世界之間，是連續的、不間斷的，沒有性質上的斷裂。

與此相反的觀點是著名天文學家弗雷德．霍伊爾（Fred Hoyle, 1915-2001）提出的，他認為生命是由一次概率非常小的偶然事件產生的。

路易斯針對這一觀點解釋說，偶然事件計算概率如果接近於零，科學家就認為那是不可能發生的。當代科學家認為，生命起源的科學必須採納連續性原理，否則就沒有辦法科學地處理有關生命的研究。在科學界，你必須用物理學和化學的定律來解釋現象，這就意味著科學不承認奇蹟。你不能既是創世論者又是科學家。

即使承認生命起源服從物理學和化學的定律，仍然有一個問題，即生命的產生是受決定論的因果關係支配的必然過程，還是由於多變的偶然物理事件而導致的結果？這兩種相反的觀點就是決定論和偶發論。

一九七四年諾貝爾獎得主克里斯汀・德・迪夫（Christian de Duve, 1917-2013）認為生命是地球的必然產物，他說，宇宙本來就孕育著生命，生物圈本來就孕育著人類，否則我們就不會在這裡，我們自身的存在就只能用奇蹟來解釋了。這觀點被很多科學家接受，可是批評他的人說，這觀點不是科學，而只是一種信念。這信念沒什麼不對，但就是不能被視為科學。

與此相反的觀點就是偶發論，這是路易斯想向達賴喇嘛詳細解釋的：偶發的概念不同於機會或隨機的概念。偶發是大量互不相關的獨立因素同時發生作用而產生的事件。其中每一個因素都是決定論的，但是它們的互相作用非常複雜，最終的結果完全不可預見。大量因素混合在一起所造成的偶然事件，就是偶發性。這一偶發性概念成為生命起源和生物學進化的中心概念。

路易斯隨後又介紹了另外一種生命起源說。地球在有生命以前接受了大量來自外太空的宇宙灰塵，這種情況現在仍然在繼續，每年有數噸灰塵來自於外太空，這些灰塵含有大量有機分子。隕石和彗星則帶有更多的複合物。有一種理論認為，地球上的生命最可能是隕星碰撞地球而帶來的。這種觀點稱為有生源說（panspermia，或胚種論），也有相當多的科學家認同。

A：達賴喇嘛認同這點嗎？

B：達賴喇嘛插話說，這並沒有解決問題，只是把問題推到遠方的外太空去了。

路易斯同意達賴喇嘛的評論，但他說，有生源說背後的思想是認為生命本來就在宇宙到處蔓延，只是在條件合適的行星上表現出來。

達賴喇嘛對此不表同意，他說根據這些理論，你能說生命在大爆炸以前就存在嗎？

路易斯只得承認，不能說生命在大爆炸以前就存在。在大爆炸以前，談論物理學定律、甚至談論時間和空間都沒有意義。

A：可見尊者對當下科學的結論，也抱持「追根究柢」的態度。

B：在介紹了科學界對生命起源的觀念以後，路易斯開始講述當代科學對生命的定義，生物學細胞的基本性質，細胞的自我複製能力等等。這是冗長而專業性的介紹，他在大螢幕上打出生物學課堂上用到的細胞圖像，用盡可能少的專業術語來介紹生物學中有關生命的知識。

「自組織」和「出現」是他介紹的生命起源中兩個重要概念。科學家傾向於在認識論的層面上作出解釋，專注於可以觀察到的「模式」和經驗現實的知識，而哲學家則要求本體論的解釋，要求回答它們到底是什麼，而不管你是怎麼觀察、描述它們。於是，哲學家米歇爾・比特波爾插話，從本體論要求講到了還原論*的觀點。最後，馬修・李卡德講述了佛教方面的觀點，特別是佛學中關於「無始」的思想。

在路易斯之後，生物學家烏蘇拉・古特諾講述生命的演化史。她從細胞開始講起，描述了細胞的奇妙，解釋細胞之所以有這樣的功能，是因為其中基因組（genome）的指示。

基因是非常穩定的。烏蘇拉在大螢幕上打出一幅DNA的電子顯微鏡圖像，解釋基因在細胞內如何運作。然後，她講到分子生物學中「受體蛋白質」這個中心概念，並解釋了受體是怎樣運作的。她還講解了從基因到胚胎的過程，從分子生物學的角度講述從細菌到人類的整個進化史。

A：這是十分專業的講解。

B：午餐休息後，烏蘇拉又坐到「熱座」上，講解人類和其他高等動物的異同，以及這些生物學上的異同意味著什麼。

她說，我們的大腦有大約一千億個神經元，它們互相作用、激發和傳遞訊號，產生了從複雜性中「出現」的性質，我們稱其為大腦中的知覺。大腦中的知覺存在於所有動物之中，尤其脊椎動物的大腦知覺非常複雜。在不很久以前我們才知道，靈長類動物的一個品種hominids中出現了一個突

＊　還原論（Reductionism），是一種哲學思想，認為複雜的系統、現象可以透過將其化解為各部分之組合的方法，加以理解和描述。在自然科學中有很大影響，例如，認為化學是以物理學為基礎，生物學是以化學為基礎等等。

變分支，經過進化成為人類。我們現在知道，我們和近親猿類、猩猩有著共同的祖先。

烏蘇拉問道：問題是，相較於這些兄弟姐妹，我們人類有什麼特殊之處？她說，我們和這些動物的關係非常深刻。同時，我們人類的特殊之處是，除了透過模仿和經驗來學習以外，還從以語言為基礎的文化中得到訊息。這事實說明人類有一種共同進化的方式，即文化、語言、大腦或心智的共同進化。人類文化編碼於這些語言，我們從語言中獲得文化。

在對話的最後階段，達賴喇嘛和科學家們討論了人類基因組以及它所涉及的倫理問題。

11 達賴喇嘛在麻省理工學院

A：我記得「達賴喇嘛在麻省理工學院」（*The Dalai Lama at MIT*）是書名。這書名挺有意思，它讓人馬上想到達賴喇嘛到世界一流的理工學院去幹嘛？

B：這是心智與生命對話平臺的第十一屆研討會。在達賴喇嘛和西方科學家多年對話的過程中，這次對話是個轉折點，二〇〇三年九月十三－十四日在麻省理工學院的克雷斯吉會堂舉行。這是個可以容納一千多位聽眾的大會場。以往的十次對話，都是達賴喇嘛和西方科學家的非公開談話，這次心智與生命研究所的科學家和達賴喇嘛，決定在世界一流大學舉行對話，而且開放大眾旁聽。這是經過仔細考量才決定，是需要勇氣的。

從私下對話到公開對話（二〇〇三年第十一屆心智與生命研討會）

A：為什麼這樣說？

B：西方民眾和科學界對於佛教的了解當然比不上對基督教的了解，一說到宗教，人們自然而然會想到基督教。基督教在西方文化和歷史中的重要性，無與倫比。基督教是一神教，有完整的創始說，認為神的偉大意志是凡人難以理解的。基督教不是要求信徒去理解神的意志，而是無條件地信仰神的意志。在他們的信仰中，神是不受質疑的。這和質疑一切現有定論的科學精神相違背。

A：確實如此。

B：所以，雖然西方科學是從中世紀的宗教和哲學中脫胎而出，但是，自從科學革命之後，科學研究成為西方社會的一種職業，自成體制，科學就和宗教漸行漸遠。科學家中仍然有很多基督徒，天主教也仍然是重要的科研贊助者，特別在天文學、宇宙學方面，梵蒂岡本身就擁有很多傑出科學家，但是科學學術本身不再求教於宗教。科學是要質疑的，這種質疑往往會觸及以信仰為基礎的宗教，因此宗教不再被科學界認為是一個合適的對話對象。所以，一說到科學和宗教領袖的對話，西方科學界和民眾的第一個念頭就是，他們能談什麼？

A：如果他們討論科學之外的內容，那就屬於世俗民間與僧侶的談話。如果談的是科學，人們就會有疑問，要嘛認為科學家可能會放棄嚴謹的科學規範和科學精神，要嘛認為宗教人士可能違背了信仰，在信仰上讓步了。結果不是傷害科學家的信譽，就是令宗教人士感到尷尬。

B：達賴喇嘛是天性樂觀的人。他知道當代西方科學在有關客觀世界的知識和探索方法上遠遠走在前面，但是他並不認為佛教的原則會妨礙他學習西方科學的知識。科學和佛教都是要了解實在的本質，既然如此，就有了對話的基礎。而且，達賴喇嘛認為佛教被稱為「內觀科學」，源自古印度探索人類自身心智的佛教，在研究人類心智和心理方面有其優勢，對西方科學會有所助益。

可是，十五年前心智與生命研討會剛開始時，科學家和達賴喇嘛都不願意對話引起其他科學家、佛教僧侶的疑問。所以，始終低調地私下對話，直到二〇〇三年才公開。

A：二〇〇三年，他們決定公開。

B：是的，二〇〇三年的第十一屆心智與生命研討會在ＭＩＴ的大會堂進行，而且向大學生和公眾開放。這是一個轉折，也是一次有風險的嘗試。

A：為什麼？

B：因為麻省理工學院集中了世界一流的教授和學生，科學氣氛濃厚、科學精神嚴謹。如果科學家們和達賴喇嘛的對話反應不好，或者反應冷淡，會傷害科學家們的學術聲譽。雖然對話已經舉行了十次，有幾十位來自世界各地的科學家參與，參加過對話的科學家們也都相信對話對他們認識和理解世界的本質有利，對他們的科研和學術有益，但是，旁聽的青年學生和大眾將會有什麼反應，誰也沒有把握。

A：結果呢？

B：報名旁聽非常熱烈。大會堂的一千二百多個座位全部坐滿，還有兩千多人報了名卻由於座位有限而不能入場。MIT的克雷斯吉會堂的臺上，達賴喇嘛盤腿坐在中央的座椅，他一側是身穿袈裟的佛教喇嘛們，另一側是參與對話的科學家。對話採用大學裡流行的學術演講加討論（panel discussion）的形式。在每個半天的議程中，參加討論的科學家輪流出場，而達賴喇嘛始終在臺上參加所有的討論。談論的氣氛仍然像在達賴喇嘛的客廳裡一樣，科學家們是在和達賴喇嘛對話，不同的是，這次台下有一千二百多雙注視的眼睛。

A：這次對話的科學協調人仍是阿瑟・查恩茨吧。有哪些科學家參加了？

B：安妮・特萊斯曼（Anne Treisman）是普林斯頓大學的心理學教授，她是研究視覺注意力、目標識別能力和記憶的專家，擔任過牛津大學、不列顛哥倫比亞大學和加州柏克萊大學的教授。她在一九八九年入選倫敦皇家科學院，一九九四年入選美國國家科學院。她研究人類怎樣從眼睛看到東西、而在大腦中形成有意義的圖像，是該領域的傑出科學家，得過多個獎項。

戴維・梅耶（David Meyer）是密西根大學的心理學教授，認知神經科學方面的專家，密西根大學的大腦、認知與行動實驗室主任。

南茜・坎維歇（Nancy Kanwisher）是MIT大腦與認知科學系的教授，她在二〇〇五年入選美國國家科學院。

史蒂芬・考斯林（Stephen Kosslyn）是里德學院的心理學教授，他的研究集中在認知心理學和認知神經科學，也是這個領域的知名作家和教育家。

馬琳・貝爾曼（Marlene Behrmann）是卡內基梅隆大學和匹茲堡大學的心理學和神經科學教授。

喬治・德雷福斯（Georges Dreyfus）生於瑞士，是藏學和佛學學者，麻州威廉姆斯學院的宗教學教授。他一九八五年獲得藏傳佛教格西拉然巴學位，是第一個獲得這個學位的西方人。

丹尼爾・卡梅曼（Daniel Kahmemann）是普林斯頓大學的心理學教授，二〇〇二年諾貝爾經濟學獎得主。

達切・凱爾特納（Dacher Keltner）是加州柏克萊大學的心理學教授。

丹尼爾・吉爾伯特（Daniel Gilbert）是哈佛大學的心理學教授。

參加過上次對話的ＭＩＴ生物學教授埃里克・蘭德也受邀；參加過多次對話的神經心理學教授理查・戴維森、艾倫・瓦萊斯，馬修・李卡德也參加了公開討論。艾倫、馬修和藏學家德雷福斯是代表藏傳佛教一方加入對話的。

A：這次對話的內容是什麼？

面對西方科學的藏傳佛教

B：這次對話的內容是心理學。由於這次對話在MIT，向大眾開放，所以和以往的對話不同。以往對話是應達賴喇嘛的要求，更注重向達賴喇嘛介紹西方現代科學的成就和面臨的問題，這次對話卻要面對美國大學生和大眾的好奇心，更要多介紹佛教方面能夠為科學研究提供些什麼。

A：在藏傳佛教上千年的歷史中，佛教僧侶對心智的研究，使用了諸如靜坐冥想的「內觀」方法，心智既是研究的對象，也是研究的工具。西藏的大寺院也是一所大學，僧侶們在大學裡內觀心智，形成了自己的「內觀科學」體系。

B：但是當代西方科學至今仍然對這種研究方法持懷疑態度，原因就是佛教「內觀科學」的主觀性，用心智來研究心智。不過，近年來由於新的研究技術出現，神經科學、認知科學、心理學、生物醫學等組成了生物行為科學的諸學科，對人類心智的研究開始了更大膽的探索。這次對話的目的是要在大眾面前，讓當代西方科學和東方佛教一起探索心智，交換思想，互相啟發。

這次會議在兩天中分三節（session）舉行，每節有一個主題，由佛教方面和生物行為科學界分別報告各自的科學發現，然後是和達賴喇嘛一起進行專家討論。這三節的主題分別是：第一節：注意力和認知控制，第二節：情緒，第三節：心理意象，在最後一節，還從哲學和倫理學的層面作總結。

注意力和認知控制

B：普林斯頓大學的心理學教授喬納森・科恩（Jonathan Cohen）和艾倫・瓦萊斯分別介紹了西方科學和東方佛學對注意力的認識。注意力有時候被稱為「意識之門」，而認知控制則是根據注意力來行動（或思考）的能力。以往對人類行動的理解是所謂「刺激－反應」的機械論模式，受這種模式的束縛，生物行為科學的研究迴避意識和認知控制的問題。現在，隨著認知科學的發展和大腦行為研究方面的新發展，在過去三十年裡，對注意力和認知控制及想像的研究成為發展迅速的熱門領域。

當前研究的焦點是要理解注意力和認知控制的心理學過程和神經機制。對一些涉及異常途徑的控制現象，如催眠和安慰劑反應，科學界研究的興趣也在增加。這些研究能提供一個窗口，讓我們觀察注意力和控制過程，使我們能理解超越正常功能局限的控制能力是什麼。

至今為止，西方科學界對藏傳佛教在注意力和認知控制方面的實踐和經典幾乎一無所知。看起來似乎是西方科學界在錯過一個機會，因為佛教修行十分重視訓練注意力，佛教的冥想修行要讓心智集中於其內在穩定狀態，這種訓練的目地是提升修行者控制自己的思想內容，以及控制自己身體的能力。

A：佛教經典中關於修行的教導，以及代代僧侶的常年修行的經驗，對於現代研究注意力和認知控制的科學家意味著什麼？現代科學對注意力和認知控制的研究成果，對佛教方面理解注意力和靈性修持的關係，又意味著什麼？

B：這正是第一節中達賴喇嘛和科學家討論的主題。

A：情緒是以前的對話專門討論過的主題。這次討論有什麼特別的地方？

B：出生於瑞士的藏學家喬治．德雷福斯介紹佛教《阿毗達摩》經典中關於情緒的病理學觀點及其應對方式。

A：《阿毗達摩》經典是佛教最精深的內容之一，差不多相當於現代大學的「博士級」程度，對人的認知過程和方式有詳盡而獨特的解釋。

B：德雷福斯比較佛教經典和西方心理學，指出二者把情緒視為人類精神生活的一個基本現象方面，從一開始就採取不同的角度。西方心理學傾向於分析情緒的功能和作用，比如分別「正面」、「負面」的情緒；而佛教趨向於強調每個人的特定情緒經驗的整體性和社交功能。佛教強調情緒可以透過認知策略調整，而西方心理學趨向於認為，情緒是人類精神生活中會降低正常認知推理和控制系統的部分。

佛教的情緒修行強調慈悲心的力量，提供了養育慈悲心的專門方法，相較之下，西方科學漠視慈悲心的存在。最後一個不同之處是，佛教的情緒理論強調第一人稱陳述的重要性，但是準確的第一人稱陳述需要系統的訓練，即良好的修持。西方科學對情緒進行研究時，也經常採取第一人稱的情緒經驗的自我報告，但是沒有強調如何專門訓練以改善第一人稱陳述的準確性。

A：這樣比較很有意思，透過了解對方可以更加了解自己。

B：科學家們認為西方心理學發展至今，已經到了應當系統性地檢驗佛教和西方科學家在情緒研究方面異同之處的時候，特別是那些最有可能互相學習的領域。對於情緒可以被有意識地控制的程度，為什麼東方佛教傳統和西方科學的觀點會有如此的分歧？西方關於情緒的進化論觀點和佛教的觀點能否相容？西方科學對大腦的新研究成果，對東方佛教理解情緒的認知功能又會有什麼幫助？

A：這些是很有意義也很重要的問題。這次討論的第三個內容是心理意象。什麼是心理意象？

心理意象

B：所謂心理意象（Mental Imagery）是指心智一種用來儲存訊息的器具。當我們意識到頭腦中的思想時，我們心智中有那麼一些圖像，它們可能是視覺的圖像，也可能是語言的或者觸覺的圖像。這是我們「用心智的眼睛看到的圖像」。

圖像（Imagery）對於心智非常重要，在記憶、推理、創造力、計劃、情緒和痛覺控制等方面，都具有明顯的作用。愛因斯坦就說過，他最有創造性的時候，就是在腦中看到某些圖像時。事實上，我們時時在大腦中構建圖像，比如我們的大腦記憶訊息時，不是數字式的，而是圖像式的。比如當我們回答「自由女神用哪一隻手舉著火炬」的問題時，大腦中立即構建一個自由女神的圖像，根據這個圖像我們多半能回答是左手還是右手。這些圖像是我們在頭腦內部「看到」的，所以叫做「意象」。

A：確實如此。也許這種經驗對我們來說太「自然而然」了，反而不會去留意。佛教的冥想也很注重「意象」，而且是一種很普遍的修練方法，稱之為「觀想」。初階修練往往從觀想特定的「意象」開始。藏傳佛教中很多如今被當作藝術品的圖像，例如唐卡，其實是用來幫助觀想的。

B：在西方科學中，對大腦「意象」的研究始終不熱門。直到最近，意象似乎仍然是一個只能透過內省而接觸到的東西。對內省的科學性的懷疑，使得上世紀中葉以來的西方行為心理學家認為「意象」無法科學地加以研究。現在，科學家認為當時的行為學家和哲學家的看法是一種偏見，科學家發展出了行為技術，使得研究者可以追蹤意象的形成過程，對內省加以驗證，而且可以運用大腦掃描技術觀察意象的神經機制。

但是，對於心理意象，仍然有很多東西需要探索，有很多問題尚待回答。人產生心理意象的認知和情緒經驗過程，科學家仍然所知甚少。而藏傳佛教具有一整套內省方法來產生、控制和觀察心理意象。現代科學能從中學到什麼？傳統佛教又能從西方科學中學到什麼？

A：這些內容非常豐富也相當專業，又是第一次面對大眾。兩天的會議，結果反應如何？

B：這是一次非常成功的討論會。西方的學術會議在形式上已經十分成熟，對會議的議程、發言的順序和時間、討論的控制，都有一套完整的方法，所以時間利用效率很高。為了對這次會議有一個清醒而客觀的評價，會議主辦方還做了一個很有意思的安排。

A：什麼樣的安排？

旁聽者評價

B：會議主辦方預先請ＭＩＴ的分子生物學家和遺傳學家埃里克・蘭德在台下全程旁聽了會議，要求他在最後對會議作出客觀評價。

蘭德上一年在達蘭薩拉參加了有關物質的本質和生命的本質的對話，他是生物學家，那次對話正好是他的專業。這次在他工作的ＭＩＴ舉辦的對話，是心理學專業，不是他的專業範圍，但分子生物學和遺傳學離心理學不算太遠，可以說是相鄰的學科。他參加過達蘭薩拉的對話，對東方佛學有所了解。所以，他可以說是這次會議的「最佳旁聽者」。

在兩天會議的最後總結階段，先請蘭德以聽眾的角度來報告他對這次會議的看法。這也是第一次這樣做，因為這次是公開的，會議必須了解和考慮對話是否有益於大眾。以往的對話都是達賴喇嘛和科學家們的私人活動，不需要這樣做。總結會議的公開效果，是一種負責任的做法。

A：蘭德是怎樣總結的？

B：他把要說的話概括為五點。

第一點，在不同文明傳統之間進行任何對話的前提條件是什麼？他說，是對話者要心態開放，願意辯論，服從證據，擺脫已有的教條，並且尊重對方。

「開放」是什麼意思呢？那就是願意改變自己的看法，願意承認自己可能錯了。

他以上一年在達蘭薩拉對話期間發生的事為例。在那次對話期間，科學家們討論了胚胎幹細胞問題，這在美國是十分敏感的議題。他們談論了一個問題：在什麼時刻，一個胚胎幹細胞，或者一個具有八個細胞的胚胎，可以被看作是一個人？科學家為此爭論不休。這時，佛教方面提出《阿毗達摩》經典說，來自於父親和母親的兩種再生產物質聚合為一體的時候，意識就進入其中，從那時起這物質就成為「有情」了。也就是說，從受精開始就是「有情」，就是一個生命了。於是，用這樣的細胞做科學研究就存在嚴肅的倫理問題。這是佛教方面的觀點。

科學家們對此繼續討論，指出了這樣的事實：如果取出一個胚胎，能將其細胞分離，會養育出兩個人，而不是一個人。如果將一個胚胎植入母體，可能連一個人也養育不出來，事實上大部分受精胚胎是自行流掉了。

A：這意味著，事實上並不是每一個胚胎最後都會養育成人。

B：然後，蘭德說他看到達賴喇嘛和身邊的佛教僧侶熱烈討論這個問題，他們在說，也許在此階段用胚胎進行科學實驗並不是壞的「業」，也許事情並不是《阿毗達摩》經典裡說的那麼簡單。蘭德說作為科學家，看到達賴喇嘛和身邊僧侶的討論，覺得非常奇妙，非常感動。他說，誰也沒有當場作出什麼定論，但是達賴喇嘛對這些議題持開放的態度。他說，要是美國社會對這敏感議題也用同樣開放的態度來討論就太好了。

他還說，僅僅佛教方面具有開放態度是不夠的，科學方面也應該要有同樣的開放態度。他指出科學是時刻保持懷疑精神的，對「我們所知甚少」這一情況，始終抱持謙卑的態度。但是在日常生活中，我們常常並不是如此謙卑。我們有時候會有非常教條、固守己見的態度。比如，我們曾長期認為人類大腦是不會改變的，大腦不會生出新的神經元。現在，我們承認這可能是錯的。我們必須時時提醒自己，身為科學家我們很可能在很多問題上是錯的，而對錯必須由證據來決定。

A：這對我們大家都是很好的提醒。

B：對話的第二個條件是要明瞭我們對話的動機。不是說我們要有相同的動機，而是說我們要理解我們的動機。

他又舉了一個例子。在上一次達蘭薩拉的對話中，物理學家朱棣文問達賴喇嘛：「可不可以用動物來做實驗？」作為生物學家，蘭德緊張地等待達賴喇嘛的回答。而達賴喇嘛的回答給了他難忘的精神衝擊。

A：這也是一個很有爭議的問題。達賴喇嘛怎樣回答？

B：達賴喇嘛說問題沒這麼簡單，我不能說對還是錯。在實驗中殺死一個動物，殺生顯然是壞的「業」，但是我們還得考慮另外兩點：這樣的實驗五十年以後會產生什麼結果？它對這個世界會有正面的好處嗎？另外一點也要考慮：你在做實驗時，心裡在想什麼？什麼是你心裡深處的動機？

蘭德說，我得承認作為科學家，我們很少在實驗室談這些，也不會有什麼科技委員會提出這個問題：請你說說你做實驗時心裡想的是什麼？我們甚至不知道怎麼思考這個問題，但是科研的動機問題顯然事關重大，我們應該問問自己，作科研的動機是什麼，也可以問自己，我們到這裡和佛教方面對話的動機是什麼？

A：這些確實都是非常嚴肅的問題。

A：蘭德說的第三點是：西方科學和東方佛教合作最有可能得出成果的領域是什麼？蘭德說，他希望科學家和佛教學者具體思考這個問題，這需要具體的研究方案，需要具體、可以實驗的假設和理論，需要進行實驗。他特別提到了理查・戴維森的實驗及收集到的數據，即戴維森的團隊以冥想修行功夫很深的喇嘛為研究對象，進行有關大腦神經可塑性的實驗觀測。他說，我們需要更多的人來做更多的研究，要有恰當的方法來把第一人稱的經驗和第三人稱的觀測結合起來，而佛教學者也許可以設計出更好的實驗方法。總之，進一步的科研非常重要，它將把對話的成果提升到更高的層次。

第四點，佛教學者能夠從這樣的合作中得到什麼？對這個問題，佛教學者已經做出了一些回答。運用現代科學方法，佛教學者可以對一些古老的問題作出新的回答。達賴喇嘛曾經提到佛學的一個古老辯論題目，物質對象是怎樣呈現為心理對象的？這是一對一的成像，還是多對一的成像，還是一對多的成像？佛教學者說，經過了那麼多年的辯論，他們仍不知道答案，他們想透過和科學家的對話找到答案。還有人建議，佛教方面也許可以透過現代科學來改進他們的冥想方法。他們的冥想方法已經有兩千年的歷史，但是，所有事物都一樣，知道得更多也許就可以改善得更多。

蘭德說，佛教學者能夠從科學對話中得到的東西，歸根結柢會回到佛教的根本目的——利益世界，利益他人。蘭德對會場上的一千二百多位聽眾說，如果我去問在座的佛教學者，你來參加對話的首要原因是什麼，他們會回答，他們認為對話最終會有益於他人。

A：說到底，「利益眾生」是科學和佛教共同的目標。

B：第五點，對話可以產生什麼益處？蘭德說，這樣的對話有幾項正面產物。首先是關於心智和大腦的知識，這非常重要，我們需要盡可能豐富的相關知識。但是，身為科學家，蘭德說他有一些其他的思考。我們生活在一個科學非常有力量的時代，但是我們知道科學並不包含我們人類需要的所有答案。如果只吸收科學，就會像偏食，必然導致營養失衡。因為科學不能回答人類面臨的所有問題，導致很多人有逃離理性的傾向，他們排斥科學，寧可依靠一些神奇的東西。但是這次討論讓我們看到，西方科學和東方佛教的對話非常精彩，不是逃離理性，也不是逃離科學，而是讓我們看到科學和佛教能夠在一起，看到科學只是理解世界的方式之一。佛教可以和科學合作，可以共同工作，沒有必要排斥科學。

蘭德說這點非常重要。有了互相尊重和理解基礎上的對話和辯論，這個世界會更美好。

A：這也是心智與生命對話的宗旨之一。

12 鍛鍊心智，改變大腦

神經可塑性：改變大腦，轉變心智（二〇〇四年第十二屆心智與生命研討會）

B：在二〇〇三年的ＭＩＴ研討會之後，第十二屆心智與生命研討會於二〇〇四年十月十八日－二十二日在達蘭薩拉舉行。

A：這次會議的主題是什麼？

B：這次對話的主題是「神經可塑性：改變大腦，轉變心智」。

A：什麼是神經可塑性？

B：大腦神經可塑性是指鍛鍊和經驗帶來的大腦結構與功能變化。有相當長的一段時間，科學界認為人類大腦在成年後就定型了，大腦神經元的數量不再增加，大腦不再發生變化。現在科學家們認為，大腦能夠隨著經驗而變化。過去十多年裡，神經科學和生理學在這個領域的研究很熱門，科學家們對大腦怎樣因為經驗而變化的方式有了種種新的看法。科學家們在很多不同的層面上，對不同的物種，就不同的時段，對大腦神經可塑性的基本問題進行了很多研究。所有這些研究都指向一個結論：大腦不是靜態的，而是不斷變化的，而且這種變化貫穿了整個生命階段。

科學家們為這次對話彙集了相關課題的種種研究結果。對大腦結構可塑性的研究顯示，成年哺乳動物的大腦處於不斷變化之中，並且探討了影響變化的因素。

A：哪些科學家參加了這次對話？

B：這次對話的科學協調人是理查・戴維森，威斯康辛大學麥迪遜分校的心理學和精神病學教授，他是大腦神經可塑性研究領域的領導人物。心智與生命研究所的創始人亞當・英格爾也參加了。另有幾位科學家是第一次參加。

弗萊德・格傑（Fred H. Gage）是加州索爾克生物研究所遺傳學實驗室的教授。

A：這個研究所二〇〇九年被列為神經科學和行為學領域全球第一的研究所。

B：格傑的重點研究領域是成年人的中央神經系統，他研究哺乳動物貫穿一生的神經可塑性和適應性。他的研究有可能導向移植修補因中風或阿茲海默症而受損的大腦組織。他在大腦神經可塑性研究方面有多項開創性的成就。一九九八年，他發現人類大腦在成年後仍然會產生新的神經細胞，從而糾正了人們一直認為人類的腦細胞數量從出生起就固定不變的錯誤認知。格傑的實驗室發現，人類一生中都有能力產生新的腦神經細胞。他們在成年哺乳動物的大腦裡發現了一些未成熟的神經細胞，格傑研究這些細胞怎樣才能發展成熟。他的實驗室研究了怎樣把這些細胞移植回大腦的方法，他們發現運動可以促進海馬體神經細胞生長，海馬體是大腦中對記憶能力非常重要的構造。他的實驗室還研究對腦細胞的產生非常重要的分子機制。他獲得過很多科學獎項。

邁克爾・米尼（Michael J. Meaney）是加拿大麥吉爾大學（McGill University）的教授，研究領域是生物學精神病學、神經學和神經醫學。

村上和雄（Kazuo Murakami）是著名遺傳學家，日本筑波大學教授。他在一九八三年對導致人類高血壓的一個隱蔽因素——酶腎素作了解碼，因此揚名國際。他於一九九〇年獲麥克斯・普朗克研究獎，一九九六年獲日本科學院獎。

海倫・內維爾（Helen J. Neville）是奧勒岡大學的心理學和神經科學教授，聞名全球，研究人類大腦發展、大腦結構的專門化、童年和成年的神經可塑性，生物學因素和經驗的作用等等。為了研究這些課題，內維爾運用了一系列方法，包括行為學測定，「事件相關電位」（ERP）和「功能性磁共振成像」（fMRI）技術。她的研究有助於將大腦系統和功能中固定的部分和透過經驗而可變的部分區分開來。她希望她的研究能帶給社會正面的影響。

菲利普・夏維爾（Philip R. Shaver）是加州大學戴維斯分校的心理學教授，專研社會關係與情緒。

伊凡・湯普森（Evan Thompson）是加拿大多倫多約克大學的哲學教授。專業領域是認知科學、現象學、關於心智的哲學、跨文化的哲學、佛教哲學和西方哲學的對話等。他在一九七七年遇到佛朗西斯科・瓦瑞拉，成為他多年的朋友和合作者。

A：第一天的主講內容是什麼？

大腦對經驗作出反應而發生結構變化

B：第一天坐在「熱座」的是弗萊德・格傑，他主講成人大腦對經驗作出反應而發生的結構變化。對研究神經系統的科學家來說，大腦是人體中控制行為的器官。這就意味著，我們想什麼做什麼，雖然很明顯受到經驗影響，本質上卻是大腦處理訊息並指導行動的結果。根據這觀點，大腦有如一台電腦。

A：但是，人的大腦實際上比電腦複雜得多。

B：把大腦比喻成電腦，儘管有一定的探索價值，卻是錯誤的。大腦是一個人體器官，就像肝臟、腎臟一樣，是由化學物質、細胞等組成的。大腦的功能是透過細胞之間以電與化學方式通訊而完成的。對大腦中的神經元來說，真正的挑戰是怎樣計算和解釋瞬間接收的訊息，並將經過解釋的訊息傳遞給電路中的下一個神經元。大腦神經元傳遞和加工訊息的總體結果就是我們的思想和行為。

大腦是否可以比喻成一台穩定不變的機器或電腦，一個主要問題是，這樣的比喻是否能幫我們解釋我們是怎樣記憶的。如果大腦的結構處於不停的變化之中，我們的思想和行為怎麼會保持穩定？如果大腦是意識的載體，如果大腦不是穩定不變的，我們怎麼能夠保持一個自我認同的意識？

A：可是現在科學家已經發現了，大腦在物理學的意義上不是穩定不變的。

B：所以，格傑說這種可變性或許是好事。大腦結構不穩定性可以讓大腦有更大的能力處理複雜的環境，更能夠適應環境變化。這就是神經科學家所說的「大腦神經可塑性」。

在第一天的對話中，格傑概略介紹了當代科學家研究成年哺乳動物所發現的持續的結構可塑性，還討論了經驗、行為模式、藥物怎樣改變大腦，從而改變行為。

A：第二天是誰主講？

經驗誘導出基因表現的改變

B：第二天是邁克爾・米尼主講，他講的內容是基因表現中由經驗誘導出的改變，早期經驗對大腦情緒功能的影響。

西方科學界長久以來一直在辯論一個重要問題：人類的思想、情緒和行為，控制思想、情緒和行為的人類的大腦功能，主要是天生還是後天養成的？同一物種中的個體差異，是遺傳造成的還是環境（或經歷）造成的？這一爭論源自於對細胞生物學的根本性誤解，普遍忽視了一個簡單的事實：無論是基因還是經驗，都不能脫離相關條件而影響大腦發展，也就是說經驗需要「翻譯」從身體器官得到的訊息，而這些器官的功能包括大腦的活動，這樣的器官功能必然受基因的影響。所以，經驗的作用離不開基因的影響。同樣，基因在細胞內發生作用，細胞則不斷受外在事件的影響而調整。可見，基因和經驗是不可分的。

米尼主講的內容十分專業。他說，組成基因的核苷酸序列處於動態的環境，這一環境在不斷修改。DNA通常包裹著組織蛋白，單一核苷酸受化學作用而修改。DNA的這種化學修改能夠永久性改變單個基因的活動。在一些細胞中的DNA化學可能不同於另一些細胞，這就解釋了為什麼肝臟細胞和大腦細胞儘管有完全相同的基因，卻有完全不同的功能。DNA的化學之不同，可以解釋為什麼同一身體上的細胞有各自不同的表現，也解釋了兩個不同身體上的相同細胞有不同的功能，即個體差異問題。

米尼解釋說，DNA化學的個體差異受早期發展階段的環境事件影響。他講解了實驗室裡對白鼠所觀察到的大腦細胞化學變化。他說，他的實驗室發現，在白鼠出生後的第一個星期裡，母鼠對幼鼠的愛撫直接影響了大腦中某些細胞中的DNA化學環境，從而永久性改變了神經元的活動，於是導致認知和情緒功能的改變。

米尼說，這些方向提供了基因和環境互動的一個例子。在此後的一生，這樣的效果是否會受經驗的影響而逆轉，科學家們對此還所知甚少。但是，母親的愛撫能改變DNA並影響DNA的活動，說明這樣的效應在一生的所有階段都可能發生。

大腦成長階段的可塑性

B：第三天是海倫・內維爾主講人類在大腦成長階段的可塑性。她像在課堂上講課一樣，一點一點地展開，先介紹人類大腦的結構和功能，以及科學家研究人類大腦的方法，然後介紹人類大腦發展的過程。她舉出幾個科研計畫，說明人的經歷怎樣影響大腦系統的重要功能，包括感官訊息的處理、語言處理、學習過程、智能、社交和情緒控制技能等等。最後，她提到這些科學發現對健康、教育和兒童養育的意義。

她說，最近幾年研究大腦的科學家有很多新發現，對大腦怎樣工作、怎樣發展有了很多新的知識。科學家們現在知道，當嬰兒出生時，大腦是很不成熟的。事實上，大腦的完全成熟要到出生後至少二十年。而且，在這漫長發展階段，人類大腦高度依賴於人的經驗，是被經驗不斷修正的。例如，出生時就目盲的人，大腦中原來用來正常處理視覺訊息的部分將重新連接，變成用來處理聲音，包括處理語言。而那些出生時就耳聾的人，大腦中原來用於處理聲音的部位變成用來處理視覺訊息了。

她解釋說，大腦系統中和語言相關的部分也是被經驗塑造的。那些晚於六歲才學習語言的人，大腦系統中通常用來處理語法的部分沒有調動起來，但是對這些晚學語言的人，大腦系統中處理詞彙意思的功能仍然是正常的。嬰兒成長階段，如果撫養他們的人正常地多跟他們說話，他們通常就發展出較好的語言技能、大腦語言系統。如果很少有人跟兒童說話，他們的語言能力就較差，大腦的語言系統就沒有發展成熟。

她指出，和以前很多人的想法相反，現在科學家們認為人類大腦是不斷變化、高度動態的器官。對大腦的研究可以指導照顧兒童的人設計出更好的養育方式，使這些兒童得到最好的大腦發育。她希望佛教學者和科學家分享東方佛教修行者的修持能怎樣影響人類大腦的潛力。

A：第四天的內容是什麼？

依戀心、慈悲心和利他心

B：第四天是心理學家菲利普・夏維爾講述改變「依戀心」來促進慈悲心和利他心。

在過去三十年裡，研究心理發展、人格和社會化的心理學家們探討了「依戀理論」，這是在六、七〇年代由英美心理學家和精神病學家提出的一種理論，這理論是從精神分析學的精神病學和靈長類動物行為學中發展出來的，主要研究靈長類動物的嬰幼兒和撫養者之間的「依戀」，或情緒性親密關係。撫養者（通常是生物學上的母親，但並不限於母親）對嬰幼兒的不適訊號是否敏感，是否迅速作出反應，嬰幼兒對撫養者「依戀」的牢固程度也隨之變化。如果嬰幼兒沒有牢固地依戀於撫養者，就會表現出焦慮、迴避和失序的行為。在兒童階段的不安全不牢固的依戀關係，會在以後很多年裡表現出來，影響人的精神健康和人際關係。兒童發展心理學和臨床研究已經成功設計出了早期干預技術，以增加嬰幼兒對撫養者依戀的安全感。

菲利普・夏維爾介紹了他和同事們的研究，他們用依戀理論來觀察青少年和成年人的精神健康和人際關係，比如友誼、浪漫愛情和婚姻。他們發現，有可能在實驗中激活依戀理論中的所謂依戀行為系統，用有意識和無意識的方法增加人的安全感。這一研究顯示，人的「依戀模式」即使在成年後仍可以在實驗中加以改變，可以改變人的性格以提高安全感。

A：日本遺傳學家村上和雄談了什麼內容？

笑怎樣調節血糖值和基因表現

B：第四天下午，日本遺傳學家村上和雄介紹他的研究「笑怎樣調節血糖值和基因表現」，非常有意思。

眾所周知，基因有向下一代傳遞生存必須的訊息的功能。基因的一個重要作用是把DNA訊息轉錄到RNA上，然後植入蛋白質。從DNA到蛋白質過程中的關鍵步驟是從DNA到mRNA，增加或減少mRNA的表現值叫做基因的開或關。基因的開或關受很多因素的影響，比如物理因素（熱、壓力、緊張、訓練、運動），和化學因素比如食物中的營養、酒精、吸菸和內分泌干擾物。根據這事實，村上和雄提出一個假設，精神因素也會影響基因的開關。他認為精神因素不僅包括負面的精神壓力，也包括正面的因素，比如正面的情緒：興奮、快樂、感激、親密、信任和靈性的體驗。

為了驗證這一假設，村上和雄和他的同事研究了笑作為一種正面情緒對基因表現開關變化的影響。他們發現，笑能降低第二型糖尿病人的餐後血糖值。

A：這真是有趣的發現，可見保持心情愉快、笑口常開有益健康。最後一天的內容是什麼？

B：最後一天上午，由理查・戴維森主講「轉變情緒性心智」。他說，我們對事件的情緒反應和我們的日常心情，構成了我們的人格，形成我們幾乎所有行為的風格。以前我們一直認為，成年人的人格是相對固定的、不會改變。

A：中國人有句俗話：「江山易改，本性難移」。

B：這句俗話現在證實是錯誤的。戴維森說，過去十年對大腦的情緒機制的研究，提供了一個新的視角，從大腦可塑性的角度探索情緒的轉變可能。

戴維森首先解釋了人的情緒反應度，他稱為情感風格（affective style），怎麼測定情感風格呢？他說，情感風格不是固定的性格，而是可訓練的技能。情緒的調控是可以習得的。即使是短時間的情緒調控訓練也能夠產生大腦功能方面的可見效果。戴維森還闡述了其他的情感可塑方式。

最後，戴維森說，我們應該思考這樣一個問題：純粹的精神訓練是否可以用來轉變情緒？他說，對一些修行很深的冥想修持者的研究，發現了一些新的證據，證明他們可以透過意念自覺地變換大腦功能。在討論的時候，戴維森提出了問題，在轉變情緒方面，精神上的訓練和行為訓練各自能發揮怎樣的作用；在訓練情緒技能方面，是不是存在最佳的訓練時段。最後，如果情緒調整訓練使得生活的滿意度增加了，是不是會降低社會變化的動力？

A：這最後一個問題已經是哲學領域的思考了。這次對話有哲學家參加，他們在對話中提供了什麼思考？

佛朗西斯科・瓦瑞拉和神經現象學

B：一如以往的對話，參加對話的科學家希望哲學家為他們的對話勾勒出一個大視野。哲學家的任務是提出一系列的問題，使得不同文化背景的對話者有共同的思考，建立對話的基礎。這次參加對話的哲學家伊凡・湯普森是瓦瑞拉的老朋友，他雖然是第一次參加，但是他了解心智與生命對話的目的和方式。由於瓦瑞拉不幸早逝，他想要代替瓦瑞拉說出想說的話，科學家不應該繼續迴避心智研究中的主觀陳述。用科學家的術語來說，就是有關神經現象學的問題。

一方面，作為自身精神生活的觀察者和陳述者，每個人在這方面的能力是不一樣的，這種能力可以透過注意力、情緒和認知的訓練來提高。打坐冥想練習就是一種精神訓練；另一方面，精神訓練應該在大腦結構、功能和動態的變化上反映出來。所以，靜坐冥想練習可以成為發展主觀經驗的現象學的工具，也可以成為探索大腦和神經可塑性的工具。將靜坐冥想練習結合進神經科學研究，可以形成一種經驗性的神經科學，這就是「神經現象學」。

最後，他再一次指出了神經科學在意識本質問題上的巨大疑問：一方面，人的精神過程是大腦的運作過程，這一假設支配著關於心智的科學研究，是現在關於心智的科學觀點；但是另一方面，科學家們仍然不能令人滿意地解釋：大腦活動怎樣產生意識、意識對大腦的活動有怎樣的作用。

A：或許資深修行者與神經科學家們的合作，將來能夠取得某種實質性的進展，為這些問題提供一些思路。

13 佛教與神經科學合作的可能性

B：二〇〇五年，心智與生命研究所舉辦了和達賴喇嘛的第十三屆研討會。這次對話是趁著達賴喇嘛訪問美國時進行的。對話之前，發生了一件在當時引起媒體廣泛報導的事：達賴喇嘛應邀在美國神經科學年會上演講，在科學界和大眾中引起了很大的爭議。

A：這是怎麼一回事？

B：簡而言之就是，美國神經科學學會剛好在達賴喇嘛訪美期間舉行年會，在一些科學家的提議下，學會邀請達賴喇嘛演講。此舉引起另外一些科學家的反對，他們發起聯署抗議信，要求學會撤銷邀請，但學會仍堅持。達賴喇嘛發表了長篇講演，回答了聽眾問題。爭議就此平息了。

A：這事件也可以視為一種「對話」，是達賴喇嘛和更廣大的科學界人士及社會大眾的對話。可見藏傳佛教宗教領袖達賴喇嘛和科學界的專業人士對話，是不尋常的，並不是所有人都抱持同樣的態度看待對話的意義。所以，二十多年來科學家和達賴喇嘛的心智與生命研討會始終保持低調，避免外界干擾，其實是經過深思熟慮的穩當舉措。

不過，二〇〇五年的事件作為「另類」對話，是值得我們回顧的。你是否可以敘述一下這件事的來龍去脈？

神經科學家學會及其年會

B：美國有一個神經科學家學會，一九七〇年成立，現在會員已經超過三萬七千人，是全球最大的神經科學學會，也是規模數一數二的科學家團體，其會員不限於美國的科學家，而是遍及全球。神經科學是相對比較年輕的一門科學，美國神經科學學會的規模如此之大，說明這門科學是二十一世紀的熱門學科，也說明這門科學的跨學科綜合性，不論是神經系統的解剖、生理、病理、藥理、化學等等，還是人與動物的心理、認知、行為等等，甚至人的精神、情緒發展與控制等等，都可以集結在神經科學的大旗之下。這個學會每年秋天舉行年會，是全球神經科學家賴以交換訊息的大聚會。

這年會對業內人士很重要，大眾則少有興趣。二〇〇五年的年會卻是個例外，早早地上了新聞。原因是這年年會計劃安排一個「神經科學和社會對話」的議題。安排這個議題的目的，是想促進神經科學界和社會大眾的相互了解，因為神經科學研究很花錢，而科研的經費歸根結柢來自於大眾，所以科學家需要大眾了解他們在做什麼，讓大眾知道他們的錢花得是不是值得。同時，科學家也要知道大眾的需要，急大眾之所急。

二〇〇五年的年會有邀請達賴喇嘛來演講的議程，這消息一經公布立即引來了一些科學家的抗議。有一位來自中國大陸的神經科學家起草了一封給美國神經科學學會主席的抗議信，要求學會撤銷邀請。這封信在網上徵求聯署，有五百多人簽名。簽名者大多是神經科學方面的專業人士和大學生、研究生。有人注意到了，其中大部分來自中國大陸。

A：這份請願書提出的理由是什麼呢？

B：這份請願書分正文和補充兩部分，但是八點補充的內容在正文中已經闡述過，只是作了一次重複敘述。請願書的正文首先強調，神經科學學會是全世界神經科學家一個高度受人尊敬的組織，其年會是讓神經科學家和大眾了解神經科學研究的重大事件，神經科學家們三十年來努力的聲譽不應受到損害。

然後，請願書說，在這樣的年會上出現一個「有爭議的政治性」宗教領袖會導致爭議、不必要的壓力和學會成員之間的深刻分裂。它引用了學會章程的條款，這個學會的目的是科學的、教育的、文學的、公益的，沒有其他目的。所以，邀請宗教領袖達賴喇嘛可能違反了學會的章程。

A：從章程裡找依據，應該說是比較規範的做法。

B：接下來的一段，是後來在網路上引起比較多爭論的內容。這一段批評了理查・戴維森對打坐冥想者進行測試的研究論文，說這研究有很多毛病，而且部分研究經費有佛教信徒和支持者資助。戴維森是這次邀請達賴喇嘛演講的促成者。請願書說，邀請達賴喇嘛演講是出於「劣質的科學趣味」。

請願書正文最後說，神經科學家們提供講臺給一個合法性建立在「轉世」上的宗教領袖，很「諷刺」。

請願書文本是英文的，我至今沒有看到中文譯本。應該說，正文的行文和語氣比較正規。我注意到文中都使用「達賴喇嘛」這個稱呼，而不是很多中國大陸學生用的「達賴」。

請願書的補充理由，其中第五條是說如果請達賴喇嘛來講「冥想的神經科學」，那麼這樣的主題也可以請印度教和伊斯蘭教的領袖來談，因為這兩大宗教可以說有更長久的冥想修行歷史。所以說邀請達賴喇嘛是「故意的」。

補充意見的第七條顯然說明，抗議者知道達賴喇嘛和西方科學家有多年的對話交流。它說，達賴喇嘛和神經科學家的交流對於大眾了解科學是有所幫助還是有所傷害，這是一個問題，對科學的好處是有疑問的，但是看來和科學家們結盟，對達賴喇嘛及其支持者們的與科學無關的目的更有用，這種目的包括支持宗教修行和觀念。它指控神經科學學會的做法為達賴喇嘛及其追隨者提供了促進其自身目的的「彈藥」。

A：這最後一條的說法顯然話裡有話，是在指責對方有政治考量。

B：但是誰都不願意把政治引到這事件裡。請願書發表後，網絡上出現了支持神經科學學會邀請達賴喇嘛的聲音，他們也發表了一份請願書。這份請願書的理由比較簡單，神經科學學會的年會請達賴喇嘛來是因為有一個「神經科學與社會對話」的系列論壇，請達賴喇嘛來不是作神經科學家的科研報告，而是作為社會一方來幫助科學家了解社會，也幫助大眾了解神經科學。它說，因為神經科學研究主要依靠公共經費的研究，所以鼓勵科學家和社會對話至關緊要，有助於在「兩種文化」之間建立橋梁，使科學家能把自己的科研放在文化背景下來看待。

這份請願書反駁科學和宗教必須分開而且不可調和的觀點。它認為，科學也可以被視為一種宗教，即相信這種或那種理論代表了相信者對世界的觀察是最符合邏輯、最簡潔的解釋。反對把宗教和科學混在一起的觀點，本身也是某種形式的宗教信仰。

針對宗教，它說就像任何教條一樣，對宗教進行逐字逐句且具體而言的解釋經常是最無建設性的（unproductive），只會製造不幸而沒有必要的意識形態衝突。例如，有人會把心智看成沒有身體也能抽象存在，就像數學沒有計算機和紙筆也能存在一樣。它說，這種哲學性的信念並不一定就和經驗的科學相衝突。

A：這些觀點至少是值得思考的。宗教和科學的關係是動態的，歷史上兩者關係的狀態就和現在的狀態不一樣。宗教和科學的關係並不是一種固定、非黑即白的是非關係。

B：這份請願書也得到了一些人的響應，徵集到三百多人的簽名。這一爭議引起了美國社會的關注，各大媒體都報導了，包括在科學界份量極重的《自然》（*Nature*）雜誌。顯然這是一個敏感的問題。媒體在報導時，都刻意表現得十分中立，只報導事實，而且盡量把兩邊的觀點都一視同仁地呈現出來。最後的決定權在神經科學學會。

A：最後的決定是什麼？

B：神經學會主席巴恩斯通知請願書的發起人，學會決定不撤回邀請，達賴喇嘛將如期在年會上演講。巴恩斯沒有解釋這樣做的理由，只是說明這是一個最終決定。

達賴喇嘛呼籲大家重視未來的科技倫理挑戰

A：達賴喇嘛在神經科學年會上講了什麼？科學家們的反應如何？

B：達賴喇嘛在神經科學學會的年會上發表的演講，後來整理成〈站在十字路口的科學〉（Science at the Crossroads）一文。參加這次年會的一萬四千多位神經科學家在幾個會場上聽了達賴喇嘛的演講，沒有發生明顯的抗議，只有六個人撤走了他們貼在會場裡的論文，幾乎沒有引起任何人的注意。有一位來自中國大陸的女學生站在會場門口，在她攜帶的帆布包上用鉛筆寫了一句抗議：達賴喇嘛沒資格在此演講。但很少有人注意她。達賴喇嘛演講以後，就再也沒有聽到抗議和爭論的聲音。達賴喇嘛的講話內容已經說明了一切。

A：達賴喇嘛講了些什麼？

B：達賴喇嘛的這次演講和他之前無數次公開演講不同，這次有發言稿。達賴喇嘛通常不喜歡照本宣讀。他在公開場合講話或接受媒體採訪，回答別人的提問，經歷過各種各樣的場合，從不緊張失態。他一向坦率誠實地說出自己的內心想法，有什麼說什麼。但是這次講話他準備了發言稿，不過他仍然開玩笑說明，他其實不喜歡照本宣科。在發言的過程中，他仍然像以往一樣脫稿開了幾個玩笑，引起聽眾輕鬆的笑聲。

他在演講中介紹了自己對科學的好奇心，講到自己和西方科學家的初次接觸，也講到了二十年來他和西方科學家的持續對話。

然後，他自問自答為什麼我要來到這裡？佛教和當代科學的關係是什麼？

他說，雖然佛教的修持傳統和當代科學源自於不同的歷史、知識和文化根源，但是也有共同的地方，特別是在哲學和方法學上。在哲學層面上，佛教和現代科學都對任何絕對觀點抱持深深的懷疑，不論這些觀點是概念性的，還是有關一個超越的存在；佛教和科學都傾向於信服宇宙與生命在複雜的自然因果關係律下出現和進化的觀點。在方法學的層面上，這兩種傳統都強調實驗的作用。

達賴喇嘛說，佛教長久以來就相信人類心智本來就存在巨大的轉變潛力。於是，佛教發展出了一系列冥想修行的方法。這種修持的目的有兩個：一是培養內在的慈悲心，二是培養對實在之本質的深刻理解，這種對「實相」的理解，被認為是慈悲和智慧的結合。

他說，他覺得在佛教的修行傳統和神經科學之間，可能有合作研究的巨大潛力。至少這種跨學科結合可以對一些重要領域提出關鍵性的問題。

達賴喇嘛比較詳細講述了佛教和神經科學合作的潛在可能性，和可能遇到的問題。這些內容對於初次聽到的人來說也許很新鮮甚至出乎意料之外，但是這些其實是達賴喇嘛和科學家討論了二十年的內容。這些觀點符合佛教利益大眾的動機，也符合當代科學的科學性要求。達賴喇嘛有充分的自信，西方聽眾能夠理解他和科學家們的對話與合作。

最後，達賴喇嘛向科學家們呼籲，重視科學的迅猛發展給人類帶來的倫理挑戰。他說，我們的道德思考趕不上知識發展的步伐，而新的科學發現及其應用已經觸及了人類本性的很多基本概念。所以，我們的責任不再是簡單地促進科學知識的增長和技術的力量，而是必須找到一條路，把根本的人文和倫理思考帶進科學發展，特別是生命科學的發展。

達賴喇嘛還特別強調，所謂根本性的倫理原則不是指宗教倫理。相反的，是指「世俗倫理」，包括全人類的基本倫理原則，如慈悲、容忍、關懷、利他，以及負責任地使用知識。這些原則超越了宗教信仰者和非信仰者之間的藩籬，也超越了不同宗教之間的藩籬。他把人類的所有活動領域比喻成一隻手，科學是其中的一根手指。只要這些活動都由象徵人類的基本同理心、利他心的手掌連接在一起，那麼這些活動都會有利於人類福祉。

A：這是非常精彩的演講。

B：事實上沒有人對達賴喇嘛的演講內容提出異議。

A：可是，對這次演講之前引起的爭議，我們可以引出怎樣的思考呢？

B：反對神經科學年會邀請達賴喇嘛的請願書起草人是一位來自中國大陸的科學家，在《自然》雜誌報導了他的請願書引起的爭議後，他有提過一份給科學家同儕的自我辯護書，解釋他為什麼要起草和發起對神經科學學會的請願。他特別聲明這樣做和政治沒有關係，他說，「比較愚蠢的邏輯才會說每個反對達賴喇嘛演講的華人都是因為政治。達賴喇嘛的演講多不勝數。浮想聯翩或者降低智力才會認為取消一個給專業科學家的演講對全球政治有任何影響、才會認為中國政府對演講有任何關心。」

A：我想這是仁者見仁、智者見智的事情，智力高低並不是絕對的。

B：同樣有意思的是，在美國民間的爭論中，支持神經科學學會決定的人，也強調他們的支持和政治沒有關係，他們不是因為達賴喇嘛的政治色彩才支持神經科學學會邀請達賴喇嘛的。

有趣的是，反對方關於科學與宗教關係的觀點。這位請願發起人說：「如果宗教領袖碰巧與好的科學有關，我不那麼在意，不過這種情況很少。」「達賴喇嘛講『打坐的神經科學』的資格，和教皇講『性的神經科學』差不多：前者可能有過不少打坐經驗，後者節欲也是典範。如果讓達賴喇嘛到廟裡去講，或者講給目前的白宮居住者們那樣智商的人去聽，可能還不辱斯文。」

A：這和白宮毫無關係，把白宮牽涉進來幹什麼？他這樣一說不是和政治有關了嗎？

B：網上有一位華人學者指出，反對方的絕大多數簽名者接受的是中國大陸的高等教育，這和他們的反對態度相關，儘管他們很多人最後在美國獲得博士學位，從事專業科研工作。排除政治問題不論，怎樣看待宗教、宗教和科學的關係，是反對態度的一個中心議題。他說，青少年時期的教育往往會伴隨人一生。大陸出生的中國人，儘管有人已經在西方國家生活了很多年，許多人還堅持「宗教是愚昧、落後的」、「宗教是人民的鴉片」的馬列主義宗教觀。

A：美國民眾一般不會反對神經科學學會年會邀請達賴喇嘛演講，因為演講的主題本來就是「神經科學與社會的對話」，達賴喇嘛身為宗教領袖，以社會角度去演講，並不需要具有科學家的資格。平心而論，誰都能理解達賴喇嘛去神經科學年會演講，不是一次科學學術探討，而是科學家和社會的對話，其正當性毋庸置疑。

科學和冥想的臨床應用（二〇〇五年第十三屆心智與生命研討會）

B：這一年達賴喇嘛有一次和科學家的深入對話，那就是第十三屆心智與生命研討會，和神經科學學會年會幾乎同時，於十一月八日－十日在美國首都華盛頓舉行。

A：這是一次怎樣的對話？

B：這次對話受二〇〇三年在ＭＩＴ舉行公開對話成功經驗的鼓舞，是對大眾公開的對話，而且在美國首都舉行。這是心智與生命研究所和約翰・霍普金斯大學醫學院、喬治城大學醫學中心聯合舉辦的科學討論會，主題是「科學和冥想的臨床應用」。

A：有哪些人參加了對話？

B：這次討論會採用西方研討會常用的演講與討論相結合的方式，在特邀的演講者講話後，與此演講有關的專家展開討論，演講者和討論者一組一組輪流上臺。因為仍然保留科學家和達賴喇嘛個人對話的性質，所以達賴喇嘛在討論過程始終坐在講臺中央，參加所有討論。

參加這次討論會的科學家陣容比以往在達蘭薩拉舉行的對話要龐大。除了以前參加過對話的理查・戴維森、亞當・英格爾、喬・卡巴金、馬修・李卡德、雪倫・薩爾茲堡、以及兼作翻譯的土登晉巴和艾倫・瓦萊斯以外，還請了一些研究心智與大腦的科學家和冥想修行者。

阿瑪若法師（Ajahn Amaro）是北加州無畏山（Abhayagiri）佛寺的住持。他是英國人，在倫敦大學獲得心理學和生理學的學士學位，一九七七年在泰國成為上座部佛教寺廟的隱修僧侶。他在英國和美國各地教授冥想修行。從一九八八年起，參加了多次有關佛教冥想修行的會議和講座，包括和達賴喇嘛及西方佛教徒的交流。他出版了好幾部著作。

揚・科珍・貝伊斯（Jan Chozen Bays）是兒科醫師，專長是對兒童可能遭受的虐待和忽視進行評估。她從一九七三年開始研究和修行佛教禪宗，並在一九八三年由前角博雄（Taizan Maezumi, 1931-1995）禪師正式認定為禪師，可以教授禪宗。她在禪宗修行方面發表過多篇文章，並有專著問世。

約翰・迪吉歐亞（John J. DeGioia）是喬治城大學的第四十八任校長。該大學是源自於天主教信仰和耶穌會傳統的著名高等學府，在精神探索、公共事務、宗教與文化多元等方面有優良的傳統。他是這所耶穌會大學的第一位非僧侶校長，特別強調要保持和加強喬治城大學的天主教和耶穌會身分，為公義代言發聲。他是羅馬天主教會一個世俗團體馬耳他會的成員，這個團體致力於幫助和照顧貧病的人。他積極倡導不同宗教的對話。

喬安・哈利法克斯是人類學家和心理學家，也是一位禪師，參加過第四屆心智與生命研討會。

托馬斯・基汀神父（Father Thomas Keating）一九四四年進入天主教，一九五八年成為本篤派修道院的主管，一九六一年被選為麻州聖約瑟夫修院的院長。他是中心祈禱運動（Centering Prayer Movement）的創始人，這個運動已成為國際著名的祈禱和冥想修行活動。他也提倡不同宗教的對話。

瑪格麗特・凱梅尼（Margeret E. Kemeny）是加州大學舊金山分校的精神病學教授。她的研究重點是發現心理因素、免疫系統和健康與疾病之間的聯繫。她在理解人類心智形成對壓力與傷害的生理反應方面有重要貢獻。過去十五年裡，她研究了心理反應在預測ＨＩＶ感染過程中的作用。最近，她開始研究和某些自體免疫疾病有關的癌症。

傑克・康菲爾德（Jack Kornfield）從一九七四年就成為佛教僧人，在泰國、緬甸和印度修習佛學。他是把上座部佛教的修行介紹到西方的主要人物。他的工作主要是以西方社會能夠接觸和接受的方式介紹東方靈性傳統。他畢業於達特茅斯學院（Dartmouth College），從賽布魯克學院（Saybrook）獲得臨床心理學博士學位。他是西方最大的兩個冥想中心的創始人，出版了多種專著。

海倫・梅伯格（Helen S. Mayberg）是艾摩利大學醫學院的精神病學和神經學教授。她的研究中心主題是運用功能性神經成像技術，去確定健康者和病人的正常和非正常心情狀態的神經路徑。

愛德華・米勒（Edward D. Miller）是約翰・霍普金斯醫學院的首席執行官，該醫學院的第十三任院長，也是大學的副校長。

羅伯特・薩博爾斯基（Robert Sapolsky）是史丹佛大學的生物科學和神經科學教授，和肯亞國家博物館合作研究靈長類動物的專家。他出版了五本專著，發表過三百五十多篇科技文章。

辛德爾・賽格爾（Zindel V. Segal）是多倫多大學精神病學系的心理治療教授，成癮與精神健康中心認知行為治療小組的領導人。

貝尼特・夏皮羅（Bennet M. Shapiro）是生物技術方面的諮詢專家。在此之前，他是華盛頓大學生物化學系的教授兼系主任。他發表過一百二十多篇有關細胞行為的分子調整和生物化學方面的論文。

戴維・歇浦斯（David S. Sheps）是佛羅里達大學的心臟病學教授，是該領域的著名專家。

伍爾夫・辛格（Wolf Singer）是法蘭克福的麥克斯・普朗克大腦研究所主任。他在慕尼黑和巴黎學習醫學，得到醫學博士和哲學博士學位，是著名的大腦神經科學專家，發表過二百五十多篇專業論文，得過很多獎項。

拉爾夫・斯納德曼（Ralph Snyderman）是杜克大學醫學院的教授。

依瑟・斯登伯格（Esther M. Sternberg）是國家精神健康研究所的專家，她以中樞神經系統和免疫系統的相互作用等重要發現而享譽國際。她有一系列原創性的科學成果和文章發表在頂尖科學期刊上，她也是很多重要獎項的獲得者，經常應邀在國際論壇發表演講。

約翰・泰斯達爾（John Teasdale）在劍橋大學獲得心理學學位，然後在倫敦大學研究非正常心理學而獲得博士學位，成為精神病學研究所的臨床心理學家。在多年的教學和臨床心理學家工作後，他開始了三十年的專職研究，在牛津大學、劍橋大學等機構研究認知和大腦科學。他發表過一百多篇科學論文，獲得多個重要獎項。

A：這次面對大眾的科學討論會邀請了許多重量級的心理學家和神經科學家，還有不同文化背景的冥想修行者。這不僅是佛教與科學的對話，還是佛教與科學和其他宗教的對話，內容一定非常豐富。

B：這是兩天半的會議，共有五場討論會，每場由兩三位專家演講，然後是一組不同文化背景的人展開討論。

A：這次對話有公開發表的資料嗎？

B：對話的影音資料都已經公開，還出版了一本書，由理查・戴維森和喬・卡巴金編輯，即《心智的醫師：和達賴喇嘛就冥想的醫療作用而展開的科學對話》（*The Mind's own Physician: A Scientific Dialogue with the Dalai Lama on the Healing Power of Meditation*）。

14 單粒原子中的宇宙

從「達賴喇嘛的科學自傳」說起（二〇〇七年第十四屆心智與生命研討會）

A：二〇〇六年心智與生命對話平臺有活動嗎？

B：二〇〇六年心智與生命研究所沒有舉行和達賴喇嘛的對話。這一年，達賴喇嘛出版了一本書《*The Universe in a Single Atom*》（單粒原子中的宇宙）。這本書被西方讀書界稱為「達賴喇嘛的科學自傳」。達賴喇嘛在書中回顧了他從少年時代開始對科學的興趣和認識，流亡後和西方科學大師的邂逅，以及心智與生命科學對話。他在書中闡述了身為佛教高僧對世界本質的認識，以及他對科學哲學和科學的態度。

這是達賴喇嘛的重要著作，中譯本書名是《相對世界的美麗：達賴喇嘛的科學智慧》。

A：英文書名很有意思，是用科學概念來表現佛教「一花一世界」的說法。西方讀者對這本書的反應如何？

B：從書評和亞馬遜網站上的讀者評論可以看出，西方讀者對這本書的評價極高，對達賴喇嘛的科學對話和思考給予極大的尊重，很少有類似的著作會得到這麼熱情的評論。

A：科學家們怎麼看呢？

B：二〇〇七年四月九日－十三日，心智與生命的第十四屆研討會在達蘭薩拉舉行，科學家們特地評論達賴喇嘛的這本書。心智與生命研討會第二十一年了，藉著對達賴喇嘛著作的討論，這次對話會有回顧、總結和展望的意義。在達賴喇嘛和科學家對話的三十年歷程中，這次對話非常重要。

A：有哪些科學家參加？

B：這次的科學家基本上都是以前參加過對話的熟人。

安赫斯特學院的物理學和跨學科研究教授阿瑟・查恩茨、威斯康辛大學麥迪遜分校心理學和精神病學教授理查・戴維森是這次的科學協調人。他們多次主持心智與生命對話，思路清晰，溫文爾雅，而且極富幽默感，很適合主持深度的討論。

奧地利實驗物理學家安東・翟林格又一次來到達蘭薩拉。十年前，一九九七年的對話會，翟林格帶著幾件他親自設計的實驗儀器，向達賴喇嘛示範了光的波粒二象性，展示了當代物理學驚人的發現和面臨的問題；第二年更邀請達賴喇嘛到他的實驗室參觀實驗。整整十年後，現在他是維也納大學的物理學教授，同時主持奧地利科學院量子光學和量子資訊研究所的科研。他又一次不遠千里而來，和達賴喇嘛面對面討論。

安赫斯特學院的天文學教授喬治・格林斯坦也參加過一九九七年的對話會，這次也是相隔十年後再次來到達蘭薩拉。

亞當・英格爾是心智與生命研究所的創辦人，他經常出席對話。法國喇嘛馬修・李卡德從一九八九年起就擔任達賴喇嘛的法文翻譯，也是經常參加對話的佛教學者。

加州大學舊金山分校醫學院的精神病學教授保羅・艾克曼參加過二〇〇〇年第八次對話和二〇〇一年在威斯康辛大學麥迪遜分校舉行的第九次對話。

生物技術專家貝內特・夏皮羅參加過上一次的對話。麥克斯・普朗克大腦研究所的主任伍爾夫・辛格參加過二〇〇五年的第十三屆對話，多倫多約克大學的哲學教授伊凡・湯普森參加過二〇〇四年的第十二屆對話。

第一次參加心智與生命研討會的，有美國艾莫利大學（Emory University）宗教系的哲學教授約翰・杜恩（John Dunne）。他曾在安赫斯特學院學習，獲哈佛大學宗教學博士學位，研究領域是佛教哲學和冥想修行，在艾莫利大學主持冥想的理論研究和實驗。他出版過研究七世紀佛教邏輯學大師法稱菩薩的專著。他也是藏學家，精通藏語文。

瑪莎・法拉（Martha Farah）是賓夕法尼亞大學的認知神經科學中心主任、自然科學教授。她研究童年貧困對大腦發展的影響，精神病學對健康者大腦發展的醫藥應用，正當運用大腦成像技術來診斷和運用於教育目的，神經科學對社會的影響等等。

這次對話還有一個重要的特點：邀請了更多的僧侶出席旁聽。十七世噶瑪巴坐在馬修・李卡德旁邊，和達賴喇嘛的座位只隔著翻譯土登晉巴，是「對話者」的座位。他身後有幾排身穿絳紅色袈裟的喇嘛，其中有幾位年輕的其他教派高階喇嘛，達賴喇嘛特地把薩迦派、覺囊派等其他教派的仁波切介紹給科學家。達賴喇嘛身後有些喇嘛席地而坐。旁聽者中還有著名好萊塢明星李察・吉爾。這是第一次喇嘛的人數多過外來的觀摩者。

A：達賴喇嘛決定這樣做，一定有很深的意義。

B：是的。對話一開始，達賴喇嘛通常都會發表簡短的歡迎詞，歡迎西方科學家來到他家裡做客。這一次，可以看出達賴喇嘛想好了要多講一些話。在表達歡迎後，他說想再用藏語講一些話，並解釋說，用藏語可以講得更輕鬆一點。土登晉巴為他逐段翻譯成英語。

達賴喇嘛闡述科學對話的意義

A：這番話是達賴喇嘛對旁聽的僧侶們講的。

B：是的。是達賴喇嘛深思熟慮以後，語重心長地說給僧侶們聽的。

達賴喇嘛說心智與生命研討會，一開始是出於他和西方科學家們的個人願望而組織的對話，到現在已經進行了整整二十年。這個對話剛開始時，他五十出頭，大概五十一、二歲，現在已經七十出頭了。經過二十年的對話，不應該再把對話看成是個人的興趣和需要。這些年對話的一個成果是，他越來越清楚，接觸和了解西方科學有利於佛教僧侶，也有利於佛教的發展，特別是寺院的學術教育和研究。所以，他們正在嘗試把正規的西方科學教育引進寺院的僧侶教育，一開始先針對經過挑選的部分僧侶。這種嘗試已經進行了七年。

如何具體施行才比較合適，這個問題其實比外人想像的要複雜和困難得多。達賴喇嘛立即轉入這個問題，告訴科學家：我們已經擬定了一些原則和做法，將科學課程引入寺院。達賴喇嘛展望未來，說佛教寺院的教育最終會有科學課程，有一天，藏傳佛教的僧侶會把科學家看成像他們今天研習和崇敬的佛學大師一樣。

達賴喇嘛說如果仔細考察，你會發現一種自然的模式，即兩種互相挑戰的力量，最終會由於對方的挑戰而有利於自身的增長，在自然界和思想領域情況都一樣。特別是佛教傳統，佛教之所以有如此浩瀚豐富的經典，是因為佛教面對各種的挑戰，特別是在心智、思想和靈性的領域，為了回答各式各樣的複雜問題，為了回應挑戰，才發展出了偉大的佛學傳統。

在佛教哲學方面，佛教從誕生的時候開始，佛陀就面對著種種不同思想的質疑和挑戰，所以從佛陀時代的經典就可以看到非常豐富的論述，這些論述都是由於挑戰所激發出來的。後來，在認識論的範疇中，如果讀五世紀陳那論師（Dignaga）的經典，你會看到他的論述非常複雜精細，因為他當時要面對來自佛教之外的認識論思想的挑戰。之後，又有其他人批評和挑戰陳那論師的思想，這樣就發展出了七世紀法稱菩薩的高深思想。之後，法稱的思想又受到來自佛教之外的批評，於是又發展出佛教的其他經典來回應挑戰。

達賴喇嘛又說即使是在佛教內部，挑戰和回應也不斷發生。二世紀時龍樹菩薩的思想就受到佛教內部的批評，於是才逐漸磨練成為後來的佛學大師。所以，不同思想之間的挑戰，是佛學發展的正常狀態。

但是，達賴喇嘛又提到佛教寺院的規範和紀律，自從佛陀時代以來基本上沒有什麼變化，持續了兩千多年。達賴喇嘛立即轉向下一個話題，從歷史上看，二十世紀人類的靈性傳統即宗教傳統遭遇了普遍的挑戰，佛教也一樣，特別是在亞洲，遭遇了十分困難的變故。佛教遭遇了雙重挑戰，一是政治方面的挑戰，例如在前蘇聯和蒙古，佛教一度被完全毀滅，但是一旦政治形勢改變，佛教就又迅速恢復了；另一種挑戰是來自於科學。從佛學的觀點來看，特別是從那蘭陀學派的理性原則來看，只要你認識了現實，那麼這樣的挑戰正好提供了一個繼續探索的機會。

然後，達賴喇嘛站在佛教那蘭陀理性傳統的立場上，對科學的挑戰作出了精闢的回應。他說，根據那蘭陀學派的思想，我們必須尊重理性，尊重實驗證據。如果科學的發現和理論有證據證明我們以前的認識是錯誤的，我們就應該拋棄錯誤的認識，採納科學提供的符合理性和證據的新認識，我們必須接受這些新認識是實在的一部分。我們的認識中還有一些是佛教傳統遺產的一部分，是我們佛教經典中的重要論斷，如果我們一直無法找到這些論斷的證據，而科學方面卻找到了相反的證據，那麼，即使它們是我們佛教遺產的一部分，我們也必須予以重新解釋。

達賴喇嘛最後說，我是一個僧人，是佛陀釋迦牟尼的追隨者，但是我現在必須放棄佛教傳統中世界的中心是須彌山的認識，須彌山並不存在。

他說，對外在世界的認識，我認為西方科學有更為可靠的權威性；而對於人類內在精神世界，如情緒和心智等等，佛教有更為悠久的探索歷史，有可能為從科學觀點認識人類自身提供一些貢獻。

最後，達賴喇嘛對在座的佛教僧侶們說，這些是我們展開心智與生命對話的指導思想，但是現在我們不能再把對話視為我們個人的熱情，而是視為藏傳佛教繼承和發展其傳統的一部分，特別是寺院教育系統，要把這些科學知識作為佛教知識的一部分。他又說，這次對話特地邀請了西藏流亡社區學校的一些學生，這樣做的目的是要讓大家知道，特別是要年輕一代藏人知道，這些知識不僅限於佛教寺院教育，而應視為藏人文化傳統的一部分，是藏文化的一部分。他說，他期待著將來藏人中除了寺院教育培養的僧侶以外，能出現有知識的俗人，「俗人格西」，即世俗的、接受了高等教育的，在寺院格西水準以上的藏人。達賴喇嘛說，我七十二歲了，再過十年就八十二歲。很自然的，我們要把目光投向年輕一代。我們這一代，已經做了一些奠基的工作，以後要靠年輕一代。

A：這番話意義重大，特別是他說從此以後和科學家的對話，不再是一種私人對話，而是藏文化發展大局中的一部分，而且是非常重要的一部分。也就是說，達賴喇嘛與科學家的對話，還具有為藏民族尋找未來發展方向的重大意義。

B：是的，如果我們從一百年甚至五百年的時間尺度來看二〇〇七年的這一刻，毫無疑問，這是藏文化歷史上，也是世界文化史上一個富有深刻歷史意義的時刻。

A：那麼這次對話有什麼特別的地方呢？

科學希望佛學提出挑戰

B：達賴喇嘛致歡迎詞後，阿瑟・查恩茨和理查・戴維森分別向達賴喇嘛介紹這次對話的安排。他們也都強調，這次對話是心智與生命研討會中非常重要的對話，將圍繞達賴喇嘛的著作，既要探討佛學和科學趨於一致的地方，更要尋找科學和佛學分歧的地方。科學家們希望達賴喇嘛向他們提出挑戰，從佛教角度質疑科學的觀點。

查恩茨列舉了物理學和宇宙學領域裡，科學家們面臨的挑戰：物理學中的因果關係和隨機性問題、在缺乏實體的情況下的物理學、相對論的本體論、經典資訊學和量子資訊學、佛教的無開端宇宙和大爆炸的問題，以及科學的世界觀所隱含的倫理學問題。這些問題在達賴喇嘛的著作中或多或少都有談到，查恩茨希望這次對話過程中，在每位科學家的演講之後，達賴喇嘛能夠向科學家提供佛教方面和他個人的想法。

戴維森介紹了神經科學和心智科學面臨的挑戰：意識是某種超越生物學的首要現象嗎？為什麼主觀性被引入研究，它的作用是什麼？能不能有一種主觀性的科學？現在的生物－進化模式和真正的利他主義可能性無法相容嗎？什麼是「有情」？什麼是佛教認定的「有情」的基本成分，怎樣使這一觀點和現代科學證據相容？精神發展的限度和肢體技巧發展的限度可以相比嗎？我們希望科學和靈性能在什麼基礎上統一起來，同時又可以各自保持獨立？這些問題都是科學家認為他們所面臨的嚴重挑戰。

科學和佛學的一致與分歧

A：開場主講的是哲學家嗎？

B：是的。在兩位科學協調人介紹之後，對話正式開始。這次是哲學家開場。伊凡・湯普森坐到「熱座」上，講述佛教和科學的合作問題和科學知識的局限性。他先簡單闡述科學和佛教一致的地方，然後提出佛教和科學分歧最深的問題：意識的本質，然後探討這種分歧，指出科學知識的局限性問題。

科學和佛教一致的地方，他提出了兩點：一是方法，佛教和科學都承認觀察和實證的重要性；二是對「實在」本質的認識，包括對心智的認識，「實在」是互相依賴的事件的因果網絡，佛教中叫做「緣起」。

他指出，佛教和心智－大腦科學都同意，主觀的精神現象是存在的，而第一人稱經驗提供了接觸這種現象的獨特途徑。但是佛教和科學對於精神現象的本質，卻持不同的概念。對於心智－大腦科學來說，精神現象的本質是生物學的，也就是說，意識的本質是生物學現象；而佛教認為精神現象本質上是超越生物學的。

然後他詳細分析了科學一方的觀點，指出科學家在理解意識的本質方面所難以擺脫的悖論，希望能夠透過和佛教的交流，找到新的途徑來回答面前的問題。

在湯普森之後，這次對話的另一位哲學家約翰・杜恩講述了佛教方面的哲學觀點。他是第一次參加對話，剛好坐在十七世噶瑪巴旁邊的座位上。他一開始就表示，在達賴喇嘛和十七世噶瑪巴面前談論佛教，既是一種榮幸，也讓他深感謙卑和不安，他說，就像一個基督徒談論基督教而身旁坐著耶穌基督一樣。他的話引起一片笑聲，連始終都非常安靜的十七世噶瑪巴也忍不住微笑起來。

杜恩講完後，查恩茨請達賴喇嘛說說他對這些問題的看法。

A：達賴喇嘛怎麼看這個問題？

達賴喇嘛談佛教和科學

B：達賴喇嘛說，他曾經告訴別人，我們其實不應該用「佛教與科學對話」這樣的說法，因為這說法意味著佛教是一個整體，其實並非如此。我們應該將佛教分解開來看，其中「實在的本質」，可以說是「佛教科學」；在這個佛教科學的基礎上，是佛教概念性的思想，佛教哲學，佛教徒稱為「佛法」；第三個部分是佛教的修行，諸如靜坐冥想等。

A：這個分析非常精彩，我相信大多數人都沒有這樣想過。人們容易把「修行」當作佛教的全部，或者把「唸經」當作全部，而沒有想到佛教其實有彼此相關但不完全相同的側重。

B：達賴喇嘛繼續分析：在佛教科學方面，可以分為外在世界的科學和人類內在世界的科學。在外在世界科學方面，達賴喇嘛再次明確指出，西方科學具備高度發達的知識，龐大的觀察機器和設備，遠比佛教方面先進。達賴喇嘛對查恩茨說：「你們的知識遠比我們先進，所以我們向你們學習，這對我們是非常非常有利的。」而在內在世界方面，佛教科學的目的不僅是知識，更重要的是怎樣得到心靈的和平與快樂。

A：心靈的和平與快樂所面對的挑戰不是來自外在，而是來自內在，所以，因應這種挑戰的力量，也只能來自我們內心。這就是探索心智非常重要的原因。

B：達賴喇嘛說，佛教對心智的探索有悠久的歷史，我們把心智劃分成很細的層次，在各個層次上進行觀察和研究。當佛教談到「實在的本質」時，我們主要講的是心智的本質，其目的是怎樣讓人的心智更穩定，更平和。達賴喇嘛詳細闡述佛教對心智與物質關係的觀點，又一次解釋佛教對意識的劃分，指出在最精微層面上的意識是最根本的意識。修行高深的僧侶和瑜伽師，當冥想到最精微的層面，即深度冥想達到「入定」狀態時，就接觸到了意識的本質。佛教認為這時的意識類似於瀕死時刻的狀態，最精微的意識能夠「看到」自己脫離肉身。這也是藏傳佛教的死亡和轉世觀念的根據。有很多修行者和瑜伽師自述達到過深度冥想入定狀態。達賴喇嘛說，他認為這些人中，有些人的自述或許有虛假的「撒謊」，但是不可能所有的自述都是撒謊。所以這種第一人稱的主觀現象是存在的。他希望科學家對此進行更深的研究，將來能夠作出科學界能接受的解釋。

達賴喇嘛用藏語流暢地敘述佛教知識，土登晉巴逐段翻譯，科學家們一片寂靜，或者專注地盯著達賴喇嘛，或者埋頭筆記。

理查·戴維森說，他們打算繼續展開對靜坐修行者的大腦神經科學觀測。這一次他帶來了一些最先進的儀器，儀器將留在達蘭薩拉，讓經過培訓的人繼續使用以收集數據。達賴喇嘛連聲說好。

A：接下來第一個主講的科學家是誰？

安東・翟林格再次主講量子力學

B：下午，是奧地利物理學家翟林格主講量子力學，由阿瑟・查恩茨參與主持。翟林格的量子力學內容比較難解，達賴喇嘛在他的著作中提到過，二十世紀最偉大的量子物理學家理查・費曼（Richard Phillips Feynman, 1918-1988）說，沒有人真正懂得量子力學。這一說法的真正意思是，量子力學提出了一些無法用常識或經典物理學解釋的問題，而這些問題涉及我們對物質本質的理解。也就是說，量子力學把我們都置於理解的困境之中，連科學家自己也無法擺脫這困境帶來的不安。科學家們發現，在古典佛教中討論過他們今天面臨的實在之本質的問題，他們希望佛學大師的經典能夠提供理解的思路。於是翟林格在十年前來達蘭薩拉為達賴喇嘛簡介量子力學和相對論，十年後的今天又一次來到達蘭薩拉。這一次，他帶著一連串的問題。

翟林格的演講從十年前講過的有關波粒二象性的實驗講起，然後轉向量子力學提出的問題。量子力學和佛教都關心因果的本質問題，是什麼構成了客觀的實體，「空性」的本質是什麼等等。佛教對物質和世界本質的理解，比人們日常生活所習慣、常識性的世界觀念要複雜、精微得多。佛教有遠比世俗觀念複雜和精細的本體論與認識論，而當代量子物理學在遇到理解的困境時，發現佛教複雜而精細的本體論和認識論，恰恰回應了他們今天遇到的問題。

例如，在《相對世界的美麗》第二章中，達賴喇嘛寫到了這個問題。大乘佛教中觀論認為，觀察者本身在實在的本質中透過「緣起」的概念而扮演著極其重要的作用，客觀物質世界不是獨立存在的，而現在的量子理論也發現了，光的本質依賴於觀察者。光子是波還是粒子，依賴於實驗者用什麼實驗來觀察光，如果用雙縫實驗，干涉條紋的出現說明光的本質是波；如果用光子捕捉器，單個光子一一被捕捉，說明光子是粒子。翟林格說，如果把光子捕捉器放置在雙縫實驗螢幕上出現干涉條紋的地方，其結果似乎是單個光子「知道」雙縫是否都打開或者只打開了一條縫。這是量子物理學家無法解釋而感覺非常困惑的現象。

量子物理學還有其他一些難以解釋的實驗現象，翟林格娓娓道來，不時停下請達賴喇嘛評論。達賴喇嘛非常專注聽著翟林格的演講，有時請土登晉巴用藏語解釋，坐在土登晉巴身邊的哲學家約翰・杜恩也不時幫忙用藏語解釋。達賴喇嘛再用藏語講解佛經中相關的論述，再由翻譯迅速翻成英語。翟林格有時候會讚嘆：「這個說法很cool！」，「這是很有意思的思路」。

翟林格還向達賴喇嘛介紹了上次對話後的十年裡，他研究計畫的進展，向達賴喇嘛展示未來量子資訊學和量子計算機的前景。這是量子力學概念在技術上未來得到應用的可能性，十年前似乎還很遙遠，經過十年的努力，正在走向現實。翟林格告訴達賴喇嘛，科學史上應用最廣、影響最大的發現，一開始往往都只是出於人類的好奇心，並沒有現實的功利目的，量子力學的發現和應用也是如此。

從量子力學到宇宙學

A：翟林格報告後，誰接下來主講？

B：翟林格的報告和討論持續了整整一天，第二天下午，對話主題從微觀的粒子轉向宏觀宇宙，天文學家喬治・格林斯坦和物理學家阿瑟・查恩茨開始講解宇宙學和時空的相對性理論。

達賴喇嘛在他的著作中寫到宇宙學問題時指出，愛因斯坦相對論所發展出的時空相對性觀念，在佛教哲學中也有論述。達賴喇嘛列舉了龍樹菩薩在其經部中提出了時間的相對性本質，在佛教的時輪體系中有「空粒子」的概念，這種空粒子是物質從虛空中產生的根源。

喬治・格林斯坦介紹了當代宇宙學的重大發現，即大爆炸理論。但是，他說大爆炸之前是什麼？我們不知道。科學家無法用任何理論說明大爆炸之前的瞬間，所有物質都壓縮在零體積的空間中，然後所有物質都以無窮的能量運動。我們至今無法理解這些現象。科學家現在只能作出種種猜想。有一種猜想是大爆炸的瞬間，改變了物理定律本身；另一種猜想是，在大爆炸之前什麼也不存在。但是這些猜想引出了進一步的一連串問題：如果大爆炸之前物質不存在，那麼和物質有關的物理學定律是否存在呢？空間是否存在？如果大爆炸之前沒有任何「事件」發生，時間是否存在？如果時間不存在，那麼大爆炸「之前」是什麼意思？

格林斯坦用了二十分鐘講述宇宙的起源，然後提出了這一連串的問題。達賴喇嘛在土登晉巴的幫助下，用了一個半小時介紹佛教的時空觀，也談了自己的思考。格林斯坦和查恩茨等物理學家聽得興味盎然。這不是一般的科學學術討論，而是兩個不同的知識傳統在各自陳述，但是顯然雙方都很想知道另外一個系統是怎樣思考問題。

生命科學

A：在此之後，應該換一組人談與生命科學有關的議題了吧？

B：是的。從第三天開始，在理查・戴維森的主持下，貝內特・夏皮羅、保羅・艾克曼、伍爾夫・辛格、伊凡・湯普森、瑪莎・法拉等輪流坐到「熱座」，展開了對心智、大腦、神經科學、意識等問題的討論。

他們提出了一連串問題：進化是受隨機突變驅動的還是受自然選擇驅動的？怎樣能周全地理解物種的適應？進化的基本原則能不能用來理解人類認知和情緒的根本來源？人類心緒的本質是正面、慈悲、利他的嗎？進化理論是否可以用來解釋善良品質的來源？佛教把對心智的訓練視為改善情緒品質的策略，這種修行的科學根據是什麼？這些修行對情緒的穩定和神經可塑性意味著什麼？

A：思考和探討這些問題，佛教有兩千多年的歷史，佛教經典中也有很多論述。佛教方面由誰來介紹這方面的觀點？

B：達賴喇嘛和馬修・李卡德闡述了佛教方面的理論。限於篇幅，此處無法詳細介紹。可參考《相對世界的美麗》這本書討論的相關問題。

15 與尊者對話

B：從二〇〇七年起，達賴喇嘛和科學家的對話頻率明顯增加。二〇〇七年在喬治亞州亞特蘭大市又舉行了一次，二〇〇八年在明尼蘇達州的羅徹斯特舉行了第十六屆研討會，二〇〇九年舉行了三次，二〇一〇年也舉行了三次，二〇一二年舉行了兩次，二〇一三年舉行了兩次。由於科學家們組團前往印度達蘭薩拉相較之下更困難，所以有些對話利用達賴喇嘛訪問歐美的時候舉行。對話的影片已經上網，可以在網上觀看，也許因此這些對話還沒有整理出版成書，很難系統介紹。

A：差不多就在這時，達賴喇嘛和華人的交往也多了起來。要求覲見達賴喇嘛，採訪達賴喇嘛的華人越來越多。在和達賴喇嘛交談時，英語習慣在達賴喇嘛稱呼前加上Your Holiness的尊稱。Holiness在英語裡一般用於某宗教的最高領袖，如天主教教宗、達賴喇嘛和十七世噶瑪巴等，含有神聖的意思。但是翻譯成中文時，怎樣尊稱達賴喇嘛呢？達賴喇嘛身邊的中文助理與一些佛學專家討論後決定，把尊稱翻譯為中文的「尊者」，這個詞在佛教中用來尊稱佛祖的十大弟子。「尊者」的稱呼看不出「神聖」的意義，華人佛教徒很熟悉，我覺得非常好。

請逐次簡介一下這些對話，有哪些科學家參與，談的是什麼內容？

注意力、慈悲心和憂鬱的治療（二〇〇七年第十五屆心智與生命研討會）

B：第十五屆對話在艾莫利大學舉行。

艾莫利大學建於一八三六年，位於亞特蘭大市，是美國東南部著名的私立大學，也是美國的頂尖名校。歐美第一流的老牌名校大多兼具深厚的人文和科學傳統。一九八七年，應宗教學教授約翰・費頓邀請，達賴喇嘛第一次訪問艾莫利大學。該校至今還很驕傲地在官方網站上說明，他們在尊者獲得諾貝爾和平獎兩年之前就邀請尊者訪問了。一九九五年達賴喇嘛第二次訪問艾莫利大學，向該校四千名學生發表演講，並接受了校長金質獎章。一九九八年達賴喇嘛第三次訪問，接受了該校的榮譽神學博士學位。二〇〇七年達賴喇嘛再次訪問艾莫利大學，成為該校的特別榮譽教授。從一九九八年起，達賴喇嘛和艾莫利大學建立起正式的合作關係。西藏學生按計畫來此留學深造，還在校園裡建了一座小型藏傳佛教寺院，向西方學生和民眾傳播佛教哲理和西藏文化。

這次對話的內容是和心理學有關的「注意力、慈悲心和憂鬱的治療」。參加的科學家有理查・

戴維森，參加過上次對話的艾莫利大學哲學教授約翰・杜恩、土登晉巴，參加過二〇〇五年對話的艾莫利大學精神病學教授海倫・梅伯格，另外還有幾位新的科學家。

查爾斯・內梅洛夫（Charles B. Nemeroff）是邁阿密大學的精神病學專家，以治療憂鬱症而著名。他提出了憂鬱症的特異質－壓力模式，認為憂鬱症是遺傳因素和早期經歷結合產生的。

羅伯特・保羅（Robert Paul）是艾莫利大學的人類學和跨學科研究教授，受過精神分析醫治精神病的專業訓練，是美國精神分析學會的專業醫師，有豐富的臨床經驗。他在艾莫利大學開創了精神分析研究並因此而得獎，被選為艾莫利大學文理學院院長。

查爾斯・磊森（Charles Raison）是艾莫利大學的精神病學和行為科學教授。

辛德爾・賽格爾（Zindel Segal）是多倫多大學精神病學教授。

參加對話的科學家中還有洛桑丹增那吉（Lobsang Tenzin Negi），他出生於印度喜馬拉雅山中臨近西藏的一個小王國，在南印度的哲蚌寺出家為僧，獲得格西拉然巴學位，然後來到艾莫利大學，獲得博士學位。他在艾莫利大學創建了艾莫利－西藏合作計畫，成為艾莫利－西藏科學計畫的主任之一。這個計畫將協助和指導在藏傳佛教格魯派寺院裡展開科學教育計畫。

A：這是一次以精神病學教授為主的對話。

B：這是因為對話內容主要是憂鬱症問題。在當代行為科學領域裡，憂鬱症包括的範圍很廣，有很多種類，科學家對其中一些類型了解得比較透徹，有些則尚待研究。這次對話主要討論以後應該怎樣了解憂鬱症的本質，以及靜坐冥想是否可能幫助治療和防止憂鬱症。

A：可以看出從二〇〇七年開始，達賴喇嘛與科學家的對話不再限於理論方面的討論，而開始進入更為實際的應用層面了。

靜坐冥想的臨床應用（二〇〇八年第十六屆心智與生命研討會）

A：第十六屆對話是二〇〇八年在明尼蘇達州羅徹斯特舉行，有哪些科學家參加？

B：參加的基本上都是以前參加過對話的熟人，其中有理查・戴維森、丹尼爾・高曼，參加過二〇〇五年對話的醫學人類學及心理學博士兼佛教修行者喬安・哈利法克斯女士、麻薩諸塞大學醫學院的醫學教授喬・卡巴金。還有一位年輕的女士，卡爾加里大學（University of Calgary）的心理學教授琳達・卡爾森（Linda E. Carlson）。

這次對話的主題是探討心智和身體的關聯，特別是靜坐冥想的臨床應用問題。新的臨床科研證明，靜坐冥想有可能幫助病人應對疾病造成的壓力，有利於病人的康復，特別是慢性病，而且，造成這些疾病的生物學過程也可能受到冥想修行的正面影響。也就是說，靜坐冥想的益處不僅具現在心理學層面，也可能在生物學層面。

心智與生命研究所和達賴喇嘛的內部對話（二〇〇八年第十七屆心智與生命研討會）

A：第十七屆對話是怎樣的？

B：有關第十七屆對話的資料很少，這是一次心智與生命研究所和達賴喇嘛的內部對話，是二〇〇九年在密西根州的安娜堡（Ann Arbor）舉行的。參加者除了神經科學家理查・戴維森、哲學家約翰・杜恩、亞當・英格爾、土登晉巴、馬修・李卡德、艾倫・瓦萊斯以外，還有一九九〇年參加過第三次對話會的克利福特・沙隆。還有幾位新的科學家，可以預見，他們將出現在以後的公開對話中。

布倫特・菲爾德（Brent A. Field）是普林斯頓大學的神經科學家。

約瑟夫・戈斯坦（Joseph Goldstein）是一個挺有意思的人，他出生於紐約的猶太人家庭，哥倫比亞大學畢業後加入和平工作團到了泰國，從此被佛教所吸引。他是美國第一批毗婆舍那（佛教術語：內觀）教師之一，在美國教授佛教修行，寫過多本有關上座部佛教和修行的書。

阿米緒・吉哈（Amish Jha）是邁阿密大學的心理學教授，畢業於密西根大學，在加州大學獲博士學位，研究領域是「注意力、記憶和專注」等。她有多項發現被許多出版物引用，曾受邀到世界經濟論壇演講。心智與生命研究所特地邀請她把研究成果介紹給達賴喇嘛尊者。

安托萬・魯茲（Antoine Lutz）是威斯康辛大學麥迪遜分校的神經科學家。

塔妮亞・辛格（Tania Singer）是年輕的心理學家，一九六九年生於慕尼黑，是麥克斯・普朗克人類認知與大腦科學研究所社會神經科學部的主任。她是世界聞名的神經科學家伍爾夫・辛格的女兒，伍爾夫・辛格參加過二〇〇五年在美國首都華盛頓舉行的第十三屆研討會。塔妮亞・辛格成為心智與生命研究所在歐洲的負責人之一。父女倆都是達賴喇嘛和科學家對話的熱情參與者。

喬納桑・科恩（Jonathan Cohen）是普林斯頓大學的心理學家。

注意力、記憶和心智（二〇〇九年第十八屆心智與生命研討會）

A：請說說第十八屆對話的情況。

B：第十八屆對話是在達蘭薩拉舉行的。這次對話的主題是「注意力、記憶和心智」。阿米緒・吉哈女士專門研究這個領域。戴維・梅耶和安妮・特萊斯曼是參加過二〇〇三年在MIT舉行的公開討論會的科學家。克利福特・沙隆和艾倫・瓦萊斯也參加了上次的內部對話。還有幾位新的科學家參加了這次對話。

艾黛兒・戴蒙特（Adele Diamond）是加拿大不列顛哥倫比亞大學的認知神經科學家。生於紐約的一個貧窮猶太家庭，在哈佛獲得心理學博士學位，學習過人類學，在倫敦經濟學院學習科學哲學。她研究人類發育成人過程中的大腦神經科學。一九九〇年代，由於她的研究團隊的兩項發現，導致全球性地改善了一種先天性代謝異常苯丙酮尿症的治療。她在二〇〇五年發表的論文，研究了注意力不足過動症的不同類型的神經生理學基礎，從而改善了很多兒童的狀況。

蕭恩・蓋拉（Shaun Gallagher）是現象學和精神病理學方面的哲學家，孟菲斯大學教授。

魯佩特・吉辛（Rupert Gethin）是布里斯托大學神學與宗教系的佛教研究教授、佛教研究中心主任，還是巴利語學會的主席。他是佛教徒，修上座部佛教。他一九九八年出版的著作《佛教基礎》（*The Foundations of Buddhism*）被廣泛用作英語國家的大學教材。

伊麗莎白・菲爾普斯（Elizabeth Phelps）是紐約大學心理學教授，研究領域是情緒、學習和記憶的認知神經科學。

這次對話主要集中在主觀現象學和有關注意力、記憶和意識的訊息處理過程和神經機制，科學家和佛教方面各自提供了自己的發現和觀點。十七世噶瑪巴也參加了對話。這次對話的內容相當深入，十分專業。對話過程的影片已經在網路公開。

教育二十一世紀的世界公民（二〇〇九年第十九屆心智與生命研討會）

A：二〇〇九年還舉行了第十九屆對話，請介紹一下第十九屆對話。

B：第十九屆對話是在美國首都華盛頓舉行的。理查・戴維森、亞當・英格爾、丹尼爾・高曼、馬克・格林伯格、南茜・艾森伯格、喬安・哈利法克斯、土登晉巴、馬修・李卡德等都是以前參加過對話的人。這次也有幾位新的科學家參加對話。

彼得・班森（Peter L. Benson）是明尼蘇達州一個研究所的心理學家，這個研究所在青少年成長心理研究方面居於領先地位。著有十幾本著作。

馬丁・布洛肯雷格（Martin Brokenleg）是非常有意思的人，擁有心理學博士學位，從事美國原住民青年工作，創建了「勇氣之圈」的組織。該組織致力於青年的心理健康和成長，認為所有青年的心理健康需要有歸屬感、控制力、獨立性和慷慨心。

羅納德・達爾（Ronald E. Dahl），加州大學柏克萊分校的心理學家，研究領域是青年大腦發育、情緒調整等。

瑪麗安・埃德爾曼（Marian Wright Edelman）是為美國兒童權益發聲的活躍分子，一生致力於保護弱勢群體的權益，是兒童保護基金會的發起人和主席。畢業於耶魯法學院，從事過民權運動，是密西西比州律師協會的第一位黑人律師，得過許多獎項和榮譽。

琳達・哈蒙德（Linda Darling-Hammond），史丹佛大學研究所的教育學教授。

賈桂琳・艾克萊斯（Jacquelyn Eccles），密西根大學的心理學家，研究家庭和學校對心理發展的影響等問題。

塔卡奥・亨希（Takao Hensch），哈佛大學分子和細胞生物學系的神經科學教授。

安妮・克萊因（Anne Carolyn Klein），賴斯大學的宗教研究教授。是藏傳佛教思想和修行、藏文哲學經典方面的專家，精通藏文。她出版了多種著作。

琳達・蘭第利（Linda Lantieri），從事中學教育四十年，傅爾布萊特（Fulbright）學者，是有關社會衝突和情緒、學習等方面的專家。

凱瑟琳・麥卡尼（Kathleen McCartney），著名的史密斯學院院長。

李・蘇爾曼（Lee S. Shulman），教育心理學家，在教學研究、教學評估和醫學、科學和數學方面都有出色貢獻。他是史丹佛大學研究所的教授。

A：這次對話的主題是什麼？

B：這次對話的主題是「教育二十一世紀的世界公民」，教育家、科學家透過對話討論怎樣培養健康的心智、大腦和心，當代社會的教育系統怎樣應對二十一世紀的挑戰，我們怎樣教育人們成為有慈悲心、有競爭力、有道德的公民。全球化和聯繫日益緊密的世界向我們提出了挑戰，怎樣培養新的世界公民，參加者的眼界不再局限於國界，而是面對全人類的倫理責任。

A：這個話題極其開闊。二〇一〇年也舉行了三次對話，第一次是在瑞士的蘇黎世舉行，請介紹一下那次對話的概況。

經濟系統中的利他和慈悲心（二〇一〇年第二十屆心智與生命研討會）

B：第二十屆心智與生命研討會的主題是「經濟系統中的利他和慈悲心」，是在經濟學、神經科學和冥想科學之間進行的對話。

對話者有幾位是心智與生命研究所的常客，包括土登晉巴、理查·戴維森、約翰·杜恩、亞當·英格爾、喬安·哈利法克斯、馬修·李卡德、塔妮亞·辛格等。另外還有幾位新客。

丹尼爾·巴生（Daniel Batson），美國社會心理學家，擁有神學和心理學兩個博士學位，二〇〇六年從堪薩斯大學的教授職位退休後，到田納西大學心理學系擔任名譽教職。他在社會心理學領域裡以研究利他、同理心和宗教心理學的貢獻而出名。

喬安·斯爾克（Joan Silk），加州大學洛杉磯分校的人類學家，研究自然選擇怎樣塑造了靈長類動物的社會行為，專研雌性狒狒的行為和生殖策略。

恩斯特·菲爾（Ernst Fehr），奧地利經濟學家，微觀經濟學和實驗經濟學教授，同時也是瑞士蘇黎世大學經濟學系主任。

威廉·喬治（William George），美國商界和學界的兩棲人士。他身兼數職：哈佛商學院管理學教授、卡內基世界和平基金會理事，世界經濟論壇理事等等，被美國公共廣播事務局（PBS）選為過去二十五年裡頂尖的二十五位商界領袖之一。

狄亞戈・韓加特納（Diego Hangartner）是一個很有意思的人。他在瑞士聯邦理工學院完成了藥理學學習，研究心理醫療和影響精神狀態的藥物。他研究藥物成癮的課題，對心智和意識的機制發生了興趣，接觸了佛教以後，他在達蘭薩拉度過了十一年，先是學習藏語，然後學了七年佛教哲理。在此期間他幾次閉關修行，並擔任藏語和英、德、法、西班牙語的翻譯。二〇〇三年返回歐洲後，從事教育工作，擔任達賴喇嘛二〇〇五年訪問瑞士和二〇〇七年訪問漢堡的規劃執行。他從一九九〇年代起就參與了心智與生命研究所的事務。

威廉・哈勃（William Harbaugh）是奧勒岡大學經濟系的經濟學教授，研究利他行為和神經經濟學。這個研究領域的依據是，神經科學技術可以讓經濟學家觀察人們在經歷經濟問題、作出經濟決策時的大腦活動。神經經濟學利用這些新技術來探索人們怎麼作出經濟決策。在這次對話會上，他主講了「經濟學中的慈悲心」。

安托瓦內特・洪奇格－艾伯內特（Antoinette Hunziker-Ebneter），歐洲能源巨頭BKW的董事會副主席，是重量級的商界人士。

理查・萊雅德（Richard Layaard）是英國的勞動經濟學家。

班克・羅伊（Bunker Roy）是著名印度社會運動家和教育家，著名的「赤腳學院」創建者，致力於在印度農村進行掃盲和教育工作，被《時代》雜誌選為二〇一〇年最有影響力的百大人物之一。

格爾特・史柯貝爾（Gert Scobel）是德國記者、電視節目主持人、作家和哲學家。阿圖爾・瓦伊羅揚（Arthur Vayloyan）是瑞士銀行家。

以經濟學為主題的科學對話

A：這次的新參加者幾乎都和經濟、金融、社會有關。

B：是的，這是心智與生命對話會第一次專門討論經濟學與社會的關係。按照當代西方科學界的定義，這樣的內容不屬於自然科學的範疇。但是對於達賴喇嘛和心智與生命研究所的同仁來說，這次對話的內容和他們以前的探討有一個關鍵連接點，即人的利他行為和慈悲心。經濟學，特別是微觀經濟學，也在探討人的行為本質是自私、抑或有可能是利他的。

西方經典經濟學理論的基礎假設是，人是一種自私的理性動物，經濟學家們始終不敢相信利他主義的存在。但是最新的經濟學理論研究和神經科學研究都對人性的複雜性有了新的認識，發現利他行為及其理性不僅存在，而且是可以習得、培養和鼓勵的。新的研究發現，與人為善的利他行為對人類的生存非常重要，而自我中心的非利他行為對人類的總體改善不利。這些發現對公共政策和未來的社會體制有深刻的意義。自從全球化浪潮席捲世界各國，人們越來越擔心諸如腐敗和貪婪等負面人類行為，將使得全球經濟和環境系統變得非常脆弱，人為災難隨時可能爆發。

A：顯然這是大視野的對話，面對全球性的問題。

B：是的，在第二天的對話中，理查・萊雅德就提出了一個問題：為什麼全球財富的增加沒有為人類帶來相應的快樂？他說，一個重要原因是，很多人深陷「社會比較」的泥淖之中，也就是老跟比自己更富有的人比較，把社會地位看得太重，沒有知足常樂的心態，於是就很不快樂。

A：是的，中國人雖然有「知足常樂」的祖訓，但真的能做到「知足」的人極少，所以「常樂」的人也不多。

B：萊雅德指出，世界財富在增加，但是人類的精神健康下降。他為此介紹了一個叫做「快樂運動」（Movement for Happiness）的活動，旨在全世界促進快樂，減少苦痛。

達賴喇嘛評論說世界領袖開會，無論是G7還是G20，都不重視人們是不是快樂的問題。我們需要建立在信任、尊重和愛的基礎上的更多人際合作。為此，我們要在人際互動中說出「我需要你」。你必須先向他人伸出雙手，要求信任和合作，不能等著別人來跟你合作。

經濟體系中的利他行為

B：奧勒岡大學經濟學教授威廉・哈勃講解說，現行經濟體制有一種內建的自我糾正機制。在經濟體制製造和分配商品的過程中，自我利益是一種可靠的策略，因為體制必須防止個體損人利己，損人者必須受到懲罰，這樣就使得大家都不敢藉著損人來利己，大家都守這個規則，無形中使得自我利益成為個體的最好策略。但是，當代社會中窮人福利不是一種市場產品，而是一種公共產品。我們必須發展出一種利他主義，能夠讓需要上述公共產品的人獲得具體利益，也能夠讓人們透過互利而獲得內在利益。

A：這是什麼意思？

B：這個意思就是說應該有一種利他主義，不僅讓窮人能得到社會福利而受益，而且能讓提供福利的人透過這樣做而得益。他說，純粹的利他，只奉獻而什麼也得不到，在一個經濟體系中是難以持久的。

A：這樣的話，慈善不就變成一種生意了嗎？

B：後者的得益，並不是指商業上的利潤，而是指內在的滿足。他的意思是，應該讓那些幫助了他人的人得到精神上的滿足，這樣利他行為才可能持續。

奧地利經濟學家恩斯特・菲爾在討論會上指出，所謂公共產品，就是一個共同體中所有成員都能消費的產品，不管某個成員是否對這些產品是否有貢獻。民主自由、良好環境等等，就是公共產品。如果群體中的成員行為自私，只顧自己，公共產品就會供應不足。達賴喇嘛問他，那麼為什麼人們會表現得利他而不自私呢？他回答說，事實上，一開始對他人持樂觀態度的人，如果見了太多他人的自私行為，他們的利他思想就會消退，到某一個時間點就不再利他了。

A：可是，社會上自私的人居多，利他的人若無法持久，結果就是大家都自私，沒人利他了。怎樣才能使得利他行為能夠持久呢？

B：菲爾說，利他主義應該能制裁自私的行為，也就是說有能力對損人利己的行為施以某種懲罰。一旦損人必定受罰，損人利己不再普遍，合作和利他就會成為普遍的行為。

A：這次對話有西方政商學界的重要人物，也有來自印度的社會運動家、直接為窮人服務的人，他們和達賴喇嘛一起討論當代人類社會的困難和問題，這交流很有意義。

B：是的，正如對話會快結束時，喬安・哈利法克斯引用了達賴喇嘛很久以前說的話：「慈悲心不是一種奢侈品，而是人類生存的必需。」

A：二〇一〇年的第二次對話是第二十一屆心智與生命研討會。這是一次怎樣的對話？

健康心智研究中心（二〇一〇年第二十一屆心智與生命研討會）

B：第二十一屆心智與生命研討會是「健康心智研究中心」開幕典禮的一部分。也就是說，利用中心成立的時機，心智與生命研究所安排了一次對話。

A：這是一個怎樣的研究機構？

B：這個中心在威斯康辛大學麥迪遜分校，由神經科學家理查・戴維森發起建立。中心的宗旨是探索和理解人類心智與情緒，並透過這個領域的發現來促進人類福祉。這是一次實驗室工作會議風格的對話，主要是向達賴喇嘛展示神經科學的最新發現、該領域面臨的困難和挑戰。

A：哪些人參加了對話？

B：主要是參與心智與生命研究所的常客，理查・戴維森是他們的學科帶領人，土登晉巴、哲學家約翰・杜恩、安東・魯茲、馬修・李卡德、克利福特・沙隆參加了對話。參加過一九九〇年第三次對話的雪倫・薩爾茲堡，二十年後又來到了對話會。還有一位新的科學家參加，她是芭芭拉・弗里德里克森（Barbara L. Fredrickson），北卡羅來納大學心理學系的教授，研究情緒和正面心理的社會心理學家。她一九九〇年獲得史丹佛大學博士學位，在密西根大學任教十年。由於出色的研究成果，她獲得多個獎項和研究資助。

A：請講講第二十二屆對話會。

向印度大眾公開的對話（二〇一〇年第二十二屆心智與生命研討會）

B：第二十二屆對話會也有一點特殊的地方，在印度首都新德里舉行。達賴喇嘛希望心智與生命研討會能夠在亞洲舉行，特別是在印度，於是有了這次對話。

A：以前在達蘭薩拉舉行的對話不也是在印度嗎？

B：但是那些都是在達蘭薩拉的達賴喇嘛住所客廳舉行的，不對外公開。在印度首都新德里舉行對話，當然是向印度大眾公開。

A：那麼有哪些人參加了對話會呢？

B：除了理查・戴維森、約翰・杜恩、亞當・英格爾、丹尼爾・高曼、土登晉巴、馬修・李卡德，伍爾夫・辛格等歷屆對話的熱情參與者之外，還有一群新人參與。可以理解，其中最多的是印度的科學家和思想家。

阿忒瑪頗央南達大師（Swami Atmapryiananda）是個很有意思的人，他有理論物理學的博士學位，在學校裡教了二十五年物理學，當了三十年的中學校長，在全世界的雜誌上發表文章，周遊世界，應邀在各種教育機構演講。他同時又是印度教僧侶，一九七八年加入著名的拉瑪克里斯納（Ramakrishna）教團，成為這個教團的維韋卡南達大學（Vivekananda University）的副校長。

甘噶達（B. N.Gangadhar）博士是印度班加羅爾國家精神健康和神經科學學院的精神病學教授。

阿卜杜爾・卡拉姆（Abdul Kalam）博士是印度科學家兼政治家，二〇〇二－二〇〇七年間擔任印度第十一任總統。

拉吉希・卡斯圖里蘭甘（Rajesh Kasturirangan）是印度數學家和認知科學家，研究語言和概念是怎樣形成的。他在印度坎普爾的理工學院獲得碩士學位後，一九九八年在美國威斯康辛大學麥迪遜分校獲得數學博士學位，二〇〇四年在MIT獲得認知科學博士學位。返回印度之前，他在

ＭＩＴ任大腦和認知科學的研究科學家，得過ＭＩＴ和安赫斯特學院的多個獎項。

穆尼・瑪亨卓・庫瑪（Muni Mahendra Kumar）教授是耆那教僧侶，又是多學科學者，有物理學、數學、生物學、哲學、心理學、古代歷史等方面的造詣，精通梵文、古印度語、印地語、英語、古吉拉特語和拉賈斯坦語，並以印度古代記憶的技能贏得「人工電腦」的美名。他是耆那教中的**Padyatri**，即雲遊四方的僧人，徒步走了超過一萬五千公里。他曾受邀在多個大學及國際會議上演講，出版了十五本著作，涉及哲學、科學與哲學的比較研究、冥想、數學、原子科學和耆那教。

拉吉夫・墨若塔（Rajiv Mehrotra）是印度作家、電視製片人、導演、文獻電影製作人，也是達賴喇嘛的學生。他在印度新德里的聖斯蒂芬學院畢業後，在牛津和哥倫比亞大學深造。

阿迪堤亞・墨第（Aditya Murty）博士是印度神經科學家。

Ｈ・Ｒ・納根卓（H.R. Nagendra）博士是ＳＶＹＡＳＡ瑜伽大學的副校長。他在班加羅爾的科學學院獲得機械工程的博士學位，留校在機械工程系任教，然後前往加拿大做博士後研究，在美國ＮＡＳＡ做博士後研究，並在哈佛大學和倫敦科技學院擔任過訪問學者。

恰克拉瓦蒂・拉姆–普拉薩德（Chakravarthi Ram-Prasad）教授是印度當代哲學家，在印度學習歷史學、政治學和社會學，在牛津大學獲得哲學博士學位。

V. S.拉瑪穆蒂（V.S. Ramamurthy）博士是印度國家科學院的核子物理學家。

維吉・拉文賈納（Viji Ravindranath）是印度國家大腦研究中心的神經科學家。

普拉卡什・納林・坦頓（Prakash Narain Tandon）是印度著名的神經科學家。

雪莉・特勒斯（Shirley Telles）是世界著名的瑜伽研究者，她有神經生理學的博士學位和醫學學位，在全世界刊物發表過一百多篇文章，出版了四本書，並獲得很多獎項。

卡毗拉・瓦茨雅楊（Kapila Vatsyayan）是古典印度舞蹈、印度藝術和建築方面的著名學者，也是藝術史專家，英迪拉・甘地國家藝術中心的創建者。

這次對話的情況，可以從網路的影片看到。由於缺少文字資料，我就不詳細說了。

A：這樣的對話一定非常有意思。二〇一一年舉行了第二十三屆對話會，請說說這次對話。

生態問題和文化的關聯（二〇一一年第二十三屆心智與生命研討會）

B：二〇一一年的第二十三屆研討會是在達蘭薩拉舉行。這次對話的參加者有約翰・杜恩、丹尼爾・高曼、喬安・哈利法克斯、土登晉巴，馬修・李卡德等。十七世噶瑪巴也參加了，另外還有幾位科學家是第一次參加。

黛琪拉・瓊嘉帕（Dekila chungyalpa）是世界野生動物基金會神聖地球計畫的主任。她在喜馬拉雅山長大，少年時到了美國。她是生態心理學專家，是十七世噶瑪巴的生態學顧問，在兩百多所寺院裡對喇嘛們開展環境和生態學方面的教育。

黛安娜・瑪格麗特・麗芙曼（Diana Margaret Liverman）是亞利桑那大學的地理學家。她是全球環境和氣候變化方面的專家。

莎麗・馬克法格（Sallie McFague）是美國女性主義基督教神學家。

格萊高里・諾里斯（Gregory Norris）是哈佛大學公共健康學院的講師。

克萊兒・帕爾默（Clare Palmer）是德州大學的倫理學教授，她注重環境倫理、動物倫理等。

喬納桑・帕茲（Jonathan Patz）是威斯康辛大學麥迪遜分校全球健康研究所的主任和教授。

埃爾克・韋伯（Elke Weber）是哥倫比亞大學的管理學和心理學教授。

A：這次對話的主題是什麼？

B：是生態、倫理和互相關聯。

地球環境和生態系統維持生命的能力正在漸漸降低，這一危機不僅對科學提出了挑戰，也對人類社會的文化傳統提出了挑戰。這次對話的目的是要找到一個機緣來談論和建立一種環境倫理。透過檢驗最近的生態數據，理解生態問題和文化的關聯。這次對話讓學者、社會運動家和生態科學家在一起討論，以提升人類對全球生態危機的反應。

年輕科學家的冥想修行研究（二〇一二年第二十四屆心智與生命研討會）

A：請介紹一下第二十四屆研討會。

B：第二十四屆研討會是二〇一二年在明尼蘇達州羅徹斯特舉行的心智與生命研究所的一次內部會議。在這次會議上，達賴喇嘛和理查・戴維森授予六個年輕科學家佛朗西斯科・瓦瑞拉獎，這是為了促進年輕科學家探索冥想修行的科學研究。這些年輕的研究者代表了新一代科學家，在對話會上向達賴喇嘛報告了他們最近的研究。

A：第二十五屆對話會也是二〇一二年舉行的。

冥想和健康：實驗室的發現和真實世界的挑戰（二〇一二年第二十五屆心智與生命研討會）

B：對，那是在紐約舉行的。參加的科學家有理查・戴維森、安妮・哈靈頓、克利福特・沙隆，馬修・李卡德。還有幾位新的科學家。

阿爾弗萊特・卡茲尼亞克是亞利桑那大學的心理學、神經科學和精神病學教授。

布魯斯・麥克艾文（Bruce McEwen）是洛克菲勒大學的神經科學教授。他的研究領域是神經科學、生物精神病學和內分泌學。

吉咪・荷蘭德（Jimmie Holland, 1928-2017）是一位精神病學家。

李絲・尼爾森（Lis Nielsen）是國家老齡化研究所（National Institute on Aging）的科學家。在哥本哈根大學獲得心理學碩士，在亞利桑那大學獲得認知心理學和認知科學博士學位。她發展了老齡化問題的神經經濟學和社會神經科學的研究計畫。

大衛・斯皮格爾（David Spiegel）是史丹佛大學的精神病學專家，以乳腺癌的研究聞名，他還領導史丹佛的壓力與健康中心，並且是全國最受尊敬的臨床應用催眠術的專家。他已故的父親赫伯特・斯皮格爾也是睡眠術的專家。

A：這次對話的主題是什麼？

B：主題是「冥想和健康：實驗室的發現和真實世界的挑戰」。

心智與生命研討會從二〇〇七年起更注重教育藏傳佛教僧侶，向佛教寺院引入科學教育；另一方面，達賴喇嘛向科學家提出，應該將對話的思想收穫注入科學研究計畫，以心智與生命研究所為組織框架，展開心智科學方面的科研。

到二〇一二年，心智與生命對話已經進行了二十五年，而由對話所啟動的科研也已經有好幾年。參加對話的心智科學和神經科學家有一個共同興趣，即植根於靈性傳統的冥想修行到底能給修行者帶來什麼情緒、生理方面的益處？經過幾年的科學實驗，科學家們已經積累了相當份量的實驗觀察數據。這些數據能夠為全世界的心理治療、減壓、精神健康等提供神經科學和認知科學方面的依據和指導。怎樣繼續展開這方面的研究，怎樣解釋和利用研究所得到的數據，仍然有很多疑問，這次對話就圍繞這些問題展開討論。

二〇一三年初，在南印度的哲蚌寺舉行的第二十六屆研討會，終於將東西方對話的歷史意義展現在數千藏傳佛教僧侶和流亡藏人面前。

16 千年之變

B：二〇一三年初的第二十六屆心智與生命研討會，在南印度的哲蚌寺進行。這是第一次把對話安排在藏傳佛教格魯派最大、也最重要的寺院舉行。你對這座寺院比較了解，請你先談談吧。

南印度三大寺

A：南印度哲蚌寺是藏傳佛教在南印度重建的三大寺之一。你知道格魯派的拉薩三大寺，即哲蚌寺、色拉寺和甘丹寺，在藏傳佛教和西藏歷史上有重要地位，三大寺不僅規模龐大，都有數千僧人，最盛時超過萬人，而且所藏佛教經典豐富，對學僧的教學嚴格，在歷史上對西藏政治的影響更深遠。

一九五九年後，三大寺遭到了毀滅性的破壞，格魯派祖庭甘丹寺淪為一片廢墟。更重要的是，三大寺的眾多高僧大德都流亡境外。

就在藏傳佛教數千寺院慘遭破壞時，流亡藏人僧俗民眾在印度次大陸的定居點建起了寺院學校和醫院，以保住藏文化的一絲命脈。

佛教是發源於印度的宗教，很多特質來自於古印度的各種信仰。漫長的歷史中，各種宗教傳入印度，雖然在一定程度上受到印度文化的影響，或者說在某些方面同化，但都能保持基本面貌，比方說流落到印度的猶太人，雖然外表、服裝等等都跟印度人一樣，但他們依然保留了猶太會堂。因此。在當代印度社會，接受佛教寺院和僧侶是完全沒有問題的。

一九六〇年之後，印度的流亡藏人主要生活在幾十個定居點，多數分布在北方接近喜馬拉雅山的地方。南印度的卡納塔卡邦（Karnataka）響應總理尼赫魯的請求，捐出了大約十平方公里的一塊地方供藏人居住，在此地建立起流亡藏人面積最大的農業定居點，即帕拉庫毗西藏難民定居點。印度南方的熱帶氣候，和藏人習慣生活的北方高海拔氣候相差極大，藏人來此時，這裡是一片原始叢林。流亡藏人艱難奮鬥了數年，才漸漸建成可以長期生活的農業區，並且在這塊土地重建了色拉寺。

重建的哲蚌寺和甘丹寺位於卡納塔卡邦的孟古德西藏難民定居點，這個定居點面積約十二平方公里，因而形成了「印度三大寺」。這三大寺就是拉薩三大寺的另一個「變體」。印度三大寺的管理體制基本上延續了拉薩三大寺的祖制，當然，根據流亡的實際情況，以及達賴喇嘛尊者對未來西藏政治和社會改革的構想，也做出了相應的改變。比方說，印度三大寺已經不再具備一九五九年前拉薩三大寺的政治力量。

事實上，幾乎西藏境內所有重要的寺院，都在境外流亡藏人社區建立了相應的同名寺院，比如班禪喇嘛的駐錫寺扎什倫布寺，也在南印度建立了相應的寺院。藏傳佛教是一個歷史悠久的宗教組織，寺院體系有完備的層次結構，僧團有完整而嚴謹的傳承體制，所以同名寺院在僧侶們看來，仍然是同一個完整的體系。藏傳佛教在精神和組織上並沒有被打垮。

藏傳佛教的大寺院和華人的廟宇有一個很大的不同，藏地寺院是多功能的文化機構，特別是教育機構。在舊時代，藏地雖然沒有現代公共教育的學校，但是不等於沒有文化教育，相反的，藏民族非常重視文化的傳承，而教育的職能就在寺院裡進行。這就是大寺院有眾多僧侶的原因，這些僧侶大多是正在學經的學僧。三大寺就是藏地最高等的三個學府，三大寺的僧侶就相當於現在大學裡的大學生、研究生。

B：也就是說，第二十六屆對話是選擇在西藏的最高學府舉行。

這無疑具有劃時代的意義。現在達賴喇嘛和心智與生命研究所的科學家們有了更大的自信，也看到了對話可以更廣泛促進藏人的科學教育，促進藏傳佛教在現代社會環境下的改革。達賴喇嘛和他的科學家朋友們看到了這一點，因此希望共同努力來幫助藏人學科學，幫助佛教改革，或者說更新。

A：所以，這次在哲蚌寺的科學對話，是藏民族歷史上的一個公共事件。可以說是達賴喇嘛半個世紀來對藏民族社會推動改革大局中的重要一步。

B：依你看來，這個改革大局的要旨是什麼？

A：這個改革大局就是慎重地團結藏人，引領藏人走向現代化社會，即政治走向民主化，社會生活向世俗化更新，教育要汲取當代科學新知，宗教上要發揚那蘭陀的理性傳統，即政治民主化，社會世俗化，教育科學化，宗教理性化。

B：你這個總結很有意義。

A：是的。這次選擇在哲蚌寺舉行和科學家的對話，發揮了推動教育科學化、佛教理性化的作用。達賴喇嘛在公開講話中經常推崇古印度佛教那蘭陀學院的傳統，一種理性的傳統。他也常說，藏傳佛教是那蘭陀傳統的繼承者。那蘭陀就是古印度佛教類似於現在的哲蚌寺的寺院大學。

古印度佛教那蘭陀學院

B：也就是說，在佛教史上，那蘭陀寺有重要的地位，而且對藏傳佛教更有特殊的意義？

A：是的。那蘭陀在印度的比哈爾邦，那蘭陀寺是古代印度佛教著名的最高學府和學術中心，極盛時有上萬僧人、九百萬卷藏書。那蘭陀寺的高峰期正值中土的唐代，玄奘的《大唐西域記》、義淨的《大唐西域求法高僧傳》、慧立的《大慈恩寺三藏法師傳》對那蘭陀寺都有說明和描述，玄奘、義淨在此學經多年，當時學佛的唐代中土僧人還有慧業、靈運、玄照、道希，道生、大乘燈、道琳、智弘、無行等法師。那蘭陀寺那時每天都有一百多個講壇，學習的課程有大乘佛典、天文學、數學、醫學等。

八世紀時，那蘭陀寺成為金剛乘的學術中心和重要道場。

B：後來是什麼原因而衰落的呢？

A：一一九三年突厥入侵、侵占那蘭陀寺，寺院和圖書館遭受毀滅性破壞，僧人被殺，倖存的僧侶逃離四散，一些僧侶逃往西藏，那蘭陀寺淪為廢墟，漸漸埋沒在叢林裡，被世人遺忘。六百多年後、一八六一年開始，那蘭陀寺遺址被發現，經過陸續挖掘，已經發掘出八所大型學院，四所中型學院。

B：你去那蘭陀朝聖過嗎？

A：去過。現在的那蘭陀遺址是比哈爾邦的一個古代佛教遺址博物館，考古發掘和保護仍在進行之中。同時，那蘭陀鎮重新建起了一座佛教大學，目的是要讓那蘭陀恢復為佛教學術中心。現代那蘭陀大學從二〇一四年開始招收研究生，目前只有十幾個學生。

那蘭陀寺遺址開放後，我是從佛教聖地、佛陀成道處菩提迦葉前往那蘭陀寺的，一天時間可以往返。已經發掘出來的那蘭陀寺部分遺址，其規模超出我的預料，特別是一字排開的八大學院，庭院規整、建築嚴謹，非常壯觀，令人肅然起敬。

B：達賴喇嘛經常講到那蘭陀的偉大學術傳統，推崇那蘭陀追求真理的精神，就是要用孜孜不倦的探索來了解「實相」，即「實在的本質」。而這次對話選擇在哲蚌寺進行，等於是選在西藏的那蘭陀寺，向數千西藏僧侶展示佛教和科學的互動。這是富有深意的決定。

A：是的。那蘭陀的佛教傳統，在那蘭陀寺九百年前被毀壞時就流向了西藏。藏傳佛教三大寺，不僅在形式和規模上繼承了那蘭陀寺，更以強調學術和理性而光揚那蘭陀的智慧。藏傳佛教三大寺的振興，就是復活了古印度佛教的那蘭陀寺學術傳統。但是，二十一世紀的佛教僅僅固守傳統是不夠的，必須開放、順應時代的變遷。長期封閉和守舊，是藏傳佛教在二十世紀遭受重大法難的原因之一。事實上，亞洲以大乘佛教為主的國家，除了日本、南韓、新加坡、臺灣、馬來西亞等幾個國家和地區外，都在二十世紀與共產主義運動正面衝突，經歷了巨大的法難。但是，歷史也給後人提出一些問題：為什麼佛教在這些國家傳播了上千年，但在歷史的關鍵時刻，卻無法阻擋以「階級鬥爭」為理論基礎的共產主義思潮？從佛教的角度來看，這是不是一個「置諸死地而重生」的改革更新時機？

現在，佛教正在浴火重生，經歷一次規模宏大的振興。但是，佛教的振興必須和改革同時進行，特別是佛教僧團的現代教育。偉大的那蘭陀學術傳統的復興，必須擁抱現代科學。認識到這一

那蘭陀遺址（2013 年）

點很了不起，付諸實踐則更不容易。

回到我們原先的話題，還是請你說說在哲蚌寺舉行的第二十六屆心智與生命研討會吧。有哪些科學家參加了？

心智、大腦和物質（二〇一三年第二十六屆心智與生命研討會）

B：參加這次對話會的西方科學家有物理學家阿瑟・查恩茨、神經科學家理查・戴維森、科學哲學家米歇爾・比特波爾、科學史家安妮・哈靈頓，還有馬修・李卡德、塔妮亞・辛格、洛桑丹增那吉、印度國家高等研究院的拉杰什・卡斯圖利蘭甘（Rajesh Kasturirangan）等，他們以前參加過對話，這一次又應達賴喇嘛的要求前來。這次對話是為三大寺的僧侶舉行的，達賴喇嘛要求多邀請一些科學家來，所以還來了十來位新的科學家。

約翰・杜蘭（John Durant）是MIT的科學、技術與社會計畫的教授。他在劍橋大學獲得科學史和科學哲學博士學位，在英國的大學、博物館工作過多年。他早年的研究是進化論和行為生物學的歷史，特別是十九世紀末和二十世紀科學界關於動物本質和人類本質的爭論。現在他特別感興趣的是大眾對生命科學和生物技術的認識問題。

索娜・迪密吉安（Sona Dimidjian）是科羅拉多大學心理學和神經科學系的心理學家。

2013 年初，第 26 屆心智與生命研討會

溫蒂・哈森坎普（Wendy Hasenkamp）是心智與生命研究所的計畫和研究主任。她是神經生物學家。

布萊斯・約翰遜（Bryce Johnson）是「僧侶學科學」計畫的主任，專業背景是環境科學。

克里斯多夫・柯赫（Christof Koch）是加州理工學院的神經科學家，以研究意識的神經機制而聞名。他出生於德國外交官家庭，在摩洛哥上耶穌會中學，在德國的麥克斯・普朗克學院獲得非線性資訊處理的博士學位，在ＭＩＴ的人工智能實驗室工作了四年，在加州理工學院從事計算和神經系統的博士計畫。一九九〇年代初期，柯赫研究了意識的物理機制，主張意識可以透過現代神經生物學的方法探索，他是這個領域知名的科學家。

阿隆・斯坦因（Aaron Stern）是音樂家，他創建了一個叫做「熱愛學習」的學校（Academy for the love of learning）並擔任校長。該校由他和著名音樂家李奧納德・伯恩斯坦一起籌劃建立。這次對話會，特地請他來談學習的意義。

戴安娜・查普曼・沃爾什（Diana Chapman Walsh）是衛斯理學院的榮譽退休院長，MIT的校董，安赫斯特學院的榮譽校董。她是美國教育界的重要人士。

卡洛・沃思曼（Carol Worthman）是艾莫利大學的人類學系教授，艾莫利－西藏科學計畫的負責人。

A：既然是在哲蚌寺舉行，那就像二〇〇三年在MIT一樣，向學僧開放。

B：是的，不過哲蚌寺和MIT不一樣的是，這裡在此以前沒有舉行過科學研討會。這次對話會採用的還是達賴喇嘛和科學家個人對話形式。

這屆研討會由心智與生命研究所和西藏檔案圖書館聯合舉辦，是迄今為止規模最大的會議。會議有兩個會場，主會場設在哲蚌寺洛色林扎倉（即經學院）的大殿，共有九百多人，包括格魯派三大法座甘丹赤巴、強孜曲吉仁波切和夏孜曲吉仁波切、各主要寺院的住持、藏傳佛教其他教派的代表、三大寺各學院的代表、流亡社區的大學生，以及七十餘名來自世界各國的觀察者。分會場設在洛色林扎倉的新大殿，共有近六千位僧人透過現場直播旁聽，同時還有數萬人透過網路直播觀看。

研討會上的所有幻燈片均有藏文翻譯，發言也有藏、英文同步口譯。

A：這次對話的主題是什麼？

B：這次對話的主題是「心智、大腦和物質」。

A：從主題可以看出，這次對話的專業是物理學和生命科學，類似於二〇〇二年第十屆對話：「物質的本質和生命的本質」。

B：是的，但是從二〇〇二年到二〇一三年，這十年裡心智與生命研究所不僅舉行了十多次對話，還展開了一系列的科研計畫。受這些對話的啟發，世界各地的生命科學家在各自的實驗室展開對冥想修行的探索，有了一些重要發現，特別是在大腦神經可塑性方面，科學家們比十年前更有信心，相信他們的研究能有益於大眾，有益於創造一個精神、心理健康的和平世界。更重要的是，這一次和十年前不同，是面對數千佛教僧侶，等於是向東方佛教傳統的繼承人展示活生生的西方科學。

A：你觀摩了這次對話，能不能描述一下？

B：第一天，一月十七日上午八點多，我按照規定提前半小時走進主會場，能容納近千人的大殿裡已經坐滿。大殿前方放了一張鋪著深色桌布的長條會議桌，高度只有客廳茶几那麼高。長桌靠近釋迦牟尼像的那頭放著尊者的座位，只是一張普通的沙發椅，與眾人等高。圍著長桌的十來個座位坐滿了出席研討會的科學家。第二排和第三排是幾十個特邀客人。大殿裡其他的座位幾乎全部是身穿絳紅色袈裟的僧侶。我注意到，尊者背後的三張椅子上，坐著藏傳佛教格魯派的三大法座。尊者背

旁聽的喇嘛（2016 年）

旁聽的女尼（2016 年）

後另一側的幾張長沙發椅上，坐著幾大寺院的堪布，他們面容莊嚴安詳，一看就知道是地位尊崇的高僧。

四台攝影機圍繞著會議桌，會場裡還分布了數十個大電視螢幕，每個人都能從電視螢幕看到報告者及幻燈片說明。

我注意到，釋迦牟尼像的左下方有一座小型佛塔，塔前放著達賴喇嘛的經師林仁波切的照片。這是林仁波切的靈塔。

A：從尊者幼年時起，林仁波切即擔任他的經師，終生跟隨尊者。在一次訪談中，尊者曾告訴我，在他的一生中，林仁波切是對他影響最大的人之一。也許，在林仁波切的靈塔前舉辦這次研討會，對尊者來說具有某些特別的意義。

B：九點整，全場起立，瞬間鴉雀無聲，達賴喇嘛來了。擴音機傳出了藏傳佛教特有的男低音誦經聲，渾厚悠長，整個大殿在轟鳴，誦經聲彷彿充滿了天地。達賴喇嘛從側門走進來，繞林仁波切靈塔一圈，在佛陀像前跪拜，起身走向三大法座，向他們躬身觸額致禮，然後在他的座位上盤腿坐下，向科學家們招手微笑。我的座位在達賴喇嘛左邊第三排，我注意到尊者和我多次採訪他時一樣，穿了一雙普通的塑膠拖鞋。

在西藏圖書檔案館館長拉多格西簡單的歡迎詞後，物理學家阿瑟・查恩茲作開幕講話。他從人類對世界和對包括自身在內的「實在」（reality）的探索，談到科學與佛學對話的意義和困難。他說到自己的經歷：他看到哲蚌寺的年輕學僧們在院子裡辯經，不禁回憶起自己的大學時代。那時他們學習數學、物理、化學等學科，還學一點哲學。他說他喜歡這些學科，學得也很好，但是內心深處卻很不快樂，以至於一度考慮要輟學、逃離這樣的學習，因為外在的學習無法滿足自己內心深處的渴望。後來，他遇到一位同是修行者的科學家，當科學和人的靈性在自己身上結合起來，他才看到了一種新的可能性，於是他以科學家的身分走上了內察和慈悲之道。

隨後是神經科學家理查・戴維森致辭。研究大腦可塑性的神經科學是佛學和現代科學最早發生接觸的領域，也是二十多年來的對話會最重要的探討學科。戴維森本人每天靜坐冥想，深知修持的益處。他從自己的專業出發，認為現代大腦和神經科學的研究可得益於和東方佛教修行的交流，因此，他一直支持、參與和達賴喇嘛的對話。

達賴喇嘛開幕致辭後，研討會正式開始。會議由戴安娜・沃爾什博士主持。阿瑟・查恩茲先向達賴喇嘛介紹本屆對話會的內容主要有三大部分，一是現代物理學，包括量子力學和相對論這兩個議題，這也是阿瑟本人的專業；二是神經科學；三是意識研究。按照會議規則，在每天上、下午各兩個半小時的時間裡，沿續以往的慣例，演講以和達賴喇嘛個人對話的方式進行。

A：以往對話經常是哲學家開場，這次呢？

科學的方法論問題

B：這次和以前的對話一樣，開場的議程帶有哲學探討的性質，由科學家們分別介紹上述三大專業的歷史，人類在這方面取得的巨大成就以及帶來的福祉，目前面對的問題，以及今後可能的探索方向。阿瑟・查恩茲率先發言，介紹科學的方法論，講得非常風趣。他說：我想為你介紹一位年輕的科學家，那大約是一九四三年或一九四五年，地點是拉薩。然後螢幕上出現了一張少年達賴喇嘛的照片，引起全場的笑聲。

少年達賴喇嘛曾在布達拉宮樓頂上，用十三世達賴喇嘛留下的一架望遠鏡觀察月亮。他看到了月球上的環形山，注意到山的陰影，得出了月亮本身不發光，月光來自於其他光源的結論。查恩茲說，這就是標準的科學方法，首先是人依靠感官來觀察，利用儀器（望遠鏡）來拓展感官的能力，利用實驗來創造觀察的機會，然後是推理、邏輯思維。現代物理學使用的龐大而昂貴的粒子加速器，和少年達賴喇嘛的望遠鏡一樣，都是人的感官的拓展，但邏輯推理也不可或缺。伽利略發現兩個物體同時落地的定律，不是依靠觀察和實驗，而是依靠純粹的推理。伽利略一生的最後幾年被軟禁，沒有條件做任何實驗，卻仍然作出了很多貢獻，靠的就是推理和思維。東方的傳統佛學輕實驗，但是注重邏輯與推理，很多概念與思維方式用通常的思維習慣很難解釋，卻和現代物理學的許多重大結論暗合。這是除了神經科學以外，佛學和現代西方科學有可能攜手合作的領域。

第二天的議程是查恩茲和法國物理學家米歇爾・比特波爾分別講述量子物理學，以及量子力學的發現和結論對理解「實在」的意義。這一天的會議非常緊張。查恩茲和米歇爾輪流介紹其學科的結論與問題，看得出兩位科學家做了精心準備。下午，土登晉巴介紹了古典佛學對空間、物質、世界產生於「緣起」即因果相互聯繫的思想。

這天的對話專業性相當強，是現代科學和東方文明對話最困難的領域。但旁聽的僧人們非常專注，之後的問答階段，僧侶們踴躍提問，科學家們也常常難以招架，只能實話實說：「對於這個問題，簡單的答案是：我們目前還不知道。」從僧侶們的問題看來，普通人很難理解的一些概念和結論，在轉換成佛學詞彙後，僧侶們接受起來並不困難。而且，這些僧侶在有「第二那蘭陀」之稱的哲蚌寺經過長期的辯經訓練，他們對抽象概念之間的複雜關係駕輕就熟。雖然缺乏數學工具方面的教育，僧侶們還談不上接觸物理專業領域，但是經過佛學訓練的西藏僧人，完全有潛力學習現代科學。

A：第三天的對話由誰主講？

大腦神經可塑性和慈悲心的訓練

B：第三天的內容是理查・戴維森主講的神經科學。達賴喇嘛和科學家在這個領域有很多可以共同探討的內容。現代神經科學已經可以肯定大腦神經的可塑性。比如演奏樂器的人，經過長期練習而獲得演奏能力，神經科學可以在大腦中發現相應的變化。同樣，一些心理和精神現象，比如某些憂鬱症，也能在大腦中確定相應的位置和變化。西藏佛教僧侶們的打坐冥想，可以協助人控制情緒和精神狀態，並且相應地影響各類身體指標，必然有其大腦神經科學的基礎。顯然，佛教僧侶對自己情緒的控制能力，可以為神經科學家的研究提供觀察和實驗的難得機會。這就是神經科學和西藏佛教僧侶能夠合作研究的原因之一。

更進一步的是，佛教把「慈悲心」看成是人人都可以經由學習和訓練來達到的一種心智狀態。對於佛教僧侶來說，同情心、利他心等等都不是空洞的概念，可以經由修習獲得。如果找到佛教修習的現代神經科學基礎，就開拓了一種可能性，即透過佛教和神經科學的結合，把這領域的科學發現用於使人們減少痛苦、增進快樂，變得更慈悲，更有利他心，這無疑有助於個人內心平和，進而增進人類福祉。同時，達賴喇嘛又指出，任何對人類精神和身體變化所作的科學研究，都有潛在的倫理問題：什麼樣的心靈改變是好的？怎樣定義這個「好」？誰來決定這種改變是「好」的？研究成果應該在哪些範圍內應用？這就需要研究相關課題的科學家、宗教界和大眾共同探討。

A：慈悲心可以經過訓練來獲得或者增強，這是很重要的議題。可以想見如果與現代教育相結合，將有極大的益處，但一定也會引發很大的爭議。第四天的內容是什麼？

人類的意識

B：第四、五天的對話偏向於哲理和思辨，集中討論的概念是「意識」。意識是什麼？是獨立於物質的，還是附屬於有機體物質？是不是有機體複雜到一定程度就會產生意識？更為複雜的問題是，什麼是自我意識，即「我」這觀念是怎麼產生的？在什麼時候？是什麼產生了從第三者立場來看「我」這個概念？這又是一個根本的問題。科學家的經典觀點是，意識離不開大腦，沒有大腦就沒有意識，可是這沒有回答為什麼大腦會產生意識。如果未來iPhone的電路複雜到像人腦的神經元和神經電路一樣，它會產生意識嗎？它會產生自我意識嗎？它會不會有「自我」，會不會想：「我是一個iPhone」？

A：這是個有趣的問題，設想一下有朝一日，如果你的iPhone有了自我意識，它會不會拒絕服從你的指令？

B：是啊。這幾場討論更加呈現了一連串現代科學還不能回答的問題，儘管在場的有一流科學家，可是未知遠遠多於已知。有時候科學家之間也會爭論不下。這時，達賴喇嘛在一旁靜聽，直到最後大家達成共識：這是一個尚未解決的難題，回答這個問題還有很長的路要走。

討論意識時，涉及到意識的轉移問題，用佛教的術語講，就是人的死後轉世，意識從一個人的身體轉移到另一個人。科學家們的看法是，轉世沒有證據。既然沒有大腦就沒有意識，那麼轉世就沒有邏輯上的可能性。達賴喇嘛說明了佛教的理由：有一些實例證明了兒童具有的一些記憶，只能用前世來解釋。但是，達賴喇嘛指出佛陀的教導是，只應該相信現實的真相，而不是盲目地信仰或崇拜，包括佛陀自己的教導在內。現代科學技術已經證明大地不是平的，地球是球形的，須彌山並

第 26 屆研討會

不存在，現代佛教徒就不應再重複古代佛教的說法。佛教在服從現實、改變原有認識方面並不困難。所以，關於轉世，只是現代科學還沒有獲得證據來說服佛教徒轉世是不存在的。如果科學證明轉世不存在，佛教徒就會放棄轉世的信念。

A：第五天應該是討論的最後一天了。

達賴喇嘛談世俗倫理

B：第五天的研討會，有幾位西藏佛學家的長篇報告。上午休息前，達賴喇嘛即席作了二十分鐘的講話，專門闡述他近幾年在探討和倡導的「世俗倫理」的概念，也就是當代人類要超越宗教信仰，創建全人類的、包括大量無宗教信仰者在內的共同的倫理。他特別強調科學和科學家在這方面的責任與作用。顯然這次講話經過了長久的思考。他講話時，全場鴉雀無聲，幾千僧俗可以說是摒住呼吸聽達賴喇嘛講述他對人類未來的憂思。

第六天才是會議最後一天，原計劃有大半天的議程，但達賴喇嘛必須趕往下一個行程，研討會的閉幕因此提前到清晨七點開始，九點結束。

九點前，達賴喇嘛用藏語發表了閉幕演說後，會議結束。達賴喇嘛的車隊已經排列在經堂大殿外的車道上。科學家們、遠道而來的客人和僧人都等候在車道兩側，等待達賴喇嘛從休息室出來、登車前往機場。正在這時，孟古德的印度盲童學校的學生們在老師帶領下，都捧著哈達，在經堂側門的臺階上排成幾排等候達賴喇嘛。這些穿著校服的盲童，看得出有些是先天畸形，有些是後天致殘。

A：達賴喇嘛說過多次，他首先是一個人，人類中的普通一員；然後是一個出家人，一個佛教比丘；最後是一個藏人。這三種身分定位意味著三個使命，三種責任。所以，達賴喇嘛的思考和追求，超越了單純西藏難民的身分。他的慈善基金會也不僅是滿足西藏難民的需求，印度的盲童學校就受益於達賴喇嘛的慈悲。幾年前，我在印度西北的拉達克也到過達賴喇嘛為當地少數民族兒童辦的學校。

B：達賴喇嘛走下樓梯，邊走邊大聲與盲童們打招呼，盲童們一片歡呼，紛紛擠上前把手中的哈達舉得高高的。達賴喇嘛擁抱著孩子們，一個個親吻他們的額頭，為達賴喇嘛送行的人們在兩旁靜靜等候著。最後，達賴喇嘛與盲童們告別走向自己的汽車，盲童們齊聲一遍遍喊著：「謝謝你，Guruji」。Guruji是「導師」的意思，是印度人對達賴喇嘛的尊稱。

A：這是非常動人的景象。這次對話有數千僧人旁聽，並且將影響藏傳佛教寺院的教育，對話中提到僧侶教育問題了嗎？

B：是的。這次對話期間，以艾莫利大學為主設計的「艾莫利－西藏科學計畫」正式啟動。這計畫從二〇〇八年就開始試驗，艾莫利大學的教職員和來自西藏流亡政府圖書檔案館的翻譯，用了六年時間翻譯和編輯了英語和藏語對照的科學詞彙，編寫了十卷將用於西藏寺院教學的科學教科書，招收了兩批來自印度的流亡僧人在艾莫利大學學習，一方面積累喇嘛學科學的實際經驗，另一方面為將來全面展開僧侶科學教育培養師資。

二〇一二年，藏傳佛教格魯派（黃教）召開了由最高法座甘丹赤巴主持的會議，透過一致決議，從二〇一四年開始，格魯派寺院的未來高等教育中，將包括五年制的現代科學教育。從此以後，格魯派僧侶獲取格西學位，必須先通過科學教育的考試。

A：這對於整個東方宗教和文化都深具歷史意義。

B：是的，我們正在見證新的歷史改革。

A：謝謝你分享你所親歷的這場歷史性對話。

17 如沐春風

渴求、欲望和成癮（二〇一三年第二十七屆心智與生命研討會）

A：第二十七屆心智與生命研討會是二〇一三年十月底到十一月初的五天裡，在達蘭薩拉舉行的。你也參加了。為什麼你要再一次觀摩呢？

B：對我來說，觀摩達賴喇嘛和科學家的對話，能獲得現代科學和東方佛學方面的一些新知識，收穫非常大，但是更重要的原因是我想再一次親臨現場，見證兩大文化傳統的歷史性交流，見證人類最偉大的心靈、最偉大的頭腦、最偉大的人格，是怎樣對話、互相對待的。這是我一生中在別的地方和別的時候都沒有見過的景象。

在二〇一三年初觀摩第二十六屆對話會上，傾聽達賴喇嘛和科學家探討「實在的本質」，議論西方歷史上的著名哲學家、天主教神學家，乃至於古希臘羅馬思想家的觀點，議論古印度佛教史上著名菩薩和法師的爭論，我注意到，達賴喇嘛和科學家們從不認為他們可以找到一個確切無疑的真理，然後一勞永逸地堅持這個真理。相反的，他們都十分謙卑地承認，無論什麼時候，我們以為已經找到的「實在的本質」，或許只是我們在自己的視野裡所看到的一個景象，也許真正的「實在的本質」離我們還很遠。他們懷著敬意議論著人類歷史上的偉大思想家們，儘管他們現在所發現和積累的知識已經超出了這些前輩。他們那種謙卑和開放的心態，真是讓我大開眼界。我第一次見識謙卑的思想者們一同討論人類的重大問題。達賴喇嘛和當代一流的科學家們，原來不是我以前聽說過的學問淵博、高高在上的學者，也不是言詞敏銳、咄咄逼人的批判家。他們經常說的一句話是「這個問題，我們還不知道怎麼回答」。

A：所以你又前往觀摩。

B：是的。儘管有時候科學家所講解的專業知識很艱深，我只是似懂非懂，而達賴喇嘛和佛教僧侶學者介紹的古代佛教經典，更是十分深奧，但是觀摩對話，見證東西方文化的交流，讓我深深感動。我感覺接受薰陶後，我的心態有了明顯的改變。

A：請說說這次對話的主題。

B：第二十七屆對話會的主題是「渴求、欲望和成癮」（Craving, Desire and Addition）。有十二位參加者，其中主講者為五位心理學和行為學領域的教授、一位宗教學教授，以及美國國家藥物濫用問題研究所所長諾拉・沃爾科夫（Nora Volkow）女士；心智與生命研究所主任阿瑟・查恩茲、前任哈佛大學衛斯理學院院長戴安娜・沃爾什博士、著名的烏帕雅禪修中心創建者兼住持喬安・哈利法克斯博士是以前參加過對話的科學家，這次共同擔任本屆研討會的主持人。神經科學家理查・戴維森、法國喇嘛馬修・李卡德和翻譯士登晉巴也參加了這次對話。

A：科學家方面有哪幾位新人參加？

諾拉・沃爾科夫是會上引人注目的女科學家。

溫蒂・法雷（Wendy Farley）是艾莫利大學宗教系的教授。

肯特・伯瑞傑（Kent Berridge）是密西根大學的生物心理學教授和神經科學家。

賽拉・波溫（Sarah Bowen）是華盛頓大學精神病學系的助理教授。

維貝卡・阿斯穆森・弗蘭克（Vibeke Asmussen Frank）是丹麥酒精和藥物研究中心的心理學家。

馬克・路易斯（Marc Lewis）是荷蘭內梅亨拉堡德大學（Radboud University Nijmegen）的教授，著名的神經科學家。

A：請講講你所親臨見證的對話景象。

B：這次沒有許多僧侶旁聽，但參與旁聽的特邀客人來自世界各地。我在長途巴士站遇到了幾個年初在哲蚌寺結識的喇嘛，他們從各自的寺院趕來旁聽。在旁聽的人群中，我看到了哥倫比亞大學的羅伯特・瑟曼教授和夫人。他早已是著作等身的著名教授，今天也坐在旁聽者當中，打開電腦做筆記，像教室裡的一個普通大學生。

第一天，研討會九點開始，達賴喇嘛尊者致簡短的開幕詞。他特別向第一次參加研討會的旁聽者們說明「心智與生命研討會」的兩大宗旨：一、增進外在世界和內在世界的知識；二、致力於增進人類福祉。

接下來，心智與生命研究所主任阿瑟・查恩茲、戴安娜・沃爾什博士和著名神經科學家理查・戴維森分別介紹本屆研討會的主題。戴安娜介紹說，本屆研討會所討論的內容在二〇〇〇年的第八屆、二〇〇三年的第十一屆和二〇一一年的第二十三屆研討會中都曾討論過，隨著大腦神經科學、心理學、行為學等領域的發展，這些領域的研究取得了許多成果，從某種意義上來說，本屆研討會是對上述研討會內容更深入的討論。

濫用毒品和成癮機制

A：從對話會的題目來看，當代社會的毒品問題應該是議論的中心問題。

B：對。下午一點，研討會進入正式的討論。第一場報告由行為科學研究所教授馬克・路易斯主講。在他開講之前，戴安娜介紹了毒品成癮的嚴重性。她列舉了一連串來自於美國政府和聯合國的數據：從致死人數來看，所有毒品中最嚴重的是菸草，即尼古丁。根據世界性的估算數字，二十世紀因使用菸草而致死的人數高達一億。如果這趨勢繼續下去，本世紀因使用菸草而死亡的人數將高達十億。僅僅二〇一一年，全世界因使用菸草而死亡的人數就達六百萬。這個數字二〇三〇年將增加到八百萬。其中百分之八十以上是在中低收入國家。這是因為近年來先進國家的菸害防制條例和宣傳教育降低了吸菸人口，使得全球大菸草商將目標市場轉移到了落後國家。

她從一數到六：「現在每六秒鐘，就有一個人死於與使用菸草有關的疾病。」也就是說，當她數到六時，地球上的某個地方就有一人由於使用菸草而死亡。這真是令人心驚。

她接著說：「每十個成人的死亡原因就有一個是由於吸菸，今天的吸菸者有將近一半將死於和菸草有關的疾病。從公共衛生的角度，吸菸是大眾健康的頭號敵人。」

死亡和疾病只是毒癮危害的兩個容易觀察測量的結果，我們可以輕易地從醫院收集到有關數據。而毒癮造成的問題並不僅僅是導致上癮者死亡。如果把毒癮的其他危害，比如造成的行為問題、家庭問題、人際關係問題等包括在內，那麼菸草、酒精等物品的濫用所產生的危害是極其驚人的。戴安娜說，菸草和酒精等毒品不同的是，它損害人的健康，但是不造成使用者的行為問題。

A：馬克對毒品成癮問題是怎麼說的？

B：馬克主講特別有意義，因為他既是研究成癮的心理學家，本人又曾是成癮者。他來到達賴喇嘛面前現身說法，特別的難得。二十多年前和達賴喇嘛尊者一起發起對話的著名腦神經科學家弗朗西斯科・瓦瑞拉博士曾指出第一人稱的研究對大腦神經科學的重要性，馬克就運用了「第一人稱研究」。當年他吸毒成癮時，正在大學學心理學。之後他成為神經科學家和心理學家，研究的就是成癮的機制。他向大家詳細講解了成癮如何發生，為什麼會發生，在成癮過程中大腦神經系統發生了什麼狀況，人的心理又是什麼情形，如何形成一種惡性循環；而戒癮的方式之一，就是打破這個循環，特別是在「渴求」開始出現時。

A：科學家現身說法成癮過程，非常不容易，能這樣做真是了不起。

B：是，這是一個難得的第一人稱敘述。馬克講完後，尊者與其他參加者開始就如何理解「渴求」、如何打破成癮者心理和行為的循環等問題進行討論。尊者認為，從佛教的觀點來看，「渴求」是一種強烈的「執」（attachment），而「執」的背後是「無明」（ignorance）和「虛幻」（delusion），對治的方法是提高覺察力（awareness），覺察力包括「了解」和「行動」兩個方面。也就是說，了解成癮的原因、後果，然後採取行動來戒除。科學家們則討論了各種戒除的方法，以及預防成癮的方式，特別是透過「滯後滿足」的方式來訓練幼童的自我控制能力。尊者對這些方式表現出極大的興趣，他饒有興致地觀看了一段兒童「滯後滿足」訓練的錄影。

這次研討會前，達賴喇嘛尊者剛結束了在北美的弘法，訪問行程非常緊湊，返程中又訪問了波蘭，三天前才回到達蘭薩拉。參加對話的科學家和旁聽的各國客人大多是兩三天前到達蘭薩拉，時差還沒有完全調整過來。今天一天的對話會中，尊者始終興致勃勃，不時提出一些出人意料的問題，讓科學家撓頭，全場哄堂大笑。科學家有時也提出一些讓尊者不知如何回答的問題，也引得全場樂不可支。會場上，尊者和科學家們有一種慶祝重逢的快樂氣氛。

A：第二天的對話談什麼？

欲望與痛苦

B：中國人有句俗話「知足常樂」，還有個說法「無欲則剛」，意思都是說人要是有太多欲望，就會變得不快樂，甚至會很痛苦。沒有欲望就沒有壓力，人就可以更超脫、更自由，就沒有那麼多痛苦了。可見前人已經從經驗中總結出，欲望和痛苦有關聯。所以這些哲理都是勸人不要有太多欲望，欲望越多越苦惱，越少越快樂。可是在現實生活中卻可以發現，沒有多少人在實踐這些至理名言，人人都充滿欲求，特別是現代生活物質大為增加後，人們想要的東西是那麼多，那麼難以滿足，而且儘管得到了很多，人其實還是不快樂，有些人甚至相當苦惱，但是人們還是在欲望的驅使下，無休無止地追求，大家似乎都在義無反顧地奔向痛苦的深淵。究竟是為什麼呢？

在現代心理學和神經科學看來，這個問題是可以探索並尋找答案的；而東方佛教對於欲望與痛苦的思考和討論，已經積累了兩千多年的智慧。第二十七屆心智與生命研討會的第二天，達賴喇嘛尊者和神經科學家、心理學家、佛教僧侶和佛學哲學家一起，深入討論欲望產生的方式和過程。這是當代西方科學和古老的東方智慧之間的一場友誼賽。

研討會開始時，理查・戴維森教授告訴尊者，他給尊者的好友南非的圖圖主教寫了一封電子郵件，告訴他達賴喇嘛尊者希望將科學與宗教的對話推廣到非洲的願望。他收到來自圖圖主教的通知，圖圖主教今天將在網路上觀看研討會的實況。

這天上午的主講者是著名心理學和腦神經學家、美國密西根大學心理學系的肯特・伯瑞傑教授。伯瑞傑講的內容是人類產生強烈的「欲求」（Wanting）和「喜愛」（Liking）的原因。他用大腦神經活動的觀測紀錄，區分了「欲求」和「喜愛」這兩種心理活動。在大腦功能的分布圖中，「欲求」的活動區域更大、更穩定，它是一種欲望，它不需要「記憶」就能產生和持續，一旦產生就不容易消失或消除。而「喜愛」是和「愉悅」（Pleasure）有關的一種情緒，它在大腦功能的分布圖中涉及的區域較小，神經元的數量也較少，這種情緒相對來說比較弱，容易中斷或消失。大腦神經科學家根據對大腦神經活動的觀察得出結論，「欲求」可以變得非理性，即使不「喜愛」也可以「欲求」，甚至明明知道一個目標令人不愉快、自己不「喜愛」，「欲求」的心理仍然可能持續加強，變成一種「渴求」，即一種非得到不可的欲望。「欲求」心理可以在沒有壓力和需求的情況下產生和持續增長，所以它是成癮機制中的一個重要因素。

讓科學家們也感到困惑的是，在大腦中，「欲求」和「恐懼」占用了同樣的區域，為什麼呢？他們希望能夠經由更多的實驗觀察和分析找答案。

伯瑞傑還對動物和人類的「欲求」心理作了深入探討。以大腦的「多巴胺」（Dopamine）化學物質為例，他詳細介紹了多巴胺對大腦的作用。他用彩色圖像和圖表來說明試驗結果，還放了幾段在實驗室對老鼠進行試驗的影片，具體說明多巴胺對大腦產生強烈「欲求」的影響。他的講座非常專業，尊者和在場的僧人們無不全神貫注傾聽。有時候，尊者對某個問題有疑問，他會立刻提出，請伯瑞傑進一步解釋；有時候他會用通俗語言「翻譯」伯瑞傑嚴謹的闡述，然後問伯瑞傑他的理解是否正確。

下午，尊者的翻譯土登晉巴主講佛教對「欲望」（Desire）、「渴求」（Craving）和「行動」的見解。

A：土登晉巴講了什麼？

佛學對欲望的思考

B：下午，土登晉巴坐在達賴喇嘛右邊的「熱座」，代表佛學一方，向科學家們說明佛學對「欲望」、「渴求」的詮釋，這些來自於古印度佛學經典的內容是在場眾多僧侶們的強項，晉巴這位前僧人也有點緊張，開講前先跟從前的僧侶同學們打招呼：「兄弟，我今天班門弄斧了。」達賴喇嘛樂不可支地開玩笑說，你的同學們早就摩拳擦掌準備好要向你擊掌質問了。這句話引得在場僧人哄堂大笑，晉巴還得笑著繼續盡翻譯的職責，把尊者的這句話翻譯成英語，又引得在場的西方人笑聲連連。

土登晉巴引用佛教經典中關於「執」的來源的觀點，說明佛教對「渴求」產生機制的理解。佛教認為，從「接觸」產生「經驗」，從「經驗」產生「渴求」，從「渴求」產生「執著」，從「執著」產生「行動」（滿足欲望的行動），這些情感形成一種循環。不過，佛教並不認為「欲望」本身是破壞性的，因為沒有欲望就不會有動機，沒有動機就不會有行動，人類社會也就不可能發展，問題在於欲望的對象和滿足欲望的方法，有的是建設性的、有的是破壞性的，人們對此應當有所覺察。

下午三點，第三天的討論進入最後一部分：聽眾與科學家問答。留在會場的聽眾絕大多數是僧侶，他們對科學家們提出了不少問題，看得出來僧侶們對這天的討論聽得非常仔細，他們提問題的方式也顯示出，經過多年邏輯思維訓練的僧侶們對現代科學的理解力和把握問題本質的能力。一位僧侶問：「在『欲求』和『喜愛』之間是否有某種界限？超過了界限，『喜愛』就變成了『欲求』？」伯瑞傑回答說，他的試驗團隊確實思考過這個問題，但是目前為止的試驗結果還無法做出明確的回答。

A：第三天的對話談了什麼內容？

毒品泛濫問題

B：第三天討論的是從生物學和社會文化的角度來看當代毒品泛濫的原因。今天上午的主講人諾拉・沃爾科夫博士前一天剛剛趕到達蘭薩拉，下午就出現在會場上。她說一口有外國口音的英語，看來她不是在美國出生長大的，可是會議資料卻介紹她是美國國家藥物濫用問題研究所的主任。她所領導的研究所是當今世界毒品問題研究最權威的機構。國家藥物濫用問題研究所隸屬美國國家健康研究所（NIH），是美國政府衛生部下屬的機構，主要職責是生物醫學和健康有關的研究。諾拉開拓了利用大腦顯影技術（Brain Imaging）研究毒品對人類大腦的影響，從而了解毒品成癮的生物學機制。她發現毒品成癮對大腦造成生物性損害，事實上毒癮是一種大腦疾病，應該針對成癮的機制來尋找預防和治療的辦法，而不是簡單地把吸毒視為行為和心理問題，更不應把吸毒者當作罪犯關進監獄。

這位女士瘦小精幹，一頭蓬鬆金髮，兩眼炯炯有神，雖然始終面帶微笑，卻有凜然的氣勢。她在專業領域一定頗有權威，曾得到多個專業獎項，被《時代》雜誌選為「全球最具影響力的百大人物」之一，被《新聞周刊》選為「全球最受矚目的二十位人物」之一，被《美國新聞與世界報導》選為「年度革新人物」。

她的口音引起了我的好奇，會後上網一查，維基百科介紹的第一句話不是她的專業成就，而是她的出身。她生於一個大名鼎鼎的俄國革命者家庭，提起她的外曾祖父托洛斯基，對二十世紀共產革命略有了解的人恐怕無人不知。諾拉的父親是托洛斯基的外孫，她和三個姐妹都是在墨西哥長大的，她們的外曾祖父就被史達林派來的殺手暗殺，死於她們長大的那座房子裡。諾拉可以說是在「共產革命」的陰影中長大成人。她在國立墨西哥大學取得醫學學位後，赴紐約大學深造。她的口音原來是俄語和西班牙語的影響，擔任美國國家藥物濫用問題研究所主任已有十年。

諾拉是第一次參加和達賴喇嘛的科學對話。雖然她要談的是專業內容，題目是她多年研究的強項，達賴喇嘛尊者是這方面的非專業人士，可是第一次和達賴喇嘛面對面談話，她仍然掩蓋不住激動。照我們比較容易理解的說法是，尊者有極強的「氣場」。這次研討會上，第一次參加的主講人一開始都表現得有點緊張和激動，等進入專業知識的闡述時才會慢慢恢復正常。

達賴喇嘛尊者知道，在外界眼裡他是一個聖人和智者，他理解別人面對他時會有緊張感，所以他很擅於消除別人的緊張情緒，並用輕鬆幽默來創造一種平等氣氛。他說過，如果不把自己和他人平等的放在一起，就等於把自己關進了牢籠。

A：諾拉．沃爾科夫談了什麼？

毒品成癮個體差異的原因

B：她介紹了自己的研究和發現。她說，根據經驗和觀察數據可以得出一個結論，人類對毒品的反應是有個體差異的。有些人反應強，有些人反應弱；有些人特別容易成癮，有些人不容易成癮。人們通常認為，吸毒的原因是吸毒者從毒品中得到了愉悅，為了追求愉悅而重複吸毒行為，進而成癮。根據個體對毒品反應的差異，科學家曾經假設：對毒品反應大、容易成癮的人一定是從毒品得到更大的愉悅。有了這個假設後，科學家必須用實驗或觀察來加以驗證。諾拉說，做了種種科學試驗、最後得出結論是：原來的假設完全錯了。容易成癮的人並不是因為從毒品中得到的愉悅更大，而是吸毒者有時甚至完全沒有愉悅，卻仍然成癮、無法自拔。

那麼，為什麼有些人容易成癮呢？成癮的大腦神經機制是什麼？

諾拉介紹了她首倡的大腦顯影術，用一張一張大腦彩色圖像說明大腦中特定化學物質的分布數據，透過不同數據下的人體反應來解釋一系列的實驗目的。她的介紹十分專業、非常複雜，她盡可能以通俗的方式說明一系列實驗，指出這些實驗結果得出了什麼結論。以大腦的多巴胺值為例，多巴胺是大腦活動中不可或缺的一種化學物質，沒有多巴胺人就沒有了活動的動力。毒品會導致多巴胺值升高，而多巴胺值過高，會引起人體的系統反應。人體會對毒品形成記憶，大腦中另外一些被稱為多巴胺受體的物質數據隨之劇降。多巴胺受體數據低的人容易成癮，成為吸毒者。

這是一系列實驗得出的發現。每當得出一個結論時，緊接著就會出現一個「為什麼？」於是引出新的實驗、新的發現。這一系列發現說明，最初認為吸毒者是由於盲目追求毒品的愉悅而成癮的假設完全錯了。成癮是因為大腦中這些互相關聯的物質的作用，事實上成癮者後來並沒有得到愉悅感，但是大腦疾病已經使其記憶、判斷、決策、注意力等都缺失了，無法依靠自身能力擺脫毒品。

她說，她問過很多臨床成癮患者，為什麼還要吸毒？他們的回答是「不知道」，就是想要吸毒，就是無法擺脫。她說，事實上，毒品成癮者很痛苦，這是一種大腦疾病，他們需要社會的幫助。把吸毒看成犯罪，把成癮者關進監獄，是一種錯誤的做法。

A：這是從微觀機制的角度來探討毒品成癮。那麼，應該怎樣來對待毒癮的社會問題呢？

毒品泛濫的應對策略

B：下午，來自丹麥的維貝卡・阿斯穆森・弗蘭克博士主講。弗蘭克是丹麥奧胡斯大學（Aarhus Universitet）酒精和毒品研究中心副主任兼副教授，是一位人類學家，因此，她是從社會人類學角度研究毒品成癮問題。她認為使用毒品很大程度上是一種社會行為，也就是說，吸毒常常在群體活動，例如派對、慶典過程中發生。在歐洲，毒品使用相當普遍，但毒品成癮者的比例並不高。因此，使用毒品並不等同於毒品成癮。數據顯示，毒品成癮者中青少年的比例相當高，隨著年齡的增長，成癮者的人數則逐漸減少。她認為這是由於生活方式的改變和人的成熟程度造成的。

弗蘭克還認為，政府對毒品的控制也會引發問題。來自美國和歐洲的科學家們對此有不同看法。來自荷蘭的馬克・路易斯博士說，大麻在荷蘭是合法的，並沒有導致吸大麻的人增加。他幽默地說，在荷蘭吸大麻的人很多是美國遊客。諾拉反對毒品合法化，她指出，在美國造成死亡和傷害人數最多的「毒品」是菸草和酒精，這兩種東西是合法的，原因是使用者最多，而使用者最多的原因恰恰是因為最容易獲得。她不贊成把吸毒者當成罪犯關進監獄，認為社會不應把吸毒者當作罪犯，但也不應讓人們可以隨意獲得毒品。很明顯，科學家們在毒品是否應該合法化的問題上並無共識，但他們都對本國政府的「抗毒」政策表示不滿。科學家們一致同意，在對成癮者治療的過程中，親友的支持是至關重要的因素。

諾拉也是著名的臨床醫師。這天的會議中，她向尊者請教，佛教歷史悠久的冥想經驗中，是否有某種方式能用來幫助毒品成癮者。尊者坦誠而幽默地回答，當毒癮者已經到了大腦受損害的地步時，「他們應當向你求助，而不是向我求助。」但是，尊者認為佛教的基本理念和一些冥想方法在預防毒品成癮方面可能會提供有效的幫助。他認為，一個人如果在和平快樂的家庭中長大，毒品成癮的機會很可能大大降低。至於社會應當怎樣對待毒癮者，尊者提醒聽眾，毒癮者也是人，他們也有與我們一樣的情感需求，我們不應該把他們當成另類，將他們排斥在社會之外，這樣做並不能解決問題。我們應當以慈悲之心對待毒品成癮者，以極大的耐心幫助他們重新回歸社會。

A：請講講第四天的情況。

佛教認為欲望產生於無知

B：上午的主講人是馬修．李卡德。上一次在南印度召開的第二十六屆心智與生命科學研討會上，我就看到他擔任主講人。他是西方人，卻代表東方佛教的一方，講的全是藏傳佛教的內容。令我印象深刻的是，他講完以後，達賴喇嘛尊者稱讚他講得不錯，這位「洋喇嘛」頓時像得到老師表揚的小學生一樣，激動得滿臉通紅，握著達賴喇嘛伸出的手連連低頭觸額，頂禮致謝。這一次，我注意到他坐在達賴喇嘛旁邊的主講席上，仍然激動而緊張。不過，今天他講得實在是精彩。

今天馬修主講佛教對「欲望」的看法。他首先指出從佛教角度來看，「欲望」產生於「無明」即無知（ignorance）。「無明」有兩方面，一是不了解事物之間的因果關係，二是對實在（reality）扭曲的認知。由無明產生分別心、仇恨、渴求、傲慢、嫉妒等負面情感，這些都是痛苦（suffering）的來源。以佛教觀點，「成癮」是喪失了心靈自由。那麼，當人們處於「渴求」這種強烈的精神狀態時，應當如何應對呢？馬修指出三種方式：一、滿足；二、壓制；三、採用一些更高明的方法。很明顯，對欲望的滿足或者壓制都不能從根本上解決問題，那麼，什麼是更高明的方法？

資深佛教僧侶馬修指出，「渴求」（craving）是一個心理過程，這個過程有三個階段，即「之前」、「期間」和「之後」，也就是「渴求」產生之前、處於「渴求」的心理狀態之中、「渴求」過去之後。從佛教修練的經驗來看，這三種狀態都有對治的方法。馬修大致介紹了一些佛教對治負面情緒的方法。這些方法都與觀想、分析有關，其中最重要的是「覺察」（awareness）。覺察不僅僅是覺察情感的產生、發展、強化的過程，還包括覺察自己對事物的錯誤認知，而覺察力是可以透過訓練提高、加強的。不過，他說應當根據個人的具體情況選擇訓練方法，有些方法比較精深，不適合初學者。

馬修講完後，有人問他佛教的心理訓練方法是否有可能從佛教中「剝離」出來，應用於非佛教信仰者？在緊張繁忙的現代生活中，絕大多數人不可能像佛教僧侶那樣，花很多時間來打坐冥想，這些訓練方法是否能讓成癮者受益？科學家們就這些問題進行了一番討論，尊者和有冥想經驗的科學家們都認為，佛教針對各種負面情感的對治方法完全可以從宗教中剝離、用於大眾，這也與達賴喇嘛尊者近年來提倡的世俗倫理觀念相符。

A：把冥想修行方法從宗教中剝離出來的想法很有意思，中國的靜坐、氣功其實就是這樣。

B：其他宗教中也有冥想修行的傳統。下午，西方文化傳統登場，講的是基督教傳統中的冥想和修行，這個傳統是怎樣應對欲望和渴求。主講人是美國艾莫利大學的宗教學教授溫蒂・法雷博士。

中世紀基督教的修行傳統

溫蒂的研究重點是西方早期基督教的女神學家、宗教對話、神學經典文本、當代倫理問題，以及基督教中的冥想修行實踐。她也是著作等身的學者。在著作中，她不把上帝認知為一個人格神，而將上帝視為慈悲的象徵。她從人間的「苦難」（suffering）而不是從人的「原罪」（sin）來解釋善惡問題。她的著作還提及了宗教中的倫理和哲學之間的關係問題、冥想修行問題、民間傳統和宗教間的對話等等。

今天下午的演講一開始，溫蒂引用四世紀到七世紀基督教沙漠修行派，以及十二世紀貝干諾派（Beguines）世俗修行者留下的詩句和格言，介紹早期基督教對人類欲望的詮釋。早期基督教的冥想修行者認識到，人類欲望可以區分為健康的欲望和扭曲、病態的欲望。當欲望呈現不健康的形式時，就成為一種「渴求」，這是一種類似成癮的精神狀態。「自我」（Ego）在焦慮與渴求的驅使下，把外在世界看成自己能得到救贖的一種途徑。而利用外在世界來滿足欲望，將導致自我毀滅。負面的情緒，比如憤怒、虛榮、焦慮、色欲等，其根源在於人的心靈。早期基督教傳統提出，人們可以透過反觀自心、打坐冥想、慈悲善行等方式來醫治病態的欲望。

在講述過程中，達賴喇嘛尊者數次插話，指出佛教傳統與基督教傳統在理解「欲望」和應對負面情感的相近之處。

溫蒂的演講內容豐富，清晰嚴謹而熱情。她一邊用詩一般的話語解說，一邊在大螢幕上打出一張張照片。在場的人，無論是歐美來的科學家、旁聽客人，還是穿著袈裟的西藏喇嘛，全都沉浸在溫蒂所呈現的基督教傳統的宏大心懷和智慧之中。

最後，溫蒂說在現實世界裡，我們都很擅於區分人與人之間的不同之處，諸如種族、貧富、社會地位的不同。相較之下，耶穌在這方面卻是一個「弱智者」，祂看不出人類的區別，只看到我們都是一樣的人，有一樣的心靈，一樣神聖。她說，當我們心懷慈悲時，心裡就都有一個耶穌基督，我們就是基督。最後，她面對達賴喇嘛，神情莊重地說：「我想說一聲感謝，感謝尊者您，感謝我們文明傳統中的所有修行者，感謝基督教和東方佛教今天的這次談話！」接著，螢幕上出現了達賴喇嘛尊者和著名天主教靈修士托馬斯・默頓合影的黑白照片。

A：這是一張一九六八年的照片。四十五年前，來自美國肯塔基州天主教修道院的修士默頓來到達蘭薩拉，和流亡中的年輕達賴喇嘛談了三天。這是西方天主教傳統和東方藏傳佛教傳統的第一次對話。遺憾的是，這次談話後不久，默頓在泰國不幸觸電身亡。

B：但是他和達賴喇嘛一起開始的對話傳統，一直延續到現在，延續到今天的會場上。

達賴喇嘛看著照片，久久不語。顯然尊者看到這張照片時，深深感動。

A：我想起有一次在新德里採訪尊者，他詳細告訴我他與默頓的談話。他說默頓是將他引入天主教的第一人。

B：最後，尊者說：「從這張照片看，我那時候可比現在年輕多了。」全場爆發出一片笑聲。尊者又說：「這是提醒我們世事無常。」此刻，我相信在場所有人心裡都會感受到一種莊重的歷史感。

A：第五天是最後一天了。

青年達賴喇嘛與托馬斯 · 默頓

怎樣幫助成癮者？

B：是的。這天只有上午一場講座，主講人是美國華盛頓大學心理學和行為學副教授莎拉 · 波溫。

莎拉是南傳佛教修練者，有十多年打坐經驗。她主要研究如何將冥想和專注練習（Mindfulness practice）與西方傳統的心理療法結合，用於防止初步脫癮者復發（Relapse）。毒品、酒精上癮的特徵之一是反覆。成癮者經過一段時間的脫癮治療後，往往會復發，而且復發的比例相當高。莎拉說所謂「成癮」，其核心就是對特定物（毒品、酒精，以及其他成癮行為如性、工作狂、購物狂等等）的欲求反覆發作。她的工作之一，就是借鑑冥想和專注練習幫助已經經過脫癮治療的人。

莎拉首先解釋上癮者反覆發作的心理學和行為學模式：首先是「誘因」（Trigger），「誘因」引起某種生理上或心理上的「不適感」（Discomfort），「不適感」引發對成癮物的「渴求」（craving），為了滿足「渴求」，再次使用毒品。從「不適感」到「使用毒品」這個過程，就是「復發」的心理和行為模式。這樣的反覆就形成了專業領域中所謂「反覆循環」的成癮模式。這個模式顯示，「誘因」本身並不一定會導致「反覆」，初步脫癮者如何應對「誘因」才會導致反覆。統計數據顯示，雖然有近一半的脫癮者會出現反覆，但從另一個角度來看，有另一半脫癮者沒有反覆，也就是說，至少有差不多一半的「癮君子」能夠成功脫癮。使脫癮者徹底遠離「誘因」是不可能的，就像酗酒者不可能生活在一個絕無酒精飲料的環境中，使初步脫癮者學會如何應對「誘因」才是解決問題的正確方法。她的工作之一，就是主持一個以冥想方式幫助初步脫癮者避免復發的治療計畫（MBRP）。

這套方法的核心是教初步脫癮者當「誘因」出現時，自己會隨之出現的一整套心理和生理上的反應。每個初步脫癮者學會認識自己面對「誘因」時的反應，理解這些反應只是正常的心理反應，不必為此產生羞恥、憤怒等情緒。然後，初步脫癮者學會「觀望」這種反應，把注意力從「渴求」轉移到自己的心理和身體感覺上來，讓「渴求」感逐漸消失。也就是說，讓初步脫癮者理解「渴求」只是一種正常的心理上的感覺，這種感覺的強度會隨著時間逐漸降低，在「渴求」感產生時，透過「專注冥想」（Mindfulness meditation）把注意力轉移到自己的心理活動形成、發展、降低、消失等等，而不是與「渴求」這種感覺對抗。

A：在打坐冥想的過程中，有時會出現各種身體上的不適，用的就是類似的方法來應對。比方說，如果感覺皮膚癢，有種方法就是專注於「癢」這個感覺產生和發展的過程，而不是忍住不去抓撓。在專注的過程，「癢」的感覺反而淡化、消失了。莎拉說運用的方式與此相同，這就是一個把打坐冥想的方法從佛教中剝離，用來幫助非信仰者的例子。

B：這套方法目前還處在起始階段，莎拉團隊將這套方法應用於法庭強制的戒毒者、監獄、青少年罪犯等人群中，研究顯示，這套方法與目前美國心理學界採用的標準脫癮治療方式比較，已經取得了一定成果。莎拉說，目前這套治療方式規模還不夠大，她和同事們還在繼續研究，包括研究訓練更多的治療師的方式，希望能把這套方法進一步完善和推廣。

莎拉講完後，主持人理查．戴維森請達賴喇嘛評論。達賴喇嘛認為，和傳統修行相關的救助方式，在預防成癮方面更為有效，而在吸毒或酗酒成癮以後，由於成癮已經對大腦造成了物理性的傷害，冥想修行等方法的作用是有限的，只相當於止痛劑的功能，它可能緩和或減輕成癮者的痛苦，減少戒癮復發的可能性。冥想修行等方法在提高人的身心健康、從而預防使用毒品成癮方面，較有用武之地。而對於整個社會來說，一個具有健康的精神狀態的社會，更依賴於教育，依賴於所有人都認同的價值。

對此，好幾位科學家都有不同看法，他們說雖然只是止痛劑，但是在沒有更好的方式幫助成癮者的當下，止痛劑也有廣泛的用途，而且，只有透過實驗才能把止痛劑做得更好。

達賴喇嘛表示並不反對用冥想修行方法幫助成癮者戒癮，但是再次提醒科學家們，冥想修行方法最大的意義在預防，即提高人的整體精神健康層次。在這方面，有足夠的事實資料證明，傳統的冥想修行有令人印象深刻的效果。達賴喇嘛尊者以經歷過「中國古拉格」的西藏僧侶為例。上世紀五〇年代末，藏區的寺院普遍被摧毀，大量藏傳佛教僧侶被關進了監獄或勞改營，即「中國古拉格」。很多僧侶被監禁或「勞改」了十幾二十幾年，直到八〇年代初才被釋放。這些喇嘛後來又回到寺院，很多人來到了印度，加入了流亡社區。在經歷了二十多年的折磨後，西藏喇嘛們沒有出現普遍的受迫害後遺症，幾乎沒有出現精神病。這是因為西藏喇嘛從來就重視冥想修行，精神健康層次比其他人更高。有一個喇嘛後來告訴達賴喇嘛尊者，在勞改營裡他被迫做苦工，他就把苦工當成一種修行，運用以前的冥想和專注力來應對苦工，觀想苦工帶來的肉體痛苦，在精神上提升自己。還有一個喇嘛告訴尊者，在中國古拉格監獄度過的二十年，是他修行功課做得最好的二十年，他把監獄當成了修行的環境。

達賴喇嘛尊者講到一位著名的仁波切，是一位地位很高的喇嘛。他在監獄度過二十多年，八〇年代初被釋放後，立即步行來到印度。達賴喇嘛尊者了解他在監獄經歷過很多折磨，見到他後問他，這二十多年在監獄裡是否曾經害怕？喇嘛回答說：「有那麼幾次，我真的害怕了。」尊者問，他們是不是要殺死你？這位喇嘛回答說：「不是，有那麼幾次，我害怕的是我快要失去對那些施害者的慈悲心了。」

下午是一個簡單、非正式的結束儀式。主持人戴安娜・沃爾什博士請本屆研討會的參加者分享自己的心得。第一次參加心靈和生命研討會的諾拉・沃爾科夫博士首先發言。她說，在這次會議上她學到了很多，但是，最重要的是學到了怎樣表達不同意見，學會怎樣簡單、真誠地表達不同意見而不造成一種緊張氣氛，因此，儘管意見不同，大家還能繼續交流，這對於她是十分重要的一課。

這次研討會的所有主講人和主持人都作了簡短的講話，每個人都表示非常感激尊者成立了研討會，都對自己能出席這樣的交流感到非常幸運。幾乎所有人都表示，從對話會裡學到了很多，收穫是那麼豐富，回去後要好好回顧才能完全領會，而這些收穫中最重要的是參與了對話，親自見證了達賴喇嘛倡導和引領的不同文化傳統之間如何對話。

我們所有旁聽者也深有同感。這五天的會議非常緊張，無論是科學家的主講，還是佛教方面的闡述，內容都很專業，有些相當深奧，聽起來十分費神，但是在這樣的會場上，聆聽達賴喇嘛和西方科學家之間的交流，有一種如沐春風的感覺。這個對話會讓我們每一個人都相信，不同文化傳統之間的對話、理解和達成共識是可能的，達賴喇嘛正在這樣做。

18 探索自我

倫理、教育和人類發展（二〇一四年第二十八屆心智與生命研討會）

A：第二十八屆心智與生命研討會在哪裡舉行？

B：心智與生命研討會在美國明尼蘇達州羅徹斯特舉行，是達賴喇嘛和心智與生命研究所幾位同事的一次小範圍討論，談論的話題卻非常重要。參與討論的有理查・戴維森、丹尼爾・高曼、戴安娜・查普曼・沃爾什、阿瑟・查恩茨，還有布魯克・道森－拉維爾（Brook Dodson-Lavelle），她是心智與生命研究所的計畫管理專業人士，專業背景是宗教學和心理學，在艾莫利大學和哥倫比亞大學獲得宗教學和藏傳佛教的博士和碩士學位。

A：他們討論了什麼？

B：對話的主題是「倫理、教育和人類發展」，即倫理道德在教育中的地位。討論這樣的問題，你必須對全人類現在和未來的內外處境有宏大的視野，一般人都會迴避，但是達賴喇嘛卻常常提到，當今世界的問題是七十億人類共同的問題，人人都有一份責任。這次討論會是二〇一四年春天舉行的。

心智成像（二〇一四年第二十九屆心智與生命研討會）

A：第二十九屆研討會是緊接著舉行的嗎？

B：對，二〇一四年四月十一日、十二日，在日本京都舉行了第二十九屆研討會。這是一次公開對話，參加者除了心智與生命研究所和以前多次參加對話的科學家外，還有多位日本的科學家和佛教高僧。

A：對話的主題是什麼？

B：主題是「心智成像」（Mapping the Mind）。兩天對話全部過程在網路都有影片，你不妨去看看，達賴喇嘛尊者的主題演講以及與科學家的互動都非常精彩。

A：好。聽說你到南印度去觀摩了第三十屆心智與生命研討會，請講講你的觀感吧。

感知、概念和自我：現代科學和佛教的觀念（二〇一五年第三十屆心智與生命研討會）

B：第三十屆心智與生命研討會是二〇一五年十二月十四日－十七日在南印度色拉寺舉行的。三年前的第二十六屆研討會是在南印度哲蚌寺，甘丹寺就在哲蚌寺附近，兩寺的學僧們一起旁聽了五天的會議。這次在色拉寺召開的研討會，意味著在印度重建的三大寺學僧都有機會觀摩達賴喇嘛尊者與西方科學家們的對話。

A：這屆研討會的主題是什麼？

B：研討會題目是「感知、概念和自我：現代科學和佛教的觀念」，討論現代科學和佛學中有關人的自我意識的觀念。

A：很有意思，也很重要的議題。

B：這屆研討會共有二十四位科學和佛學方面的對話者，還有五十三位來賓。從對話者的情況來看，佛學人士明顯增多，共有十一位佛學學者，其中八位是出家人，包括一位阿尼*。色拉寺杰扎倉大經堂裡有幾百位來自各寺院的主持、堪布和格西，以及一些應邀觀摩的民眾。研討會全程有網

* 阿尼，藏傳佛教對比丘尼、尼姑的稱呼。

路直播。

A：請談談你第一天的觀感。

B：十二月十四日是對話會的第一天。上午九點，達賴喇嘛尊者步入會場致開幕辭。尊者先回顧了心智與生命研討會的歷史。尊者說，他相信科學的客觀精神與佛教、特別是那蘭陀寺的理性探索精神一致，這一點是雙方對話的基礎。對佛教徒來說，與西方科學的對話能增加新的知識。對於那蘭陀知識系統而言，這一點十分重要。

尊者強調，這樣的對話不應當被理解為佛教與西方科學的對話，而是「佛教科學」與西方科學的對話。對話的內容是佛法中關於「存在的本質」的部分，與宗教「信仰」無關。對話會有益於幫助有情眾生。當今之世充滿痛苦和殺戮，以及種種災難，「災難是人類自己製造的，」尊者說：「但人們卻期望上帝去解決，這不是荒謬嗎？對佛教徒來說，我們佛教徒製造的問題，怎能祈求佛祖來解決？」

A：確實如此。

B：尊者說，因此對於佛教徒來說，光有菩提心不夠，還要有行動，也就是必須有菩薩行。那麼，已有的佛法知識怎樣轉化為人類利益？尊者相信將古印度的心理學傳統從佛教中提取出來，將有助於幫助人類整體提升精神價值。

這次研討會之前，美國麻州的心智與生命研究所所長、物理學家阿瑟・查恩茨辭職。尊者回顧說，當年發起科學對話的智利科學家瓦瑞拉已經辭世，現在查恩茨由於年齡原因也不能參加。然而，他相信由於有益眾生的緣故，世界上只要還有知識分子存在，這個活動就不會中斷。心智與生命研討會從二十世紀開始，現在進入了二十一世紀，尊者相信對話還會持續進行到二十二世紀，成為人類的一部分。

研討會正式開始後，世界著名的腦神經科學家理查・戴維森簡短介紹近幾十年來心理學和腦神經學的幾項重大發現。他說科學證實了大腦可塑性，而且「人性本善」的觀念是能夠被科學研究所證實的。

A：誰是第一個主講人？

B：第一個坐上「熱座」的是哲學家杰・加菲爾德教授。加菲爾德介紹西方哲學對感知、概念和自我的定義，以及三者之間的關係。他特別強調定義的重要性。他指出，對於諸如「自我」的概念，對話雙方必須清楚定義，否則就會引起誤解和混亂。

接下來坐上「熱座」的是尊者的翻譯土登晉巴。土登晉巴為今後幾天的對話提供了佛教方面的背景知識。他主要展示《阿毗達摩》經典中有關感知和概念的內容。《阿毗達摩》經典是一個龐大、複雜、深奧的系統，確切的產生時間不可考，但學者們認為它產生於西元前一世紀到西元三世紀之間。《阿毗達摩》經典對人的視覺、嗅覺等感官攝取外界訊息的方式有詳盡的研究。土登晉巴將這個龐大的體系濃縮，在很短的時間裡說明其基本內容和後世的發展。我注意到，坐在大經堂後面的僧侶們連連點頭，顯然他們對這位老同學的佛學學問還是挺服氣的。

上午的討論就到這裡。

一個以「光明」命名的公益計畫

A：下午討論了什麼？

B：下午，帕旺・辛哈（Pawan Sinha）教授介紹他創立和主持的一個科研暨慈善計畫——普拉卡什計畫」（Project Prakash）。

A：從姓氏判斷，辛哈教授是印度人吧？

B：是的。會議資料介紹，辛哈教授在印度新德里讀完大學本科，在美國麻省理工學院獲得碩士和博士學位，現在是麻省理工大腦和認知科學系的計算與視覺神經科學教授。他領導的實驗室專門研究人類大腦怎樣透過視覺經驗辨認物體，以及這種辨認能力怎樣編碼儲存於大腦記憶中。他的實驗對象不僅有健康的人，還有身體機能方面遭遇挑戰的人，如自閉症患者和盲人。他的研究目的不僅是要為理解視覺能力的成因與發展尋找線索，還要透過研究來幫助兒童克服視覺和認知障礙。這就是上午所討論的，視覺感知能力怎樣形成概念認知，又怎樣形成對自我和世界的認識。他得到的科學獎項有一大串，其中包括ＰＥＣＡＳＥ（Presidential Early Career Award for Scientists and Engineers）獎，那是美國政府對年輕科學家的最高獎勵。

A：「普拉卡什計畫」中的「普拉卡什」是什麼意思？

B：「普拉卡什」是梵文，意思是「光明」。辛哈用了差不多兩小時來介紹這個計畫。

科學對視覺感知與人對世界的概念把握之間的研究，需要一步步地從了解人類大腦獲得第一個視覺經驗、怎樣構建對外在世界的概念開始。邏輯上說，那就是對剛出生的嬰兒進行觀察和實驗研究，但是這有相當的局限性，因為嬰兒還沒有發展出語言的能力，也沒有配合研究的意識。剛出生的嬰兒大部分時間是在睡覺，實驗觀察其視覺經驗和概念形成之間的關係很困難。等到嬰幼兒發展出語言能力，一般至少在一年以後，即使嬰幼兒能夠表達其視覺經驗，也已經丟失了很多寶貴的初始數據。

辛哈於是想到了對那些失明、而透過醫治獲得視覺的人進行觀察研究。

A：這就是「普拉卡什計畫」的內容嗎？

B：這是「普拉卡什計畫」中涉及認知研究的一小部分。「普拉卡什計畫」本身是一個規模相當大的公益計畫。

A：請先介紹一下這個計畫。

B：當辛哈開始講他的計畫時，語氣變得沉重起來。他說，印度是一個盲人最多的國家，每一百個初生兒中就有一個是盲人，盲人在人口中的比例比其他國家高三倍。這個比例令人震驚。盲童中四〇%是可以治療的，但是由於極度的貧困和地域偏遠，許多盲童從未得到檢查和治療。盲童的命運令人唏噓。他們的平均壽命比他人短十五年，其中一半活不到一歲；僥倖存活的盲童，只有不到十%有機會接受學校教育。

辛哈說，這是印度所面臨的巨大的人道救助需求。另一方面，這些先天或從小失明的盲童，如果透過手術恢復視力，他們能夠看到外界時，面臨著一個問題：怎樣透過視覺經驗來重新構造對世界的概念。辛哈舉了個例子：他左手拿著電腦的遙控器，右手拿著大螢幕設備的遙控器，這兩個遙控器一大一小，形狀也不同。盲童握著這兩個遙控器，知道哪個是哪個。如果盲童透過手術恢復視力，在他面前放著這兩個遙控器，他不去碰觸它們，憑視覺他會知道這是他一直握在手裡的熟悉的兩個遙控器嗎？

結論是，不能。他必須重新培養透過視覺經驗構築概念的能力。

A：所以，對這樣的盲童進行研究，就能夠突破對嬰幼兒視覺經驗的研究局限。也就是說，這個計畫既是科學研究計畫，又是社會公益計畫。

B：是的。這個救助盲童的人道主義計畫同時也提供了一個科學研究的機會。這個計畫分幾個步驟。先是在全印度偏遠地區尋找盲童，找出那些醫療技術能夠協助的人。如果是弱視者，就給予改善視力的幫助。如果是需要預防全盲的兒童，就給予預防性的幫助。只有那些已經全盲而且能夠透過手術獲得視力的盲童，才帶到首都新德里接受治療。他們在新德里配備了世界一流的手術設備。

十幾年來，「普拉卡什計畫」檢查了四萬二千個盲童，做了四百七十二個視力恢復手術，為一千四百個盲童提供了非手術治療。對獲得視力的盲童進行的觀察研究，為視覺感知與概念認知之間的關係，提供了很多有益的線索。

A：這樣的計畫非常了不起。盲童在恢復視力時，就像獲得了重生。

B：和一般人的想像恰恰相反，盲童在獲得視力的那一刻，當遮蓋眼睛的繃帶取下來時，盲童的表現不是欣喜，而是慌張，因為他們透過視覺經驗看到的世界完全不同於他們以前依靠觸覺和聽力構築的世界圖像。他們必須重新學習透過視覺來認知和構築概念。

辛哈的實驗研究顯示，透過視力和透過觸覺而形成的概念、認知，在大腦中是不一樣的。也就是說，長久使用視力和長期不得不使用觸覺，會改變大腦構造。而重新透過視覺經驗來認知世界，就涉及到大腦的重新改造能力，即大腦神經可塑性問題。

辛哈的實驗觀察證明，人類大腦具有相當高的可塑性。盲童在獲得視力後，能夠迅速發展出透過視覺來感知和認知世界的能力，辛哈在大螢幕上打出了實驗室所做、盲童獲得視力後的大腦成像圖片，證明了這一點。

辛哈結束報告後，請求達賴喇嘛尊者評論。

A：尊者說了些什麼？

B：達賴喇嘛高度讚賞辛哈的工作。他指出，在這個世界上，仍然有很多人在受苦，每天仍然有殺戮在發生。佛教提倡利他、慈悲心，同時，就像辛哈所做的，科學可以結合利他和慈悲心，有益於眾生。他對印度有那麼多的盲童非常痛心。他回憶說，他曾在孟古德聽說了那裡有很多盲童，當他看到盲童的臉，自己就忍不住流下眼淚，非常痛惜那些孩子。於是他捐了一筆錢給盲童辦了一所學校。這就是孟古德盲童學校。

A：我記得你在二十六屆對話會期間見到過盲童學校的學生。

B：是，三年前在第二十六屆心智與生命研討會期間，盲童學校的學生在老師帶領下，特地到會場對達賴喇嘛表示感謝。我剛好在場，看到了非常感人的場面。

達賴喇嘛接著說，我捐了錢，自己心裡就覺得寬慰和欣喜，笑容重新回到臉上。所以說，利他的動機和行為是快樂的源泉。而對這些盲童來說，是否能夠得到教育的機會，是改變他們人生的重要一步。

這時候，辛哈突然對尊者說，我要再放一段影片給尊者看。大螢幕上出現了一個恢復了視力的女孩面對鏡頭，回答醫師的問題：你希望將來做什麼？她回答說，我將來要做眼科醫師，要像你們為我做的那樣，為其他的盲童做手術，讓他們重獲光明。

A：這是令人感動的時刻，是對從事公益事業的人最大的安慰和獎勵。

B：你再看下去。辛哈說，這個女孩當時十四歲。兩年後，辛哈重訪這個女孩。他說女孩在父母的壓力下，已經嫁了人，正在等待生下第一個孩子。她沒能完成教育，理想沒有實現。

辛哈說，事實上，「普拉卡什計畫」的標誌是一朵三瓣的花，今天講的人道救助和科學研究是其中的兩片花瓣，第三片是當中最重要的花瓣。他在大螢幕上打出了那朵三瓣花，當中一瓣就是──「教育」。

A：也就是說，要擺脫今日社會的貧困、疾病、愚昧和痛苦，歸根結柢需要發展教育，要脫離無知。這剛好證明了佛教的義理：痛苦的根源是無知。

B：尊者非常讚賞，又一次表揚辛哈所做的工作，並當即表示將為辛哈的工作捐款。

下午的討論會歷時兩個小時，三點準時結束。三點開始，三大寺的僧侶們在大經堂前廣場上開始就當代物理學知識「辯經」，即以辯經的形式，互相討論當代科學。這是對進行中的寺院科學教育的一次檢驗。尊者和參加對話會的西方科學家，饒有興味地觀摩了身穿袈裟的僧人互相擊掌辯論有關基本粒子之類的知識。

晚飯後，大經堂舉辦科學講座，這是科學家為僧人額外增加的科普課程。

A：這是你第一次去色拉寺嗎？

B：不是。二〇〇七年，我第一次到印度採訪西藏難民，曾經到過南印度色拉寺。八年後重訪舊地，發現寺院有了很多變化。色拉寺有了一個科學中心，這個中心出版各種普及性的科學教材，還有一些科學教室。三大寺之一的色拉寺，學僧們要在教室裡學習現代科學，竟然還用他們習慣的辯經方式來互相問答。這在佛教的發展史上，還從來沒有過。

A：但是從佛教的發展來看，既然佛教的那蘭陀傳統是知識傳統，那麼就可以把科學知識汲取納入。辯經只是一種學習和檢驗知識的形式，當然也可以用來辯論科學知識。

感知與概念

B：二〇一五年十二月十五日，第三十屆心智與生命研討會進行到第二天。早晨七點三十分，達賴喇嘛尊者在色拉寺杰扎倉科學中心為僧尼們製作的科學展覽開幕，並饒有興致地觀看懸掛著的多幅繪畫。

A：這是什麼展覽？

B：這個展覽名為「我的地球，我的責任」，內容是關於環境保護，分為地球的生態系統、我們怎樣知道氣候暖化、氣候變化原因、氣候變化的影響，以及我們每個人應當做什麼。展覽的製作頗為特別，是用西藏傳統的唐卡形式繪製的。畫上的山水人物都是傳統的唐卡畫法，文字則是英、藏兩種文字，並提供佛教和科學兩種觀點。科學中心還準備了說明書和圓形小紙片，紙片的一面印著彩色的地球，另一面是空白的，參觀者索取一本製作精美的說明書，必須在紙片的空白面寫上自己的環保承諾。

今天對話的主題是「感知與概念」，主講者是兩位女科學家和一位美國藏學家。上午有兩場報告，第一場由女科學家凱瑟琳・科爾博士主講。科爾博士是隸屬於美國布朗大學腦神經實驗室的「活力計畫」負責人。她的研究領域是冥想對大腦神經網絡的影響，主要是專注冥想訓練、氣功和太極。這個計畫的目標是尋找「能量流」和「氣感」的神經機制。她的研究得出的一個重要結論是：心智在我們怎樣感知身體器官的訊號方面，具有關鍵的作用。也就是說，我們的身體器官發出的訊號，在大腦中形成怎樣的感知，很大程度上受我們心智的影響。

凱瑟琳向尊者解釋這個領域的一個發現：人們對身體的感知，比方說喉嚨裡有「塊狀物」或者身體某部位的疼痛感，是大腦與身體互動的結果。身體的疼痛感受傳到大腦，大腦產生的心智反應會使痛感增強或減輕。她說，感知會放大情緒，情緒也會放大感知。有的人身體狀況並不很差，但他們身體某部位產生痛感後，大腦的心智反應可能會讓他相信自己患了重病。凱瑟琳說，實驗室研究的成果顯示，專注訓練（mindfulness training）能夠增強大腦對身體感知強度的控制。她談到「身體的自我」這個概念，即人們對身體的自我認知。這是一個新課題，她說，對這課題的研究有助於治療（healing）病人，以及對意識的理解。

接下來的主講人是藏學家約翰・杜恩博士。杜恩是西方人，他的專業知識和演講主題卻是藏傳佛教經典中對感知和概念的認識——有關概念形成的四個方面。開講之前，杜恩先向達賴喇嘛尊者和在場的僧侶們表示，他自知自己是在「班門弄斧」，若有錯誤，請隨時糾正。接著他用藏語說了一串話，大經堂裡的僧侶們應聲大笑。我們聽不懂藏語的人只好等土登晉巴一邊笑一邊翻譯成英文。杜恩顯然對他所講的內容十分熟悉，他講得飛快，主要詞彙還用梵語和藏語重複一遍。整場演講就在藏語和英語之間飛速轉換。

A：他講了什麼內容呢？

B：他先交代了這次演講內容的來源，主要是來自七世紀印度佛教大師法稱法師和七、八世紀其他幾位大師的著作，這些佛教大師之間有師承關係。

他介紹說，概念對於認識世界是非常重要的。現代科學研究證明，即使是鴿子，也會使用概念。而古印度佛教大師早就對概念的形成與作用機制進行了反覆的思考和辯論。在古印度佛教大師的著作中，概念是一種客觀形式的認知，而且這種認知能夠和語言結合在一起。這樣的定義使得概念帶有可重複性。

杜恩在講解中提到，根據佛教金剛乘秘訣，在心智和物質之間沒有絕對的界限。達賴喇嘛尊者插話補充說，這結論必須在非常精微（subtle）的層面上說，也就是指非常精微的心智和非常精微的物質，而不是指我們平時看到的粗的（gross）物質的層面上。

杜恩的一小時演講結束時，僧侶們給了他一陣熱烈掌聲。

A：藏人僧侶們看到一個西方人嫻熟地講解他們的佛教，也一定很好奇和興奮。

B：在南印度三大寺，你在街上經常能看到穿袈裟的西方喇嘛和阿尼，有些是年輕的學僧，也有一些較年長，絳紅色袈裟配上標誌著「格西」學位的黃色坎肩的洋喇嘛比比皆是。不過，杜恩藏語非常流利，就像使用母語一樣，這是很難得的。

語言和心智

下午，萊拉・波羅迪特斯基（Lera Boroditsky）教授主講，她的題目是「語言和心智：語言怎樣構造了我們的思維方式」。

A：這又是一個非常有意思的題目。

B：萊拉現在是聖地牙哥的加州大學認知科學副教授，曾經在麻省理工學院和史丹佛大學工作過，專門研究語言、心智和人與外在世界的關係，是這個領域裡獲得很多獎項的年輕科學家。她的母語是俄羅斯語，多語種的背景也是她從事這項研究的優勢。

她的演講是從一系列問題開始的。

她介紹說，人類現在總共使用七千種不同的語言來交流。於是就產生了下列的問題：使用不同語言的人的思維方式是否也不一樣？語言是不是僅僅用來表達已有的思想，抑或也悄悄影響了我們要表達的思想本身？是不是有一些思想必須依賴語言，沒有語言就沒法想？

她說，我們所使用的語言是否也影響了我們的思維方式，這個問題已經爭論了幾個世紀，是一個非常深刻的議題，因為這個問題的答案涉及到我們對自身的認識，對人類的本質和實在的本質之理解。我們能不能不透過語言直接感知世界，這樣的感知和透過語言的感知有什麼不同？

萊拉從五個方面對這些令人饒有興味的問題展開探討，觀察不同語言對顏色、空間、時間、因果和人際關係造成的差異。

她說根據實驗室觀察數據，人們對顏色的感知和判斷，只有十%來自於視覺，即透過眼睛輸入的訊息，而九〇%來自大腦內儲存的已編碼訊息，而這些訊息是和語言有關的。比如，她用大螢幕上打出的圖像說明，英語使用者看到四種深淺不同的藍色塊，判斷這些色塊都是藍色。而俄語使用者看到同樣的色塊，卻判斷為兩種顏色，使用兩個不同的詞來描述，他們沒有單一的詞來包含全部四種色塊。

A：這種現象是大家都能想像和理解的。對一些外在現象的認知和描述，有些民族比較大而化之，另外一些民族比較細緻複雜，這或許和生存環境與生活方式有關。

B：但是，接下來對時間和空間的感知與描述，就不是大家都熟悉的了。

比如，時間的方向性，英語民族在實驗中描述時間方向性時，都是從左到右，即左邊是過去，右邊是未來。可是使用希伯來語的民族，卻從右到左來描述時間的方向性。這是怎麼造成的呢？她說這可能是文字的書寫順序影響的，英語從左寫到右，希伯來語和阿拉伯語從右寫到左。尊者提問，那麼書寫順序是怎麼造成的呢？萊拉回答說，可能是受文字創制初期的書寫工具影響。刻石的方式適合從右到左，用墨書寫適合從左到右。尊者立即提問，那麼中文是從上寫到下，又是怎麼形成的呢？

A：大概是因為在細長的竹簡上書寫而形成的吧？萊拉怎麼回答？

B：萊拉沒想到這個問題，她表示存疑。然後繼續回到時間的方向性上。她說一般認為時間是流動的，但是是人在時間中運動，還是時間在靜止的人身邊流動，這和語言有關。另外，一般人在敘述中，把過去說成在自己背後，未來在自己前面。可是，玻利維亞有一個民族卻相反，在他們的語言中，過去是在前面，未來在人的背後。

尊者立即答道這很自然，過去是你能夠看到的，所以在前面，而未來是看不到的、一無所知，所以在背後。

A：這樣的解釋也有道理。

B：萊拉又說到，用上下來描述時間也是相當普遍的現象，一般是把過去定為「上」，把未來定為「下」，比如「上星期」，「下個月」等等。她從空間觀念講到了人類的方向感。她指出實驗室證明，現代人類的方向感很差，但是澳大利亞有一個民族，無論男女老幼，隨時隨地都能辨識出東南西北來。她指出，這是文化差異造成的，而不是生理的不同。

在事物因果方面，她指出，實驗室觀察顯示，語言影響了人們注意事物的重點和記憶的重點，使用不同語言的人，面對同一事件，注意的重點、對原因的理解和記憶，都會有所不同。於是引出了另一個問題：改變語言環境會改變人的理解和記憶方式嗎？

最後，萊拉講到語言在社會生活中作為社交媒介的作用。她舉了藏語中複雜的敬語為例。有些民族的語言只有簡單的人稱代名詞，還有一些語言卻有非常複雜的人稱代名詞。這樣的區別顯然植根於特定人群的人際關係。有些語言的動詞只是單純的動作，另外一些語言的動詞中蘊含著動作者的動機，比如藏語中故意的動作和非故意的動作，使用的是不同的詞。

萊拉用一連串問題總結她的演講：語言是怎樣和思維方式互相影響的？學習一種新的語言，是否也同時在學習一種不同的思維方式。具有多重語言能力的人，是否也具備多重的思維方式？語言和感知、概念形成、認知、記憶的關係是什麼？她請達賴喇嘛對此加以評論。

A：尊者怎麼說？

B：尊者評論說，語言對人類的感知和認知、思維方式有很大的影響，不同的語言影響了不同的思維方式。語言和思維方式都植根於大腦。現代科學研究已經找到了大腦中和語言能力相關的部位。那麼，語言與思維方式的不同也會導致人類大腦的察覺不同嗎？語言怎樣影響大腦？怎樣影響人的情緒？怎樣影響人的感知和認知能力，將來是否可以從語言對大腦的影響來進一步研究？

萊拉對達賴喇嘛的評論和鼓勵表示非常感激。她的說明有很多知識，卻是用一連串的問題來呈現，又以一系列的問題來做總結。這是「心智與生命」研討會上科學家最喜歡採用的方式。

A：這天還有別的內容嗎？

B：傍晚，我在色拉寺杰扎倉的中學參觀學生們在院子製作的有關環境題材的大型立體展覽。裹著袈裟的年輕僧人向其他僧人介紹展覽內容：生態系統、森林濫伐、土壤沙化、冰川消融等環境問題。我跟兩個中學生聊了一下，他們告訴我，他們是十年級學生，在學校學習的主要學科是英文、數學、科學、印第語和中文。色拉寺杰扎倉的中學很特殊，學生們像普通中學一樣上課學習，科目也跟印度的普通中學一樣，但都是穿著袈裟的學僧。令我印象深刻的是，這些學生很善於解說，介紹他們自己製作的展覽時滔滔不絕，信心十足，好像是在辯經場上。

關於自我的概念

A：第三天的討論是什麼？

B：第三十屆心智與生命研討會的主題是討論佛教和西方科學中有關感知、概念和自我的觀念。研討會的第一天討論了「感知」（perception），第二天討論了「感知」和「概念」，第三天的會議進入第三個主題：自我。這個主題分為兩部分，第三天討論的是佛教中的自我觀，第四天上午將討論其他文化傳統中的自我觀。第三天有三場討論，上午兩場從哲學角度說明佛教哲學和西方哲學中有關「自我」的觀念，下午則是從當代科學角度來討論「自我」觀念的產生。

A：第三天開場的是誰？

B：這天的開場演講者是位高僧，印度西藏高等研究院的益西塔克（Yeshe Thabke）教授。益西塔克出生在西藏洛卡（今西藏山南地區），十三歲到哲蚌寺洛色林扎倉出家，一九五八年獲得格西拉然巴學位。格西益西塔克是印度著名的佛教中觀派專家和佛學專家，曾在印度梵文大學任教。他還將多部佛教經典翻譯成印第文。這屆研討會的參加者，哲學家杰・加菲爾德和藏學家約翰・杜恩都曾跟他學習過，尊他為師。大家也都按照西藏習慣，尊稱他「格西啦」。

與其他演講者不同，格西益西塔克沒有準備幻燈片。他在面對尊者的「熱座」上坐下，氣定神閒地從懷中掏出幾張折疊的紙，打開，然後按照傳統，向尊者合十致禮，請求尊者准許自己在他面前演講。尊者拿起麥克風，趁機開了個玩笑，說一九五九年自己在大昭寺考格西拉然巴，他的辯論對手們見到他都畢恭畢敬，因為他是達賴喇嘛。但是，當他們站起身，準備與他辯論時，神情頓時一變，立刻顯得威風凜凜，氣勢逼人。

稍有佛教知識的人都知道，佛教主張「無我」，但什麼是「無我」？這個觀念的內涵是什麼？這一觀念是怎樣產生的？「無我」與物質存在的「我」是什麼關係？格西啦在一小時的時間裡，詳細闡述佛教怎樣回答這些問題。他不僅講到佛教的觀點，也講到其他教派對此觀點的看法及其邏輯上的疑問。格西啦用藏語講述。在他講述期間，整個大殿鴉雀無聲，僧侶們一動也不動地傾聽，我身邊的一位「洋喇嘛」則飛快地記筆記，達賴喇嘛尊者傾身向前，極專注聆聽格西啦的講述，幾乎沒有打斷過他。

A：聽起來是很精深的佛學哲理，非修行者聽得懂嗎？

B：這次是第一次有中文同步口譯的研討會。現場共有三位中文翻譯。一位是尊者的法會翻譯蔣揚仁欽。如果你看過達賴喇嘛尊者和聖嚴法師在一九九八年世紀對話一小時影片，一定會對那位眉清目秀的翻譯留下深刻印象，那就是蔣揚仁欽。蔣揚是臺灣出生的華人，十二歲就來到印度達蘭薩拉，在尊者的親自關照下學習藏語文，修習佛法。蔣揚不僅漢藏英語流利，藏學西學皆通，而且修習藏傳佛教的顯密宗，達到相當水平。後來他又到哈佛大學學習，並獲得南亞系博士學位。畢業後，他返回印度，回到尊者身邊，以義工身分繼續為尊者服務，在許多大型法會上擔任尊者的翻譯。

A：另外兩位翻譯是誰？

B：一位是翁仕杰居士，一位是如聖法師。翁仕杰居士是臺灣嘉義縣人，臺灣大學社會學研究所碩士，後來在美國威斯康辛大學麥迪遜分校佛學研究所博士班學習，專攻西藏佛學。翁仕杰居士也是資深修行者，並翻譯多部佛教典籍和佛學著作。

益西塔克的講述是由如聖法師翻譯。如聖法師是臺灣人，他在臺灣出生，四歲隨父母移民美國，在加州橘縣長大。法師的母親是佛教徒，他受到母親的薰陶，從小就有向佛之心。一九九四年，法師十四歲時，母親送他回臺灣參加一個佛教夏令營，師父們很喜歡這個聰明少年，認為他將成大器，於是請求他母親准許這個家中的獨子出家為僧。法師的母親欣然同意，他自己也很歡喜。於是，這個在美國長大的少年就此剃度出家。一九九八年，如聖法師來到印度，在哲蚌寺學習，至今已經學了十幾年。一年多後，他將進行格西學位考試。借助如聖法師的翻譯，我幸運地聽了一堂高僧親自講述的佛學課。如聖法師的翻譯非常流暢，他不假思索地將艱深的義理和拗口的詞彙翻譯成中文，顯示法師本人的佛學造詣也相當高深。他還精通英文，能夠進行藏－漢、藏－英、英－漢同步口譯。

格西益西塔克講完後，尊者簡短歸納，並且提到量子力學與佛教空性觀的比較。

A：看來這屆對話會佛教僧侶們的比重增加了不少。

B：是的。不過接下來輪到西方哲學家杰・加菲爾德。他講述的題目是一個問題：「自我是什麼？」加菲爾德分別介紹西方哲學和佛教哲學對這個問題的不同回答。他介紹了西方哲學中有關「自我」的幾個概念：「常久不變」的自我認知，即認為「我」是持續不變的；「自我」的幻覺和「敘述性的自我」，即把自己作為一個故事的主角，不斷敘述「我」如何如何，這似乎有點像我們常說的「自戀」。

加菲爾德認為，西方哲學家和佛教哲學家應當多交流，了解對方的觀點和立場。這一點，尊者和在場的科學家們都表示同意。

上午的兩場講述結束後，科學家們對「自我」的不同觀念進行了討論。然而，佛教的「無我」觀念怎樣達成心理轉換，利益人生呢？尊者簡短介紹了佛教「聞、思、修」這三個步驟，指出必須先了解各種知識體系，然後透過思考辨證來檢視理論是否正確，再透過修練實現內心的轉化，這三個步驟缺一不可。

下午是瓦蘇德薇・瑞迪（Vasudevi Reddy）從兒童心理學的專業研究，討論「自我」概念的產生。

A：從名字看，她是一位印度科學家？

B：是的，瓦蘇德薇又是一位印度出生的知識精英。她在印度海德拉巴邦完成基本教育，在蘇格蘭的愛丁堡深造，之後的三十年專門研究兒童心理發展中對社會認知的起源，主要研究對象是嬰幼兒。她特別重視研究嬰幼兒的日常現象，這些現象是父母們或者撫養者都熟悉的，然而還沒有經過仔細的科學考察，比如孩子的互相逗弄、扮演小丑、表現欲、害羞的表現等等。她是英國樸茨茅斯大學兒童發展心理學和文化心理學教授。她對嬰幼兒和他人互動的研究，有助於理解文化互動的本質和影響，以及自我概念的產生和本質。

她說，科學家為了認識「自我」概念的本質，經常不得不使用語言來作為人類經驗到自我概念的媒介，也就是說，既然研究「自我」，就不得不讓「我」來說出自己的經驗和感受。但是，作為兒童心理學家，她指出嬰幼兒在語言和概念產生之前，早就有了人類經驗，「自我」從那個時候就開始出現。所以，理解「自我」，了解它是什麼、什麼時候出現、怎樣出現、為什麼會這樣出現，應該從早期「自我」剛出現的時候著手。

瓦蘇德薇的演講主要展示嬰幼兒的早期階段，即出生前後的幾個月，她認為這幾個月的現象能夠回答「自我」的起源等關鍵問題。

瓦蘇德薇使用了很多嬰幼兒的照片和錄影，來解釋她的發現和結論。她說嬰幼兒很早就有感知的能力。她用母親子宮中的胎兒照片顯示，胎兒是有聽覺的，並且能顯示出臉部的情緒表情。她認為，胎兒能夠聽到母親的語言聲調，感受母親的情緒，並且適應母親的情緒。所以，當嬰兒出生時，這種影響就可以觀察到了。比如，嬰兒出生後的哭聲是不同的。

那麼，嬰幼兒的「自我」觀念是什麼時候產生、怎樣產生的呢？她認為，是嬰幼兒開始和他人互動，學會區別自己和他人的時候開始的。

這是出生後的什麼時候呢？事實上，這比我們通常猜想的時候早得多。瓦蘇德薇在大螢幕上放了幾段影片，拍的是一個出生二十分鐘的男嬰，一個出生二十分鐘的女嬰，另一個出生十五分鐘的男嬰。這些剛出生不久的嬰兒，開始對抱著他們的人的聲音和臉部作出反應，開始努力模仿他人的臉部動作。這是嬰幼兒在和「他者」互動，建立關係。從這時候開始，「自我」就產生了。

這些剛出生嬰幼兒的表現，讓眾多喇嘛的臉部表情變得柔和起來，達賴喇嘛也面帶笑容開玩笑說，小傢伙們是不是要吃奶啊？

瓦蘇德薇還用自己兒子十個星期大時的影片，說明嬰幼兒怎樣試圖和他人對話。孩子的滑稽表現引得喇嘛們哄笑起來。她用一系列兒童心理學的專業術語來說明撫養嬰幼兒階段，笑容和觸摸對嬰兒的人格發展，建立良好的「自我」觀念和與「他者」的關係，非常重要。她解釋了嬰幼兒成長階段，為什麼逗孩子玩耍、扮演小丑、製造驚喜等等會影響孩子的「自我」人格。喜歡遊戲、得到遊戲機會（playfulness）涉及到孩子性格中的開放性（openness），這對人格養成非常重要。

由這些研究和發現引出結論，在養育嬰幼兒的過程，應該避免「管理型」的撫養方式，避免一味施行規則，「做規矩」的養育風格，避免非人性化的嬰幼兒教養。

在瓦蘇德薇的演講之後，科學家們的討論非常活躍。每個人都有自己的成長經歷，也都有撫養兒女成長的經驗，又有各自的專業訓練和相關知識，於是紛紛對瓦蘇德薇的治療和結論提出質疑。坐在「熱座」上的瓦蘇德薇學識淵博，對自己的研究很有信心，於是一一回答，引出更多的問題。最後不得不讓哲學家加菲爾德出來釐清思路，對「自我」的概念進行嚴格定義，然後大家紛紛點頭，從分歧趨於一致。

著名大腦神經科學家理查・戴維森問了達賴喇嘛一個問題，請達賴喇嘛談談自己的童年成長經歷和人格形成的看法，因為尊者和其他人都不一樣，從四歲被選為達賴喇嘛後，就脫離了父母的照顧，生活在一群男性僧侶之中。

達賴喇嘛在回答時，回憶起自己的母親。我已經不止一次聽到尊者回憶自己的媽媽了。他說，母親是一個非常慈愛、擁有大愛的人，對所有的人都非常友好愛護。尊者說，他永遠記得母親慈愛的面容，母親的擁抱。他說，這些對於一個孩子來說是非常非常重要的，在母親的懷裡，你感到安全。他說，母親的擁抱和撫摸對孩子的心理健康和養成完善的人格非常重要。

他又半開玩笑地回憶說，後來，他開始在經師的監督下學經，要背誦大量經文，有時候懶惰而背不出，經師就威脅要用鞭子教訓他，他就害怕起來。這一番回憶引得全場僧侶們大笑。

今天關於「自我」的對話也顯示出佛學和當代科學的特點。上午的講演主要呈現佛教對這個主題的思考，抽象性強，份量極重，表現出佛學的「內觀」科學的精深，一般聽眾理解起來比較吃力，好在旁聽的大多是僧人，他們對「內觀」科學的抽象思考駕輕就熟，顯得挺輕鬆。而下午的西方心理學演講，在觀察資料的基礎上建立假說和結論，最終依賴於實證。這兩種不同的研究方式的對比，本身就大有助益。

第三十屆心智與生命對話會的最後一天

A：十二月十七日是這屆心智與生命對話會的第四天，也是最後一天，這天討論的內容是什麼？

B：上午主講的是洋喇嘛馬修・李卡德，今天他講的內容是關於自我和自私／利他的問題。這是他最喜歡講的話題。

他說，當代西方科學和人文思潮的流行觀念認為，人的本質是自私的，特別是生物學、進化論和經濟科學，認為自私是人的一種客觀性質，自私有利於生存，是環境、競爭和進化的結果，是經濟發展的動力。自私植根於人的心理深處，就是專注於「自我」，就是「自我意識」。

由這種「人本自私」的觀點出發，當代西方科學和人文思潮通常認為，所謂「利他」的動機和行為是幼稚的，是人格不成熟的表現，提倡「利他」是一種不現實的理想主義。佛洛伊德等西方思想家甚至把提倡利他視為一種惡。

當今人類面臨著很多問題，如貧困、環境汙染和破壞、物種消失等等，而這些問題都和人們只顧自己，完全不顧他人的自私有關。比如貧困，是和貧富差距、消費主義、過份追求享受等自私行為有關。解決這些問題也必須從克服「自私」著手。但是人本自私的流行觀念則認為，既然人的本質是自私的，那麼這些問題是無解的，因為你不可能改變人的本質。

佛學精湛而修持嚴謹的法國喇嘛馬修明確反對「人的本性是自私的」這種成見。他認為，人的本性自私的觀念來自於錯誤的觀察和推導。他說，對於人的生存來說，競爭是存在的，但是競爭並不僅導致個體的自私。事實上，對人的生存來說，合作是更為重要的生存法則，因為，他用一些例子來說明，人的幸福的第一條件是高質量的人際關係。而高質量的人際關係要求自己和周圍的人有「利他」的行為特點。

他說科學家們早就發現，作為群體來說，有「利他」的個體組成的群體，更有生存和競爭的優勢。而對於個體來說，「利他」的行為、慷慨的心理，能夠為個體帶來快樂。

但是，有些心理學家指出，既然利他的行為能帶來快樂，所以所謂「利他」的行為其根本動機是自私的，是為了得到自己的心理快樂而去行「利他」，比如為了自己感覺良好而去匿名捐款，其實最終動機是自私的。馬修稱這些心理學家是「自以為聰明的心理學家」。

馬修認為，人的本質，即人天生就有的潛質是趨向「利他」的。

A：這方面是否有實驗可供證明？

B：有。他在大螢幕上放了一段很有意思的影片。用兩個玩具熊表演一段情節給一個不到一歲的孩子看，其中有個玩具熊在其他玩具熊遇到困難時就去幫助，是個「好心熊」；另外一個玩具熊很壞，別人遇到困難不僅不幫忙，還趁人之危，排擠他人。然後讓這嬰兒選一隻自己喜歡的玩具熊。結果是九五%的受試嬰兒選擇「好心熊」。這說明人是喜歡生活在利他人群裡的，利他人群更容易合作，內部更有信任，更容易給個體帶來心靈安寧、和諧與快樂。

A：在日常生活中也可以觀察到，沒有人願意跟自私自利的人交朋友，誰都願意和利他的人交朋友。利他是人的本質，自私卻是後天養成的。這一觀點恰合佛教的利他觀念。

B：是的。他認為為了解決當今人類面臨的種種問題，應該倡導佛教的利他觀和慈悲心，在教育中提倡合作。培養利他的品質。

馬修是作家、攝影家，他的大部分時間是管理慈善事業。他把一切都投入了慈善，是一個身體力行的利他主義者。他認為利他帶來快樂，所以他也被稱為是世界上最快樂的人。

A：在他之後的演講者是哪位？

B：是著名神經科學家理查・戴維森。他講述了大腦神經科學的一些發現，為佛教修行作出科學解釋。他說，對冥想修行進行的神經科學研究得出結論，冥想修行有四大好處：

1. 較強的適應力，即從壓力和衝擊下恢復的能力
2. 正面看問題的習慣
3. 更高的注意力
4. 更慷慨大度

他說，大腦神經科學的實驗室觀察數據顯示，冥想修行所引起的以上四個方面的好處，有大腦神經方面的改變。他用一些統計圖片和大腦神經結構的影像來說明這些研究發現。

在對捐腎者的研究中發現，有這種利他行為的人大腦中的杏仁體比其他人大。統計數據顯示，慷慨大度和杏仁體的體積有關，尊者聽到便問，是杏仁體大而使人更慷慨大度，還是習慣於慷慨大度而促使杏仁體更大，你有答案嗎？會不會是其他原因導致兩者發生？理查・戴維森不得不回答說，這個問題還沒有確切答案，需要進一步的研究才能回答。

戴維森還對適應力與鎮定能力的人腦機制作了說明。他說，研究證明大腦中海馬體的體積與人的適應力、鎮定能力有關，而海馬體的體積可以透過運動來增大。也就是說，運動較多的人更有適應力和鎮定力。

在他們報告後，其他科學家展開討論。印度科學家辛哈教授向馬修提了一個問題。辛哈是前兩天介紹救助印度盲人的「普拉卡什計畫」的科學家，這個問題其實也是他向自己提的問題。他問說你做了那麼多的慈善，遍布世界各地，幫助了上千的貧困學校、偏遠地區診所等等，但是，從底層發起的從下往上的民間公益事業，其資源和力量永遠無法和國家、政府的資源相比，面對當今世界層出不窮的問題，單靠杯水車薪的民間慈善，有用嗎？

A：是啊，這個問題是很多人對公益事業的疑慮。做公益的人，付出太多，收穫太少，值得嗎？

B：馬修回答說，二十世紀後期人類社會有一個偉大的改變，就是世界性的NGO運動。這顯示了世界性的公民社會在形成之中。而所謂公民社會，就是每一個個體，都開始擁有權利、責任和參與的意識，來共同面對當今世界的問題，而不再是只顧自己。這種草根性、來自底層的運動，將在新世紀從根本上改變這個世界。

A：說得好！

B：下午的講座主要是由幾位僧人學者介紹與寺院科學教育有關的情況。西藏檔案圖書館館長格西拉多透過十分鐘的短片介紹了圖書館的基本情況。圖書館裡有許多珍貴收藏，不僅有流亡藏人帶來的佛像、唐卡等聖物，還有很多古老的經書。此外，對於當代藏史研究來說，圖書館出版的口述歷史系列書籍是極其寶貴的第一手資料。西藏檔案圖書館還是好幾屆心智與生命研討會的協辦者，在推動寺院科學教育方面發揮了很大的作用。

接著坐到「熱座」上的是格西洛桑丹增那吉，是艾莫利大學宗教學系教授，亞特蘭大哲蚌洛色林寺的創建人和精神導師，艾莫利大學的「艾莫利－西藏合作計畫」的創辦人之一，也是該機構的主任。目前有三個推動寺院科學教育的機構，一個是艾莫利大學的「艾莫利－西藏科學計畫」，一個是瑞士的「科學與佛法」計畫，第三個是賽杰家族基金會資助的「僧人學科學計畫」。洛桑丹增那吉是「艾莫利－西藏科學計畫」負責人。他向達賴喇嘛尊者介紹了計畫的基本情況。到目前為此，該計畫已經為寺院科學教育編寫了多本教材，教材也可以在網路免費下載。到目前為止，有二十二所僧團組織、三所尼姑寺和十八座寺院加入了這個計畫，包括藏傳佛教四大教派和苯教，每年有大約十五名教授在達蘭薩拉授課。這個計畫還向寺院的科學中心提供經費購買顯微鏡等科學儀器，使學僧們有機會親自動手學習，而非只是學習科學理論。在介紹成果之後，他談到這個計畫遇到的困難，比方說教師人數不足，經費緊張，在僧尼寺裡推動科學教育有一定實際困難等。

A：用藏語編寫科學教材有一個很具體的問題：怎樣用藏語來翻譯英文的科學詞彙？這個問題他們是怎樣解決的？

B：曾擔任達賴喇嘛尊者翻譯的格西達度南捷介紹了翻譯方法、翻譯的基本原則等。可以想像當物理學、生物學、天文學、心理學、數學、腦神經學以及科學史中的專業詞彙翻譯成藏文之後，必定大大豐富了藏語。

下午的幾位學者都是佛教方面的格西和仁波切，他們都能說流利的英語。心智與生命對話會的工作語言是英語。在這最後一天的下午，當主持人請尊者評論時，尊者卻用藏語發表了一段評論。一般而言，當尊者在會上用藏語講話時，是想對在場的僧侶說話。

A：達賴喇嘛想對僧侶們說什麼呢？

B：尊者再一次提到那蘭陀傳統。他說，那蘭陀傳統是一種知識傳統，就是要尋找有關世界的本質的知識。一千多年前，那蘭陀的大師們為此而接受非佛教信仰者，即佛教所稱「外道」的挑戰，透過接受挑戰而糾正自己，完善自己，提高自己。那蘭陀的大師們並不害怕外道的知識，能夠包容和接受外道的知識，所以才有我們今天繼承的浩瀚的佛教學術經典。今天我們的對話，就是那蘭陀偉大學術傳統和西方科學的對話。那蘭陀的大師們已經給我們樹立了榜樣，這樣的對話不會降低、損害佛教，反而會豐富和提升佛教。

他說那蘭陀時代，印度是東方學術最先進的地方，印度的知識傳播到了其他地方。西藏保留了最完備的那蘭陀學術經典。但是，世界不斷在改變，今天的印度已不再是世界上科學最先進的地方了。任何學術傳統如果不發展就必定會被超越。

當尊者談到印度學術傳統時，我注意到在場的兩位印度科學家極其莊重地注視著尊者，神色緊張而激動。

A：尊者還說了什麼？

B：尊者說，我們不能因為佛教科學和西方科學有不一致的地方，就放棄和現代科學的交流，不去學習和了解現代科學。如果害怕現代科學的力量，迴避和現代科學對話，將因小失大。尊者說，透過三十年和西方科學家的對話，他相信佛學和科學的對話一定大有益處。所以，把科學教育引入格魯派三大寺的學習，這一決定得到了格魯派高僧大德的支持。學習科學一定會占用學僧們的學佛時間，但是不能因為占用時間就不去學習有關世界本質的知識。這就要各寺院的堪布們好好安排學僧的時間。

尊者說，他相信我們的對話是在做一件重要而有益全人類的事情。我們要從歷史的眼光來看我們今天的對話，這樣的對話將繼續下去，直到下一個世紀。

接下來，按照心智與生命研討會的慣例，演講者們簡短說出他／她們的感想和收穫。這是一個令人感動的場面：平時嚴肅深刻、充滿學術自信的學者們此刻真情流露，有的甚至熱淚盈眶。大家紛紛感謝尊者給他們這樣一個寶貴的交流機會，每個人都說從這次交流中學到了很多。科學家們表示，透過同行之間的交流，以及與佛教科學的交流，使他們深切感到科學對人類心智所知甚少，作為科學家必須保持頭腦開放，科學的目標應當是增進人類福祉，應當把人視為主體而非客體。辛哈教授再次說到尊者提倡的「慈悲的科學」這一概念：將「心」與「智」結合起來。

尊者的翻譯土登晉巴的感言短短幾句話，令全場僧人都很感動。他幾乎是含著淚說，尊者對他來說就像父親一樣，尊者為佛學與科學的對話、為藏人學科學而作出的開示，對他來說是嚴肅的責任和使命，他的內心充滿了對尊者的感激。

A：二十世紀初中國的「人間佛教」運動也有同樣的想法。從那時起，漢傳佛教的僧侶逐漸走出山林，開始積極參與各種社會運動，從環境保護、災難救助、扶貧救苦、醫療教育到爭取政治權利等各方面都能看到佛教僧尼的參與。當科學走出象牙塔、佛教回到人世間，二者攜手，必將大大增進全人類的福祉。畢竟，探索存在的真相、了解人類外在和內在世界的根本目的，是為了減少人類的苦難，增加人類的福祉，是科學與佛教的共同目標。

B：是的，我們應該從歷史和世界的大場景來看尊者和西方科學家的對話。達賴喇嘛尊者最後發表簡短的閉幕詞。「當我開始對科學產生興趣的時候，一開始只是出自個人興趣。」尊者說。後來，他逐漸發現，佛教科學和現代科學的交流有可能造福更廣大的社會。寺院科學教育也是如此，剛開始只有數百名經過挑選的僧人參加，現在有越來越多的僧人開始對科學教育產生興趣。科學家也是這樣，交流的成果產生了科學研究的一個新領域，尤其是在專注力訓練方面。尊者說，地球上的七十億人有責任來解決自己製造的問題，哪怕只有一絲幫助，也應該朝這個方向努力。尊者說大家不必感謝他，每個人的生命都是有限的，他餘生所剩不多，解決這個世界的問題，需要大家共同的努力。這樣的交流應當有全域性的宏觀目標，只有這樣交流才會繼續下去，從二十世紀延續到未來。他告誡大家要時常思考這些問題，建立新的思考模式，發展出新的解決問題方式。

按照佛教的說法，這是一個殊勝的場合。達賴喇嘛身後高僧雲集。格魯派法王甘丹赤巴、薩迦法王、林仁波切、功德林仁波切、桑東仁波切、各主要大寺堪布都在場。藏人行政中央的司政洛桑森格這幾天也安靜地坐在高僧們座位的一角，安靜地旁聽。周圍旁聽的僧人們，此時都顯得特別嚴肅。作為宣誓受戒的僧人，他們一定意識到今天所經歷的，是自己靈性生涯中重要的一刻。

在僧人們的身後，有一群華人，他們是臺灣來的佛教師兄師姐。他們本來是到南印度出席法會聽經的，前幾天才得知有科學對話。他們來不及辦入場證，開幕前被攔在了大門外。尊者聽說了這個消息，吩咐翻譯蔣揚仁欽到大門口把他們帶進來。所以這幾天都是蔣揚在大門口等候臺灣同鄉，然後親自把他們帶進會場。他們在場見證了佛學和科學的最高層次的對話，都非常激動。

A：謝謝你的介紹，讓我們一同見證歷史。

生命講堂

智慧之海，達賴喇嘛與當代科學家的對話

2018年7月初版　　定價：新臺幣450元

著者	丁一夫
	李江琳
叢書主編	林芳瑜
內文排版	林淑慧
校對	宇宏
美術設計	化外設計
編輯主任	陳逸華
總編輯	胡金倫
總經理	陳芝宇
社長	羅國俊
發行人	林載爵

出版者	聯經出版事業股份有限公司
地址	新北市汐止區大同路一段369號1樓
編輯部地址	新北市汐止區大同路一段369號1樓
叢書主編電話	(02)86925588轉5318
台北聯經書房	台北市新生南路三段94號
電話	(02)23620308
台中分公司	台中市北區崇德路一段198號
暨門市電話	(04)22312023
台中電子信箱	e-mail：linking2@ms42.hinet.net
郵政劃撥	帳戶第0100559-3號
郵撥電話	(02)23620308
印刷者	文聯彩色製版印刷有限公司
總經銷	聯合發行股份有限公司
發行所	新北市新店區寶橋路235巷6弄6號2樓
電話	(02)29178022

行政院新聞局出版事業登記證局版臺業字第0130號

本書如有缺頁，破損，倒裝請寄回台北聯經書房更換。　ISBN 978-957-08-5147-2 (平裝)
聯經網址：www.linkingbooks.com.tw
電子信箱：linking@udngroup.com

國家圖書館出版品預行編目資料

智慧之海，達賴喇嘛與當代科學家的對話/
丁一夫、李江琳著 . 初版 . 新北市 . 聯經 . 2018年7月（民107年）. 424面 . 15.5×22公分（生命講堂）
ISBN 978-957-08-5147-2（平裝）

1.言論集 2.藏傳佛教

078 107010501